RETOUR À MAISON HAUTE

BRENDA JAGGER

Retour à Maison Haute

Traduit de l'anglais par Michel Ganstel

PIERRE BELFOND
216, boulevard Saint-Germain
75007 Paris

Ce livre a été publié sous le titre original
THE SLEEPING SWORD
par MacDonald Futura Publishers Ltd, Londres

Si vous souhaitez recevoir notre catalogue
et être tenu au courant de nos publications,
envoyez vos nom et adresse, en citant ce livre,
aux Éditions Pierre Belfond,
216, Bd Saint-Germain, 75007 Paris.
Et pour le Canada à EDIPRESSE (1983) INC., 8382, St-Denis,
Montréal P.Q. H2P 2G8, Canada.

ISBN 2.7144.1711.6

1

Eût-elle ouvertement fait preuve de malveillance à mon égard qu'il m'eût été plus facile de haïr la femme de mon père, sans remords et la conscience nette. Mais sa méchanceté, plutôt bénigne, provenait surtout de son désir d'être une épouse pour mon père et non une mère pour son enfant. Je dois aussi avouer n'avoir jamais fait le moindre effort pour me rendre aimable à ses yeux.

Nous l'avions d'abord connue sous l'identité de Mme Tessa Delaney. Belle, majestueuse d'allure, douée d'un esprit avisé servi par un verbe enveloppant et persuasif, il ne lui manquait que la vertu. Elle était, en effet, apparue dans notre petite ville industrielle en tant que protégée d'un de nos plus distingués notables, M. Matthew Oldroyd, veuf déjà âgé et sans enfants, épicurien notoire et seul maître des filatures de Fieldhead. Leur liaison restait cependant si discrète que les proches fermaient les yeux : une maîtresse aussi raisonnable valait mieux et coûtait infiniment moins cher, tout bien pesé, que les jeunes débauchées aux dents longues dont leur parent, jusqu'à présent, faisait les délices coupables de son âge mûr.

Assurés d'hériter de la fortune, neveux et nièces auraient même volontiers accordé à Mme Delaney quelque témoignage de leur gratitude — la montre en or du défunt, par exemple, voire le bail de la maison où leur oncle l'avait établie. Aussi, leur stupeur et leur indignation ne connurent plus de bornes lorsqu'ils découvrirent, à l'ouverture du testament, que cette créature n'était pas une vulgaire maîtresse mais se trouvait bel et bien, depuis près d'un an, la seconde et fort légitime Mme Matthew Oldroyd.

Les mariages clandestins, inutile de le préciser, ne sont guère prisés dans une société collet monté comme celle de Cullingford. Il fut aussitôt question d'attaquer en nullité le testament responsable d'un si gros scandale. Mais lorsque mon père, Me Jonas Agbrigg, homme de loi de feu M. Oldroyd, déclara que la loi ne saurait s'opposer à ce que la veuve prît possession de la maison du maître de Fieldhead, personne ne crut qu'elle y ferait de vieux os. Elle était coupable d'avoir dépouillé les neveux Oldroyd, tous enfants du pays, de leur patrimoine légitime; et si la loi des hommes se prétendait impuissante, il existait une justice immanente, d'essence supérieure, qui ne manquerait pas de prévaloir à terme. Comment concevoir, se disait-on avec émotion, comment admettre que le destin accorde à une femme aussi perverse, aussi avide, la jouissance paisible d'un bien si mal acquis ?

Pendant ce temps, le port d'impératrice, le teint de lys et les dents blanches tant admirés chez Mme Delaney continuaient à si bien s'épanouir chez la nouvelle Mme Oldroyd que mon père, plus réputé pour son habileté en affaires que pour ses qualités de cœur, l'épousa aussi vite que le lui permettaient les délais légaux. Il se rendit ainsi seul maître d'une immense fortune, au prix d'un scandale d'une ampleur encore inégalée dans cette région timorée et bien-pensante qu'est notre vallée de la Law.

Nul, d'ordinaire, n'y aurait jeté la pierre à un homme qui se marie par intérêt; ils le font presque tous. L'on y conçoit de même qu'un veuf ambitieux mais de peu de moyens, avec une fillette de onze ans à sa charge, ne puisse se permettre le luxe d'écouter ses sentiments s'il n'est question que de mariage. Mais l'union précipitée de mon père avec Mme Delaney dépassait la mesure. L'opinion unanime l'accusa d'être pire qu'un aventurier, un redoutable intrigant, suspect de manœuvres répréhensibles.

Tout Cullingford se rappelait, en effet, la confiance aveugle dont l'honorait M. Oldroyd. Conseiller du filateur, il n'avait pu ignorer la cérémonie secrète ayant fait du vieillard, alors simple amant sans obligations envers une étrangère, un époux dévoué, légalement habilité à léguer tous ses biens à sa veuve. Le honteux testament, aux termes duquel le vieux débauché déshéritait la famille de sa première femme, avait été rédigé par son homme de confiance et signé en sa présence. C'est donc en connaissance de cause que ce dernier avait eu le front de se produire dans les salons de Cullingford, d'y prêter une oreille attentive aux conversations des héritiers légitimes, à leurs projets, à leurs espérances, à la manière dont ils comptaient disposer des filatures, du portefeuille de valeurs et des imposantes liquidités amassées par M. Oldroyd.

Certes, il n'avait rien fait pour les encourager dans leurs illusions; mais qu'il les eût écoutés sans broncher suffisait à le condamner. Il épousait cette femme pour son argent, non, pour le *leur* ! Avocat sans scrupules, il s'était rendu complice d'un vol — un vol dont il bénéficiait. Ensemble, l'homme de loi à la tête froide et la courtisane mûrissante avaient comploté, manigancé et dépouillé des innocents. Jamais Cullingford ne passerait l'éponge sur tant de fourberie. Jamais une femme honnête ne s'abaisserait à recevoir chez elle la scandaleuse Mme Jonas Agbrigg. Voilà du moins ce que ces dames affirmaient tandis que leurs maris, non sans délectation malveillante, se demandaient l'usage que ferait Jonas Agbrigg de ses diplômes, de son grec et de son latin pour faire tourner des machines et gérer des filatures.

La propre mère de mon père, l'indomptable Mme Hannah Agbrigg, et mon grand-père, longtemps maire de Cullingford, refusèrent d'assister à ce mariage indigne. Ils se retirèrent peu après à Scarborough, incapables, disaient-ils, de supporter la honte dont leur fils les éclaboussait. La mère de ma mère, ma toujours belle et sentimentale grand-mère Elinor, ne put se résoudre, elle non plus, à faire acte de présence. Avec une hâte qui marquera toujours, dans mon esprit, le caractère pénible de cette cérémonie nuptiale, elle liquida sa demeure de Blenheim Lane pour acquérir une villa dans le Midi de la France et s'y rendit pour n'en plus revenir. Seule, ma tante Julia, l'une des sœurs de ma mère, parut à l'église paroissiale ce jour-là. Elle représentait la famille dans la foule des directeurs et chefs d'ateliers de Fieldhead, venus avec leurs épouses car ils ne pouvaient pas faire autrement, ainsi qu'une poignée de notables conscients de leurs intérêts, quelques ecclésiastiques enclins par leur état au pardon des offenses et nombre de commerçants pour qui le seul péché inexpiable restait la pauvreté. Et moi, pendant ce temps, exilée au bord de la mer pour la durée du voyage de noces, je sentais mon univers, si stable jusqu'alors, se dérober sous moi. Les quelques rassurantes certitudes de ma vie, telles que la présence de mes grands-parents, la stabilité de ma famille, le bon renom de mon père et la précieuse affection qui nous unissait tendrement me coulaient entre les doigts et m'échappaient à jamais.

À cette époque, je ne gardais de ma mère qu'un souvenir incommode, s'il restait assez net. Elle était morte un an à peine avant le remariage de mon père et je m'inquiétais de ne pas souffrir de sa disparition. Languissante depuis ma naissance, crispée, timide, souvent déprimée, elle avait des nerfs hypersensibles qui exigeaient en permanence la pénombre, le silence et les chuchotements. Ses souffrances m'oppressaient toujours et m'exaspéraient parfois, ce dont j'éprouvais aussitôt de vifs remords. Ses rapports avec mon père se résumaient pour moi à deux faits : s'il avait eu la bonne fortune de l'épouser, il n'était pas heureux avec elle.

Intelligent, bardé de diplômes, mon père était le fils d'un homme ayant su s'arracher à la plus extrême pauvreté pour se hisser au rang de directeur d'usine. Cette étonnante promotion sociale n'avait pourtant pas satisfait les ambitions de ma grand-mère Agbrigg, qui s'était mis en tête de faire de son fils un ministre. Mais le salaire d'un directeur d'usine restant malgré tout limité et la poursuite d'une carrière politique notoirement coûteuse, mon père avait dû assurer ses ressources par un riche mariage. Son choix s'était porté sur Mlle Celia Aycliffe, innocente jeune fille aux idées romanesques, prête à tomber amoureuse du premier qui lui demanderait sa main.

Elle lui apportait une dot respectable. Son père, entrepreneur prospère à qui l'on doit la construction d'une bonne partie de Cullingford et de ses environs, avait en effet laissé sa veuve, ma grand-mère Elinor, et ses filles très confortablement pourvues. Mais la dot suffisait à peine pour l'acquisition d'une demeure convenable et d'une part dans un cabinet juridique. Et ma mère, dont le tempérament réservé et les préoccupations domestiques ne correspondaient en rien à ce que l'on attend de l'épouse d'un futur ministre, en vint à se renfermer de plus en plus dans sa coquille. Aussi mes parents découvrirent-ils assez vite combien ils étaient mal assortis.

Peut-être mon père estimait-il recevoir d'elle moins que son dû. Sans doute ma mère jugeait-elle lui avoir déjà apporté plus que ce qu'un homme dans sa position ne pouvait raisonnablement espérer; car, l'argent mis à part, elle lui procurait, de par sa seule naissance, des relations inestimables. La famille Aycliffe occupait une position éminente sur la scène locale. Ses cousins Barforth étaient les plus puissants industriels de la vallée de la Law et les frères Barforth, Nicolas et Blaise — ce dernier marié à ma tante Julia, sœur de ma mère —, possédaient ou détenaient un intérêt dans tout ce qui comptait à Cullingford. Leur sœur, ma tante Caroline, à qui son sexe interdisait de se battre sur le même terrain et avec les mêmes armes, avait consacré son énergie et ses ambitions à sa promotion sociale. Devenue Lady Chard de Listonby, elle avait ainsi élargi les horizons de toute la famille en nous alliant à la noblesse.

Ma mère pensait donc avoir accompli plus que son devoir envers son mari et se demandait avec angoisse ce qu'elle pourrait lui donner d'autre. Que manquait-il ? Un fils. Après huit fausses couches, elle ne parvint qu'à produire une fille unique. Découragée, elle se rabattit alors sur l'entretien de sa maison et harcela ses domestiques. La moindre vétille, un grain de poussière, une petite cuillère ternie, une nappe mal repassée, provoquait d'incessantes jérémiades qui aggravaient l'état de ses nerfs et poussaient mon père à bout, mais qui ne devaient cesser qu'avec son dernier soupir. Un an plus tard, presque jour pour jour, sa maison si bien astiquée fut vendue à des étrangers; et sa fille, dont la naissance avait gravement compromis sa santé, se désespérait dans l'abandon et la solitude. Du même coup, son

10

mari quittait son humble statut de parent pauvre des puissants Barforth et se hissait à leur niveau en s'emparant des filatures de Fieldhead.

La maison de maître, à Fieldhead, était une bâtisse carrée, d'aspect rébarbatif, érigée par les Oldroyd au début de leur grandeur. Elle comportait de vastes pièces, sombres et hautes de plafond, une cuisine dallée sans le moindre sacrifice au superflu : invitée à venir voir le cadre de ma nouvelle vie, je n'y avais même pas trouvé une chaise au coin du feu. « Une belle demeure », disait-on dans la région. L'abondance du bois ciré constituait la seule concession à l'agrément et chaque pièce, lambrissée de chêne, embaumait l'encaustique. Cette odeur, à laquelle s'ajoutait le parfum des jacinthes disposées dans de grands vases de cuivre, formait un mélange inimitable que je sens aujourd'hui tel qu'il m'avait frappée ce jour-là. J'étais déjà grande pour mes douze ans, avec de longues jambes, des épaules osseuses et trop larges, des cheveux bruns soigneusement brossés par ma tante Julia afin, disait-elle, de faire bonne impression sur ma belle-mère. J'en avais été choquée : c'était à elle, pensais-je, de faire l'effort de me plaire ! Eussé-je été assez adulte, à l'époque, pour dominer l'animosité qu'elle m'avait aussitôt inspirée, peut-être aurais-je ressenti à son égard une sorte d'admiration.

Unanimement décriée et traînée dans la boue, elle devait désormais afficher une respectabilité au-dessus de tout soupçon, m'avait expliqué tante Julia, si elle voulait regagner quelque considération. Chez elle comme en ville, ses manières devaient ne jamais provoquer l'ombre d'un reproche. Aussi, dans sa détermination à investir la forteresse de la « bonne société », elle avait bien autre chose en tête que de satisfaire les caprices d'une fillette en plein âge ingrat. Lorsqu'elle m'accueillit pour la première fois dans le grand salon de Fieldhead, elle avait pris l'allure d'une femme accoutumée depuis toujours à évoluer dans un tel cadre. Son comportement était celui d'une personne dotée de toutes les vertus. Sa robe de soie noire ornée de perles de jais et de fins sautoirs d'or, sa chevelure noire et lisse ramenée en coques sur les oreilles complétaient son personnage austère, à l'assurance et à la dignité sereines. Elle s'exprimait avec douceur, mais d'un ton sans réplique. Belle, à n'en pas douter, elle savait en imposer par sa seule présence. Je l'avais exécrée au premier coup d'œil; et durant les cinq longues années qui me séparaient encore du terme officiel de l'enfance, de ce jour faste où ma coiffure relevée et la longueur de mes jupes feraient enfin de moi une « jeune fille », ma vie allait rester continuellement — et bêtement — assombrie par notre mutuelle hostilité. L'incons ciente cruauté de ma jeunesse se heurtait à la méchanceté craintive de son âge mûr, en une lutte sans merci pour la possession du même homme — qui n'en retirait aucun bonheur.

Car jamais il ne me venait à l'idée qu'il pût éprouver pour elle d'attachement sincère. Il ne l'avait épousée, me répétais-je, que pour son argent, et rien d'autre. En moi-même, je jugeais cela indigne de lui; je m'ingéniais pourtant à lui trouver toutes sortes d'excuses : sa vive intelligence entravée par les circonstances; son amertume devant la réussite de certains qui, loin de l'égaler ou de le surpasser, ne devaient leurs succès qu'à la fortune de leurs pères. Au début, je l'avoue, je lui en voulais. Mais j'appris très vite à redevenir fière de lui. Avocat aux mains blanches, il était tard venu au rude métier de filateur. Aussi, l'application qu'il mit à maîtriser une technique inconnue, la détermination qui le poussait tous les matins dès cinq heures à l'usine et l'y maintenait souvent jusqu'à minuit lui valurent, mieux que mon admiration, le respect réticent de ceux qui le couvraient naguère de mépris. Cullingford ne lui rendrait sans doute jamais sa réputation d'homme intègre. Il resterait une fois pour toutes étiqueté « coureur de dot ». On le stigmatiserait longtemps pour avoir influencé M. Oldroyd à l'occasion de son mariage secret et dans la rédaction de son scandaleux testament. Mais, on le sut très vite, il faisait des *bénéfices* ! En moins d'un an, à la Halle au Drap comme à la Bourse de la laine, l'opinion finit par admettre que l'on pouvait beaucoup pardonner à un homme capable de cela.

Ainsi l'on oublia peu à peu que Mme Agbrigg avait été « la Delaney », puis Mme Veuve Oldroyd, et elle fut bientôt en passe de gagner sa propre bataille. La paix aurait donc pu régner à Fieldhead si je n'avais été là, toujours prompte à contester les moindres instructions de ma belle-mère, à démolir d'un sarcasme ses meilleurs arguments, à saisir l'occasion de lui rappeler que les liens entre un père et sa fille — du moins, entre *mon* père et *moi* — relèvent d'un ordre supérieur à ce qui rapproche un homme de sa seconde, sinon secondaire, épouse.

« Tu es si jeune pour juger... » murmurait parfois ma tante Julia, qui s'efforçait de me prodiguer conseils et réconfort. Mais la jeunesse est sans pitié et je ne voyais rien en Mme Agbrigg pour éveiller la mienne. Elle avait désiré richesse et sécurité : elle possédait l'une et l'autre. Elle était parvenue à transformer la défroque trop voyante de Tessa Delaney en un manteau de respectabilité. Et pourtant, cette même femme qui, tous les matins, rassemblait ses serviteurs pour la prière et, l'après-midi, versait le thé à des pasteurs et répandait ses charités, avait su conserver l'usage d'une arme puissante dont j'ignorais encore qu'elle s'appelait la sensualité. Son austère dignité, son onctueuse dévotion m'étouffaient. Mais la vue de sa main sur le bras de mon père, à la fin du dîner, et la manière dont elle offrait à ses regards la courbe voluptueuse de son épaule provoquaient en moi un sentiment de malaise — que j'interpréterais plus tard comme étant de la honte.

« Jonas chéri, il se fait tard. » À seule fin d'échapper au silence qui suivait ces simples mots, je devins une invitée permanente chez les autres. De Noël à Pâques, je m'attardais en compagnie de ma tante Julia et de ma cousine Blanche. Mes étés, je les passais le plus souvent au bord de la mer, où m'entraînait Venetia Barforth, mon autre cousine. Partout reçue, amie d'enfance de tous, je n'appartenais véritablement à aucune famille, pas même à la mienne. Toujours aux aguets, habituée à ne compter que sur moi, à n'avancer qu'avec la plus extrême prudence, je ne me sentis pleinement soulagée qu'en partant pour l'Italie et la Suisse, où l'on m'envoyait acquérir les raffinements jugés indispensables à l'éducation d'une héritière de mon envergure.

Lorsque mon père vint me chercher à Lucerne pour me ramener à la maison, j'étais devenue aussi grande que lui. Mes boucles en cascade, mes toilettes drapées sur une « tournure » obéissaient aux derniers canons de la mode. Je maîtrisais l'art subtil de faire virevolter ma traîne d'un coup de pied discret et de m'asseoir avec dignité. Je pouvais démontrer sans pédanterie mes connaissances en italien, en français et en allemand, ma dextérité en peinture et en sculpture; je possédais des notions de philosophie, celles du moins que l'on avait estimé convenable de m'inculquer — mes dispositions pour les mathématiques étaient jugées indignes d'une jeune fille comme il faut. Après avoir brillé pour plaire à mon père, je découvris en lui un homme infiniment moins exigeant et d'un commerce plus aisé, ou peut-être rendu plus indulgent par l'âge, que je ne me le rappelais. Mes études me permettaient, du moins l'imaginais-je, de mieux comprendre la nature humaine. Aussi, maintenant que mon père ne formait plus le centre de mon univers et que j'étais devenue une jeune fille accomplie, dont l'expérience de la vie et du monde débordait largement le cadre étroit de Cullingford, je croyais de bonne foi pouvoir signer une paix définitive avec lui.

« Tu es si jeune pour juger... » me répétait tante Julia. Mais ma vision des choses savait se nuancer — je le croyais et je le souhaitais. Je voulais sincèrement contribuer à l'harmonie de notre foyer et maîtriser ma langue au point de lui faire prononcer le mot « Mère » en m'adressant à la femme de mon père.

Celle-ci nous attendait au pied du perron, impénétrable et digne, dans une robe de soie chocolat drapée sur une modeste tournure et dont un simple jabot de dentelle atténuait la sévérité. Mais le tissu était de qualité, la croix à son cou en or massif et les bagues qui étincelaient à ses mains manifestement de grand prix. D'une voix toujours douce, elle me souhaita la bienvenue. Mais je surpris le regard qu'elle adressait à mon père, et qui signifiait ironiquement : « La voici donc revenue. Bah ! Efforçons-nous, toi et moi, de nous en accommoder au mieux. » D'un coup, je retrouvais, inchangé, tout ce qui avait toujours existé et que j'espérais ne pas revoir.

De grands événements se préparaient à Cullingford. Ma cousine Blanche Barforth s'apprêtait à faire un « beau » mariage, en tout point conforme à l'avenir qu'elle s'était tracé. L'on disait de Venetia, mon autre cousine Barforth, qu'elle se compromettait pour la énième fois avec un garçon indigne de son rang. Quant à moi, nourrie de ma philosophie fraîchement acquise et en dépit de mes intentions louables, j'avais compris dès l'instant de mon retour que la seule manière de restaurer l'harmonie au foyer de mon père consistait à en prendre congé.

2

Le mariage de ma cousine Blanche Barforth se déroula par une lumineuse matinée d'été. Sous le tulle brodé de son voile l'on distinguait la blondeur de sa chevelure, l'ivoire de son teint et ses fines mains jointes sur un bouquet d'œillets et de roses. Elle nous apparaissait comme une créature fragile et mystérieuse, comme un trésor que les hommes méritent par leur valeur et emportent grâce à leur habileté. En un mot, la mariée idéale.

Bien entendu, elle n'était pas amoureuse ni ne souhaitait le devenir. Elle parachevait, ce jour-là, une stratégie longuement pratiquée, et qui consistait à toujours faire ce qu'il fallait au moment opportun — et à le faire à la perfection. À l'exemple de la reine Victoria et du prince Albert, elle épousait son cousin germain. Et c'est avec une assurance tout impériale qu'elle assumait le seul rôle qui lui semblait convenable dans cette affaire, celui de se laisser admirer.

Pendant six mois, elle avait incarné le personnage de « la fiancée », sereinement offerte à l'adoration et à l'envie du monde extérieur, pendant que sa mère harassée et sa tante Caroline, sa future belle-mère, s'évertuaient à organiser ses noces sans qu'elle daignât s'en mêler. Aujourd'hui, elle était « l'épousée ». Sans se départir de son flegme, elle se donnait à un promis que la mort inopinée de son père transformait de godelureau hautain au caractère difficile — à mes yeux, du moins — en un jeune lord éminemment séduisant, sinon d'un commerce plus agréable, du nom de Sir Dominique Chard de Listonby.

Sans ses titres et ses terres, jamais Blanche n'aurait jeté sur lui son dévolu. Aurait-il pu la posséder autrement qu'il ne se serait pas lié à elle par le mariage; un gentilhomme de vingt-quatre ans, plein de santé, fortuné et voyant le monde à ses pieds, n'éprouve normalement pas le besoin d'endosser de si bonne heure le carcan conjugal. Mais Blanche, dans sa beauté sereine et sa blondeur éthérée, lui jetait un défi irrésistible, celui d'une pureté intouchable. De son côté, Dominique avait pour atouts son tortil héréditaire, mille hectares de bonnes terres et un superbe château ancestral, dont la renommée n'était plus à faire. La cause était donc entendue.

« Je vais bientôt me marier, m'avait écrit Blanche lorsque j'étais en Suisse. Je deviendrai Lady Chard de Listonby comme tante Caroline, qui en perdra d'ailleurs son titre. Il faut que tu rentres, je compte sur toi pour être demoiselle d'honneur. » C'est ainsi que j'étais revenue à Cullingford afin d'y partager mon temps, comme je le faisais naguère, entre mes deux cousines Barforth : Blanche, à la veille d'un mariage flatteur, et Venetia qui aurait bien voulu se marier elle aussi mais à condition de tomber éperdument amoureuse — sans se soucier le moins du monde des conséquences.

Il m'était arrivé, à moi aussi, de jalouser Blanche, moins pour sa beauté, sa sérénité et sa certitude parfois comique de toujours obtenir ce qu'elle voulait, que pour sa chance de posséder une mère aussi débordante d'affection que tante Julia, un père aussi généreux qu'oncle Blaise — s'il n'était pas le plus riche des frères Barforth, il s'affirmait en tout cas le plus sympathique. Fille unique, choyée, accoutumée dès le premier jour à voir tous ses désirs exaucés, Blanche s'était mis en tête, à un âge encore tendre, de devenir baronne de Listonby. Cette idée fixe avait profondément déçu sa mère, qui croyait à l'amour et s'affligeait de voir sa fille lui accorder si peu d'importance. Elle provoquait aussi la fureur de la baronne douairière, tante Caroline, qui, après avoir régné sans partage sur Listonby pendant un quart de siècle, n'envisageait pas sans rechigner d'abdiquer son autorité et de céder sa place à la table seigneuriale au profit d'une péronnelle indolente et vaporeuse qui, circonstance aggravante, n'était que sa nièce.

Résolue à conjurer le péril, tante Caroline s'était empressée d'expédier Dominique à Londres dès qu'on avait commencé à parler de fiançailles. Là-bas, espérait-elle, il trouverait de quoi se distraire ou, mieux encore, la main d'une fille de ministre ou d'une héritière titrée, plus conforme au rang de son fils et aux ambitions qu'elle nourrissait pour lui. Car si Lady Chard avait jadis été Mlle Caroline Barforth et la fille d'un industriel, comme Blanche l'était alors, elle n'avait eu de cesse qu'elle ne fît disparaître ces stigmates de roture, au point de les avoir oubliés. Sans rien perdre de l'obstination et de l'énergie dues à ses origines, elle s'était métamorphosée en aristocrate. Aussi était-elle sincèrement persuadée qu'une Blanche Barforth, jeune fille accomplie, ravissante, fortunée et la propre fille de son frère, ne représenterait jamais un parti assez beau pour l'aîné de ses fils.

Dominique s'entêta cependant — Blanche avait su l'endoctriner et l'exil n'y changea rien. Voilà comment ils se retrouvaient ce jour-là côte à côte au pied de l'autel, image du couple idéal, pendant que Venetia et moi, dans nos belles toilettes de demoiselles d'honneur, brûlions d'impatience de nous voir à leur place.

Venetia était la fille du puîné des frères Barforth, Nicolas, dont l'insatiable ambition ne s'était pas contentée de sa moitié de l'héritage paternel. Mon oncle Blaise, le père de Blanche, avait sagement géré son patrimoine en vue de s'assurer les ressources lui permettant de maintenir son agréable existence avec ma tante Julia. Pour sa part, le père de Venetia s'assignait un autre objectif et le poursuivait avec obstination : l'accroissement de sa fortune. Il ne possédait pas seulement les tissages de Lawcroft Fold et de Low Cross, origines de la puissance Barforth, mais plusieurs autres entreprises considérables, telles que les Peignages de la Law et les Ateliers d'apprêt et de teinture de la Vallée. À cet empire venait s'ajouter depuis peu la gigantesque usine édifiée sur l'emplacement des vieux ateliers de Nethercoats; consacrée au tissage des soies et des velours, elle triplait à elle seule l'énorme fortune de M. Nicolas Barforth.

Son admirable sens des affaires ne s'étendait malheureusement pas à la conduite de sa vie privée. Ses plus dévoués partisans, peu nombreux à vrai dire, devaient eux-mêmes admettre que le cercle de ses relations se raréfiait et que ses rapports avec eux ne cessaient de se détériorer. Ses violents affrontements avec son frère Blaise avaient abouti à une rupture définitive. Nicolas Barforth s'était querellé avec tous ses directeurs et contremaîtres à tour de rôle, sans se gêner d'ailleurs pour proclamer que, s'il payait des salaires exceptionnellement généreux, il fallait des nerfs d'acier et une puissance de travail quasi surhumaine pour les mériter. Tout le monde était au courant de la mésentente persistante entre son fils et lui; nul n'ignorait le peu d'attention qu'il accordait à sa fille Venetia. Quant à ses rapports avec sa femme, ils avaient longtemps défrayé la chronique de Cullingford et alimenté le qu'en-dira-t-on.

Contrairement à son frère Blaise, qui avait pris épouse dans les rangs de la bourgeoisie industrielle, Nicolas Barforth s'était lancé sur les traces de sa sœur Caroline en s'alliant à la noblesse terrienne. Mais alors que le mariage de Caroline lui avait apporté des terres, un château et un titre, celui de Nicolas ne l'avait enrichi que d'une épouse sans le sou, malgré son sang bleu, et d'une montagne de soucis. L'on évoquait encore la fugue qu'aurait faite sa femme dans des circonstances jamais éclaircies depuis l'enfance de Venetia, car les protagonistes du drame étaient inabordables, dans le cas du mari, ou carrément invisibles, dans celui de l'épouse volage.

Depuis, ils vivaient séparés, elle claquemurée dans sa demeure ancestrale du Prieuré de Galton, bâtisse à demi ruinée au milieu de terres ingrates, lui à son domicile de Cullingford dont il ne s'éloignait que pour de rares voyages d'affaires. Cette situation affectait profondément Venetia. Peut-être le halo de scandale autour de nos parents respectifs avait-il contribué à nous rapprocher l'une de l'autre.

Venetia ne possédait pas la beauté rayonnante de Blanche. Sa silhouette maigre et plate de garçon manqué, ses gestes saccadés, sa brusquerie lui donnaient une allure à la fois impérieuse et fragile. Blanche avait toujours su précisément ce qu'elle attendait de la vie et agi en conséquence. Venetia en exigeait tout pêle-mêle, joies et peines, triomphes et catastrophes, et les empoignait à pleines mains avec une avidité insatiable. Son visage aux traits fins, sa peau délicate, ses sourcils arqués, sa chevelure rousse comme le pelage d'un renard, sa silhouette anguleuse ne devaient rien à la massive solidité des Barforth mais lui venaient exclusivement de sa mère. Sans avoir jamais elle-même donné prise au moindre soupçon d'inconduite, Cullingford ne pouvait s'empêcher de lui appliquer sans bienveillance le proverbe « telle mère, telle fille ». Beaucoup, s'ils l'avaient osé, auraient conseillé à M. Nicolas Barforth de caser sa fille avant qu'il soit trop tard.

Ce jour-là, cependant, modestement en retrait derrière Blanche qui nous éclipsait par sa splendeur, nous étions à l'abri des mauvaises langues, protégées par notre rôle de figurantes anonymes. Nos beaux atours faisaient de nous de simples éléments du décor, au même titre que les fleurs en sucre sur le gâteau de noces ou les rubans noués autour des bouquets. Ce fut un superbe mariage, au grand étonnement de tante Caroline qui, forte de ses vingt-cinq ans d'expérience mondaine et de sa longue pratique des réceptions en tout genre, avait jugé inconcevable de confier à ma seule tante Julia l'organisation d'un événement aussi capital. Pourtant, en dépit de ses sombres prédictions — Julia oublierait sûrement ceci, négligerait obligatoirement cela —, rien n'avait été omis ni abandonné aux aléas de l'improvisation.

Tout était parfait, jusqu'au moindre détail. Le soleil, le ciel sans nuages rendaient inutile l'immense vélum dressé sur la pelouse de tante Julia à Elderleigh. Sur chaque table, des roses à profusion, des menus rédigés en français et bordés d'un filigrane d'argent. Le gâteau dépassait, en volume et en magnificence, tout ce qui s'était vu jusqu'alors. Le champagne coulait à flots, les violons résonnaient harmonieusement dans les bosquets où ils étaient dissimulés. Il y eut, parmi les invités, beaucoup de curiosité, un peu de jalousie, quelques pleurs attendris. « Quel beau couple ! » répétait-on à l'envi, et il l'était en effet. Au milieu des Chard, tous massifs et bruns, Blanche paraissait plus menue que jamais.

Je connaissais assez mal le marié et ses deux frères. Contrairement aux jeunes bourgeois de mes relations, éduqués dans notre collège local, ils avaient été dépêchés de bonne heure dans des internats huppés. Ils n'en revenaient qu'aux vacances, où je jugeais leurs voix assourdissantes et leur morgue fort déplaisante. Dominique, Noël et Georges se ressemblaient à tel point qu'ils me paraissaient interchangeables. À mes yeux, ils n'étaient que des jeunes gens pleins d'eux-mêmes et deviendraient de ces hommes hautains et insignifiants, tels qu'on en trouve dans les équipages de chasse à courre, les régiments cotés, les clubs chic de Londres, ou somnolant avec distinction sur les bancs de la Chambre.

L'avenir de Dominique avait été tout tracé dès l'instant de sa naissance : c'était lui l'aîné, l'héritier du titre et des terres. Noël, son frère jumeau venu au monde dix minutes trop tard pour prétendre à quoi que ce soit, et Georges, plus jeune de dix-huit mois, n'étaient que les « cadets », contraints de se frayer seuls un chemin dans le monde. Les traditions de leur classe vouaient Noël à l'armée, Georges à l'Église, où ils suivraient les traces de nombreux Chard généraux et évêques — tout en s'arrangeant pour contracter quelque mariage avantageux. Ces projets, tante Caroline les avait tant de fois exprimés, et avec une telle conviction, que je les avais toujours pris pour des réalités. Dans mon esprit distrait ou indifférent, Noël était général et Georges évêque anglican. C'est donc avec une certaine surprise que je refis connaissance, à mon retour de Suisse, avec un fort galant lieutenant Noël Chard et que j'entendis de bien étranges rumeurs courir sur le compte de son plus jeune frère.

« Pauvre tante Caroline, elle qui a toujours eu horreur de voir ses projets contrecarrés ! m'avait déclaré Blanche. Dominique se marie, quand elle espérait le garder célibataire jusqu'à cinquante ans et demeurer la reine incontestée de Listonby. Et maintenant, c'est Georges qui fait des siennes. »

J'ai poliment manifesté pour ses révélations un intérêt que je n'éprouvais guère et elle poursuivit :

— Tu sais qu'elle le voyait déjà coiffé d'une mitre. Eh bien, il refuse catégoriquement. D'après lui, la religion ne rapporte rien — je connais pourtant bien des ecclésiastiques qui ne se privent pas de grand-chose. Enfin !... Tu meurs d'envie d'apprendre ce qu'il compte faire, n'est-ce pas ?

— C'est plutôt toi qui brûles de me le dire.

— Tiens-toi bien : il a demandé à oncle Nicolas de travailler avec lui, dans ses usines ! Imagine la tête de tante Caroline. Un

Chard déroger à son rang ! Le sang des Barforth doit ressortir chez Georges. Sa mère en est morte de honte et refuse d'en parler. Remarque, nous connaissons les ennuis d'oncle Nicolas avec son fils Gervais, il doit se féliciter d'avoir Georges prêt à le seconder. Pauvre tante Caroline ! Si Georges s'entend bien avec oncle Nicolas, il épousera sûrement Venetia avant qu'un autre soupirant l'élimine de la succession. Pourquoi fais-tu cette tête-là, Grace ? Tout cela est parfaitement logique.

Je frissonnais en me remémorant ces paroles le jour du mariage de Blanche. Comme elle, comme Venetia, j'étais une « héritière », menacée d'être mariée non pas pour l'agrément de ma compagnie, non pas pour les sentiments que j'aurais su inspirer à un homme, mais parce qu'en m'épousant il entendait acquérir Fieldhead. Je pouvais, certes, compter sur mon père pour sélectionner mes prétendants, me choisir un mari doté du sens des affaires, de principes moraux irréprochables, voire d'une certaine affection à mon égard. Une telle perspective éveillait malgré tout en moi une répugnance insurmontable et j'aurais éprouvé de la honte à me savoir courtisée pour autre chose que mes qualités. Voilà pourquoi je me tenais à l'écart des hommes, mettant en doute la pureté de leurs mobiles depuis le jour où j'avais pris conscience de l'importance de ma fortune. Je refusais de me plier à un tel destin et je ne croyais pas Venetia capable de s'y résigner davantage. Aussi, devant Blanche qui trouvait naturel d'acquérir un titre nobiliaire au prix de sa dot et de sa liberté, je me surpris à frémir de nouveau.

Tante Julia reçut les invités avec un tact et un brio que l'ampleur de cette réunion de famille, où devaient se côtoyer les personnalités les plus disparates, rendait indispensables. Ainsi, il fallait prévenir à tout prix une rencontre entre la mère et la femme de mon père, éloigner ce dernier de quiconque était allié aux héritiers Oldroyd, éviter un éclat entre M. Nicolas Barforth, oncle de la mariée, et Sir Blaise Barforth, père de cette dernière, qui ne s'étaient pas adressé poliment la parole depuis vingt ans. Il convenait enfin de protéger Mme Nicolas Barforth, venue à seule fin de « sauver les apparences », des médisances des dames et des commentaires salaces des messieurs.

Conformément à ce plan de bataille, ma grand-mère Agbrigg se trouva donc aussitôt encerclée par une escouade de dames âgées, et ma belle-mère prestement présentée à l'un des évêques Chard — quelle meilleure garantie de respectabilité ? — ainsi qu'à un vieux monsieur courtois, ni très riche ni très important, mais détenteur du titre impressionnant de duc de South-Erin — qui rendait, par ailleurs, de fréquentes visites à tante Caroline depuis son veuvage. L'habileté de l'hôtesse ne parvint cependant pas à faire taire les murmures de curiosité qui saluèrent l'arrivée d'une voiture, d'où l'on vit descendre Nicolas Barforth accompagné d'une femme au grand chapeau vert, qui n'était autre que la sienne.

Elle s'avança au milieu des chuchotements, des regards curieux, des mines gênées ou franchement goguenardes. Derrière moi, j'entendis Venetia réprimer un gémissement :

— Je lui avais pourtant dit de ne pas venir ! Elle ne supporte pas ces vieilles oies, leurs gloussements, la manière dont elles la dévisagent. A sa place, je ne me serais pas exposée à ce supplice. Eh bien, sais-tu ce qu'elle m'a répondu ? « A ton âge, ma chérie, j'aurais réagi de même. » Et dire qu'elle a été comme moi. C'est affreux, de se résigner…

Je la suivis des yeux tandis qu'elle avançait lentement sur la pelouse, au bras de son mari. Elle balayait l'herbe de sa traîne en affichant un souverain mépris pour le satin et la dentelle. Ses cheveux, du même auburn flamboyant que ceux de Venetia, étaient coiffés à la dernière mode. D'expression avenante, elle rendait les saluts avec un sourire figé. Rien, dans son comportement, ne trahissait sa répugnance à se trouver là. Nul ne l'ignorait, cependant, et beaucoup espéraient la voir enfin perdre contenance et se donner en spectacle.

Mais, dans le drame qui se jouait, un autre ressort, bien plus puissant, relança l'intérêt des spectateurs. Nicolas Barforth ne se contentait pas d'offrir son épouse à la malveillance publique, il était lui-même sur la sellette. Car il avait pénétré pour la dernière fois dans cette maison plus de dix ans auparavant, porteur d'un document juridique mettant fin à son association avec son frère Blaise. Aussi, lorsque ces deux puissants personnages ne furent plus qu'à quelques pas l'un de l'autre, j'entendis un soupir s'échapper d'innombrables poitrines. L'on allait assister à l'affrontement des frères ennemis. Tout Cullingford se préparait dans la délectation à une scène grandiloquente.

Cet espoir allait être déçu :

— Bonjour, Nicolas, dit Blaise avec un signe de tête.

— Bonjour, Blaise, répondit Nicolas en inclinant la sienne.

Après de si profondes paroles, ils n'avaient plus rien à se dire.

Nous fûmes priés de prendre place à table, où l'on nous servit des mets exquis et des vins capiteux. Nous avons applaudi en riant la spirituelle allocution du père de la mariée, admiré de bon cœur la réponse du marié — dictée, sans aucun doute, par sa mère. Nous avons tour à tour porté des toasts, succombé à l'attendrissement, à la lassitude, à l'ennui. Puis, une fois Blanche éclipsée pour endosser la tenue de voyage spécialement élaborée par les ateliers de M. Worth, à Paris, je vis Mme Agbrigg, ma belle-mère, reprendre possession de son évêque, mon père rejoindre le groupe des messieurs austères réunis sur la terrasse afin de discuter à l'aise des cours de la laine et se demander si le commerce avec la France retrouverait sa vigueur, maintenant que le munificent empereur Napoléon III avait été chassé de son trône. Je vis Mme Nicolas Barforth se lancer dans la foule comme le naufragé se jette à l'eau, tout en quêtant du regard l'approbation de son mari. Je vis tante Caroline, désormais baronne douairière, grimacer de douleur en jetant les yeux sur la chaise que Blanche venait de quitter, à l'idée que la splendeur si patiemment créée par ses soins à Listonby finissait par échoir aux mains négligentes d'une écervelée d'à peine dix-sept ans.

Pendant ce temps, le petit duc de South-Erin s'empressait aux côtés de la baronne déchue. Le verre à la main, mais la démarche encore assurée, mon cousin Gervais volait à la rencontre de sa mère, à qui il ressemblait tant. La journée tirait à sa fin. Les Blaise Barforth avaient marié leur fille, les Nicolas Barforth affiché une entente suffisante pour espérer caser la leur. Quant à Mme Agbrigg, la femme de mon père, elle avait fait la connaissance d'un évêque.

Je n'avais rien perdu, rien gagné. Demain, les jours suivants, je serais de nouveau assise à la table de ma belle-mère et je subirais ses mercuriales. Errant dans la cohue, je me sentais aussi complètement, aussi désespérément prisonnière de ma condition que l'était la mère de Venetia — et pour les mêmes raisons. Femmes l'une et l'autre, nous ne possédions pas un sou, ni ne disposions du moyen d'en gagner. Dans le luxe qui nous entourait, nous vivions comme des esclaves. Notre seule liberté se bornait à choisir entre l'autorité d'un père et celle d'un mari.

Ainsi que je m'y attendais, j'ai retrouvé Venetia entourée d'une cour d'admirateurs. Elle papillonnait de l'un à l'autre, répandait avec empressement sourires et reparties, se tournait vers celui-ci ou celui-là comme pour quêter ses encouragements ou s'assurer de sa fidélité. Elle marquait, cependant, une certaine prédilection pour l'un d'entre eux, que je reconnus aussitôt. Il ne s'agissait, bien entendu, d'aucun prétendant susceptible de mériter l'acquiescement paternel, mais d'un certain M. Liam Adair, à qui j'étais apparentée par alliance. Il jouissait, depuis fort longtemps, d'une détestable réputation sur le marché matrimonial.

Je l'avais perdu de vue pendant mon séjour à l'étranger; mais je n'avais pas oublié son teint basané, ses traits accusés et la joyeuse insolence de ses yeux noirs. Il était le fils d'un personnage plein d'esprit et de ressources qui avait eu, dans son âge mûr, la bonne fortune d'épouser la veuve de son ancien employeur, ma romanesque grand-mère Elinor. Le premier mari avait cependant si bien pris ses précautions que le second, en dépit de tous ses efforts, n'était jamais parvenu à mettre la main sur le magot. Aussi Liam Adair fut-il contraint de se frayer seul son chemin dans la vie — chemin tortueux et accidenté, disait-on, où il ne pouvait être question d'entraîner une épouse digne de ce nom. Il avait beaucoup voyagé, joué gros jeu et pris des risques qui, le plus souvent, s'étaient retournés contre lui. Engagé depuis un an ou deux par Nicolas Barforth en qualité de vendeur à l'exportation, il ne s'était pas assagi pour autant. Une telle réputation, sa haute taille, ses larges épaules, son aisance désinvolte, il n'en fallait pas plus pour piquer la curiosité de Venetia. Elle ne m'en avait pourtant rien dit de particulier et le qualifiait, tout au plus, de « bon camarade ». Je souhaitais qu'il en soit ainsi pour le bien de ma cousine et je préférais attribuer sa nervosité à la présence de Georges Chard.

Ma toilette, choisie par Blanche, ne m'avantageait guère. Mes charmes devaient cependant être assez apparents, car plusieurs des soupirants de Venetia, estimant sans doute leurs chances compromises et sachant ma fortune aussi digne d'intérêt, me prodiguèrent les marques de leur empressement. Un jeune parent de la banque Rawnsley proféra de doctes considérations sur la Suisse, où il n'avait jamais mis les pieds. Le neveu de M. Sheldon, notre député, sollicita mes impressions sur Venise et parut écouter ma réponse avec un intérêt passionné.

— Venise ? Un trou à rats, si vous voulez mon avis, intervint alors Georges Chard qui s'était mêlé au groupe.

Je ne le lui avais nullement demandé et j'aurais mieux fait de ne pas relever sa sortie. Mais son arrogance, héritée de trois siècles d'absolutisme féodal sur le domaine de Listonby, provoqua en moi le réveil d'un autre orgueil. Ses ancêtres avaient l'habitude du pouvoir et des privilèges, les miens le courage de combattre l'adversité. Ils avaient lutté pied à pied pour acquérir une aisance ne devant rien à l'hérédité. S'ils avaient échappé au piège de la misère et de l'anonymat, ce n'était que grâce au refus tenace d'y rester enfermés. Et puis, tout bien pesé, Georges n'était que le troisième fils d'un hobereau quand je me trouvais seule héritière d'un empire industriel. Ceci valait donc bien cela.

Georges n'avait guère changé pendant mon absence. Il était simplement devenu l'adulte que je distinguais déjà dans l'adolescent. Sa naissance tardive l'avait condamné à n'être rien dans sa famille; il s'était donc attaché à se mesurer sans cesse avec ses aînés et à les surpasser en tout. Meilleur élève, meilleur cavalier, meilleur tireur, danseur infatigable, il incarnait au plus haut point les qualités et les travers de sa caste. Pourtant, sous le vernis de son atavisme, de son éducation et de ses manières raffinées, je le savais tout aussi arriviste qu'un Liam Adair. Il personnifiait, à mes yeux, le genre d'individus dont je me défiais depuis toujours, ceux pour qui les bourgeoises fortunées, comme Venetia et moi, représentaient un gibier tout juste bon à être traqué et plumé. Nous autres devions, en revanche, nous estimer fort honorées d'acheter le privilège de porter leur nom L'aversion qu'il m'inspirait me donna l'envie irrésistible de le faire descendre de son aristocratique piédestal pour l'éclabousser de notre bonne boue roturière.

J'ai dédaigneusement tourné la tête vers lui :

— Venise aurait donc eu le malheur de vous déplaire ?

— Je mentirais en prétendant le contraire.

Mes reparties cinglantes n'eurent ensuite aucun effet sur lui. Un peu plus tard, sans savoir trop comment, je me suis retrouvée à côté de lui, en train d'arpenter la roseraie, à quelques pas de Venetia et de Liam Adair qui nous précédaient. Mon humeur empirait, car il me déplaisait souverainement de m'être ainsi laissé manipuler. Le silence s'éternisait.

— Belle journée, déclara-t-il enfin.

Je fus bien forcée d'en convenir.

— Nous avons eu très beau temps tout l'été, insista-t-il.

Il m'était difficile de le contredire sur ce point. Je brûlais malgré tout du désir de provoquer une querelle, de trouver un prétexte pour lui faire comprendre qu'il existait à Cullingford une « héritière » assez perspicace pour l'avoir percé à jour, assez lucide pour ne pas se laisser abuser par ses flatteries. Je résolus de m'en prendre d'abord à son amour-propre :

— Ainsi, à ce qu'on dit, vous allez travailler à l'usine ?

Quoi de plus humiliant pour le fils d'un baron ? me disais-je. Mon sarcasme ne fit que l'amuser :

— Est-ce ainsi que vous voyez les choses ? Je m'imaginais plutôt collaborer aux affaires de mon oncle.

— Ses affaires comportent essentiellement des usines...

— En effet, en nombre toujours croissant s'il soutient le rythme de son expansion.

— Ma parole, Georges, vous exprimeriez-vous en bourgeois ? Je n'aurais jamais pensé...

— Vous arrive-t-il de penser à moi, Grace ?

— Par mégarde.

— Mais pas dans le rôle d'un industriel, n'est-ce pas ?

— Non, absolument pas.

— Comment, alors ?

— Je ne sais pas. Je vous verrais plutôt parmi vos semblables.

— N'oubliez pas mon « autre grand-père », comme le qualifie Dominique, Sir Joël Barforth, un roi du commerce et de l'industrie.

— J'avoue ne pas penser à vous avec tant d'attention. Mais s'il vous plaît de prendre modèle sur un roi...

— Ce serait la moindre des choses, pour un snob dans mon genre, n'est-ce pas ?

J'aurais dû rire avec lui de sa réplique, mais mon sens de l'humour m'abandonnait. J'étais obnubilée par ma ridicule obsession de me tenir sur mes gardes et d'éviter à tout prix de me laisser séduire.

— Vous voici donc expert dans l'industrie textile, ai-je dit avec froideur.

— Je n'irai pas jusqu'à le prétendre. Je ne possède que quelques notions sur la manière d'acheter et de vendre et un certain don pour les chiffres. Mon grand-père Barforth aurait fait fortune avec moins que cela. Quelque domaine qu'il eût choisi, il aurait appliqué les mêmes méthodes et obtenu des résultats identiques.

— Vous oubliez la nécessité de travailler dix-huit heures par jour dans la chaleur, la poussière et le vacarme des ateliers. Tous les jours, même quand il fait beau, même en pleine saison de chasse. Si vous aviez été à sa place, cela vous aurait-il plu, Georges ?

— Je ne sais pas. Mais je ne suis pas à sa place et je n'ai pas à me donner ce mal, puisque mon cher grand-père l'a fait avant moi.

— Selon vous, le travail serait-il passé de mode ?

Je croyais le forcer ainsi à avouer ses faiblesses. A Cullingford, où la cupidité est tout au plus un travers, et plus souvent un trait estimable, la paresse demeure un crime. Mon espoir fut néanmoins déçu :

— Vous l'ai-je dit ? Je ne crois pas. Si mon grand-père faisait tout par lui-même, c'est parce que personne d'autre n'en était capable. Il vivait au tout début de l'ère industrielle. Aujourd'hui les choses ont changé, le progrès a créé les techniciens. Un homme comme Sir Joël, ou oncle Nicolas, ne pourrait plus entretenir seul des machines trop complexes, créer ses tissus, organiser sa production et la vendre lui-même, comme cela se pratiquait jadis. Nous disposons désormais d'ingénieurs, de modélistes, de vendeurs, de comptables, bref, d'un éventail de spécialistes en tout genre.

— Je ne suis quand même pas complètement ignare dans ce domaine, vous savez ! J'ai grandi dans ce monde que vous décrivez et mon père dirige Fieldhead.

Il me fit un sourire narquois qui ravalait mes connaissances au rang de la broderie et autres frivolités féminines :

— Comment l'oublierais-je ? Vous êtes donc bien placée

pour apprécier le rôle de celui qui dirige tous ces spécialistes, les risques et les responsabilités qu'il assume.

— Il ne les assume qu'en investissant *ses* capitaux.

— Très juste.

En dépit de ma fureur, j'étais trop bien élevée pour lui jeter à la tête les répliques qui me brûlaient les lèvres, lui demander comment il envisageait de troquer son sang bleu contre un magot bourgeois. Je me suis contentée de presser le pas et de rejoindre Venetia.

Elle s'était arrêtée dans l'allée à l'approche d'un groupe où se trouvaient son frère et ses parents. Les sourires, le vernis de courtoisie dissimulaient mal des antagonismes que je sentais bouillonner et qui me mettaient mal à l'aise. Georges, l'ambitieux au regard froid, calculait déjà le moyen de s'approprier Venetia et sa dot à seule fin de satisfaire ses appétits aristocratiques et maintenir un train de vie digne de lui. Gervais, le fantasque, le rebelle, affectait peut-être de mépriser son patrimoine mais ne le lâcherait sûrement pas de bonne grâce au profit de son cousin. Liam Adair, que n'encombraient ni fortune ni généalogie, aurait pu en remontrer à Georges Chard dans son rôle d'aventurier sans scrupules. Et je voyais Venetia, seule au milieu de ces cupidités, tendue comme un oiseau prêt à l'envol, prête à fuir les mesquineries et les contraintes de son entourage; Venetia qui souriait avec une intimité révélatrice à un jeune homme qui m'était parfaitement inconnu.

Elle se pencha vers moi et me dit, sur le ton du secret :

— Grace, tu ne connais pas Charles Heron, je crois ? Charles, je vous présente ma cousine Grace Agbrigg, ma meilleure amie.

Elle paraissait trembler de tout son être. Une aura la nimbait — englobant dans son éclat ce jeune homme au demeurant d'allure fort ordinaire — et la séparait de nous, banal troupeau d'humains assez infortunés pour ne pas être amoureux.

3

Il était, m'apprit-elle le lendemain, fils d'un de ces pasteurs qu'elle jugeait particulièrement méprisables, prompts à brandir au-dessus de leurs ouailles les foudres de la colère divine tout en appelant sur eux-mêmes l'infinie miséricorde du Tout-Puissant, à prêcher les vertus rédemptrices de l'austérité sans vouloir sacrifier leur propre confort. Aussi comprenait-elle pourquoi Charles avait vite éprouvé le besoin d'échapper à cette accablante hypocrisie. Pour le moment, privé du soutien paternel sans lequel peu de jeunes gens parviennent à s'établir, il enseignait le grec et le latin dans une institution locale, dont le régime spartiate et les vues utilitaires sur les fins dernières de l'éducation lui devenaient chaque jour plus insoutenables.

Ils avaient fait connaissance à Listonby, où la naissance irréprochable de Charles Heron le faisait parfois inviter. Depuis, ils s'étaient revus à l'occasion d'un concert, d'un souper, d'une battue au Prieuré de Galton. La propension du jeune homme à arpenter les bois pour en humer les senteurs ou y versifier, au lieu de les dépeupler à coups de fusil, avait favorablement impressionné Venetia. Certes, elle admettait avoir flirté avec Liam Adair; mais elle ne poursuivait ce simulacre qu'afin de mieux dissimuler le véritable objet de son affection. D'ailleurs, Liam avait trop l'expérience de la vie et l'usage de la galanterie pour s'en formaliser.

— Je n'ai jamais douté de ce que je cherchais, me déclara-t-elle avec assurance. J'ai toujours voulu éprouver les sensations les plus fortes, capables de mettre toutes mes facultés à l'épreuve et d'exiger de moi le maximum. M'y voici parvenue, je crois.

Maintenant qu'elle l'avait trouvé, l'amour se révélait cependant moins rassurant qu'elle ne l'avait espéré. Il se présentait sous les traits d'un jeune homme sensible à l'extrême, dont l'âme délicate se froissait plus vite et plus facilement que la sienne. Aussi était-ce avec un étonnement mêlé d'inquiétude que Venetia éprouvait le désir profond non seulement d'aimer Charles mais de le protéger, le besoin de s'offrir à ses caresses et celui de lui faire de son corps un rempart contre le danger.

Bien entendu, il n'avait pas un sou. Mais n'en possédait-elle pas elle-même en abondance, assez en tout cas pour satisfaire leurs modestes besoins ? Elle ne demanderait à son père que le strict nécessaire, pour ouvrir une école où Charles pourrait enfin appliquer ses théories pédagogiques. Malheureusement, Charles refuserait probablement ces libéralités :

— Il méprise les grandes fortunes. D'après lui, elles n'ont pu être acquises honnêtement, ni sans exploiter son prochain.

— C'est souvent vrai. Il ferait quand même mieux de ne pas le dire à ton père.

— Que le Ciel t'entende ! Mais il y a pire : il se prétend athée — et je crois qu'il a des opinions républicaines.

— Voilà qui ne devrait pas déplaire à ton père.

— Peut-être, mais d'autres y trouveront à redire. Il a été congédié de sa dernière école, dans le Sussex, parce que des parents d'élèves s'indignaient de ses idées avancées. Il croyait que les gens d'ici avaient l'esprit plus large. Il a dû déchanter, hélas ! Et, malgré tout, il refuse de composer.

— Serait-il encore plus intransigeant que toi ?

Elle éclata de rire, comme pour chasser ses angoisses :

— Beaucoup plus ! Mais à quoi bon s'inquiéter ? Si mon père me déshéritait, Gervais profiterait de ma part, voilà tout. A demain, Grace. Je reviendrai te voir sans faute.

Son euphorie de commande ne suffisait cependant pas à écarter les menaces que je sentais peser sur elle, la réalité des convenances familiales et celle que représentait Georges Chard. Je connaissais trop Venetia pour ne pas redouter les conséquences d'une telle contrainte. Prompte à se blesser, elle ne s'en remettrait peut-être pas aisément. Aussi, lorsque le dixième jour survint sans qu'elle eût reparu, j'allai à Maison Haute pour me rendre compte de ce qu'il en était.

Bâtie par le fondateur de la fortune familiale, Sir Joël Barforth, en témoignage de son éclatante réussite, la maison conservait, au milieu de ses hectares de parc, des reflets de sa splendeur passée. Depuis la mort de Sir Joël, Lady Virginie, sa veuve, s'était retirée au loin et Mme Nicolas Barforth, maîtresse de maison en titre, n'y mettait jamais les pieds. Abandonnée aux soins négligents des domestiques, la maison s'était donc peu à peu dégradée jusqu'à prendre l'allure d'un hôtel de luxe mal tenu. Son créateur l'aurait d'autant moins reconnue qu'elle avait, entre-temps, changé de nom.

Sir Joël l'avait baptisée Tarn Edge, du nom du lieu dit où il avait acquis un vaste terrain sur lequel, à l'écart de son palais, il avait édifié la plus grande et la plus moderne de ses usines. Au moment de leur rupture, les deux frères, Blaise et Nicolas, s'étaient partagé le patrimoine. Nicolas gardait les ateliers de

Lawcroft Fold et de Low Cross, à partir desquels son père avait réalisé son ascension, et la maison de Tarn Edge lui revenait en partage.

Mais le vindicatif Nicolas se résignait mal à laisser subsister le moindre lien entre son frère et lui. Blaise possédait l'usine de Tarn Edge ? Il n'était donc pas question pour Nicolas de résider en un lieu portant le même nom ! En partie par défi, en partie par souci de renouer avec la tradition, il s'était donc empressé de débaptiser la demeure pour lui redonner le nom oublié de Maison Haute.

C'était de Maison Haute que son grand-père, Samson Barforth, avait jadis exercé son autorité patriarcale. C'était à Maison Haute que ses parents, Joël et Virginie, avaient passé les premières années de leur mariage. C'était à Maison Haute encore que Nicolas, comme son frère et sa sœur, avait vu le jour. Le berceau de la dynastie avait été rasé depuis, victime de l'expansion de l'usine de Lawcroft. Pourquoi ne pas faire renaître ce symbole de la prodigieuse ascension des Barforth ? A peine en eut-il conçu l'idée que Nicolas la mit à exécution, sans tenir compte des protestations de sa famille, qui jugeait son initiative sacrilège. La maison lui appartenait, il y vivait; nul, par conséquent, n'avait le droit de mettre le nez dans ses affaires. On se le tint pour dit.

Introduite par un maître d'hôtel indifférent, qui se dispensa de la peine de m'annoncer, j'y trouvai Venetia et son frère Gervais en train de prendre leur petit déjeuner tout en se querellant. Malgré moi, je ne pus m'empêcher de remarquer la nappe de damas couverte de taches, les soucoupes ébréchées, la cafetière d'argent noircie. Ces détails, à l'évidence, importaient peu à Venetia, quand le ciel déployait sa voûte bleue derrière les fenêtres et quand son cœur débordait d'amour.

Elle me fit signe de m'asseoir, poussa un couvert dans ma direction :

— Grace, ma chérie, tu tombes à pic! Une fois de plus, Gervais se montre odieux...

— Laisse-moi au moins saluer ma cousine, interrompit-il, et lui dire combien sa visite imprévue me fait plaisir.

Il parlait d'une voix enrouée. Sous ses paupières mi-closes, je distinguais ses yeux rouges et cernés. Je me suis tournée vers lui en souriant :

— Merci, Gervais. Nous ne nous étions pas vus depuis longtemps, en effet. Comment vas-tu ?

— A merveille.

— Pas du tout ! s'écria Venetia en pouffant de rire. Sais-tu qu'en rentrant cette nuit il a manqué le virage des écuries et labouré les massifs de roses avec les roues de son cabriolet ?

C'est un miracle qu'il n'ait pas versé ! Tu devrais avoir honte de boire autant.

Comme pour démentir son reproche, elle posa la main sur celle de son frère. Le spectacle de leur intimité complice éveilla une fois de plus en moi un sentiment d'envie. J'avais toujours été seule — et ils étaient deux pour affronter le monde.

Ainsi que sa sœur, Gervais Barforth avait hérité de sa mère ses traits anguleux et sa chevelure rousse. Il se distinguait toutefois de Venetia par une maigreur agressive, des yeux verts dont ses paupières éteignaient souvent l'éclat, des lèvres minces à l'expression volontiers dure ou sarcastique. Je le connaissais depuis toujours et je ne savais rien de lui.

A l'âge de vingt-quatre ans, Gervais n'avait jamais accompli ce que les bonnes gens de Cullingford appellent « une honnête journée de travail ». Il disposait d'un bureau à Nethercoats, où il daignait parfois se montrer sans que l'on sût exactement à quoi il occupait son temps. Ni paresseux physiquement, ni intellectuellement indolent, comme le sont souvent les rejetons d'hommes riches et travailleurs, il faisait preuve au contraire d'une agitation nerveuse continuelle qui rendait par moments sa compagnie pénible à supporter. On lui aurait néanmoins pardonné ses singularités et sa faculté d'exaspérer autrui s'il avait fait l'effort de dissimuler son mépris pour les qualités terre à terre auxquelles Cullingford et son propre père devaient leur prospérité.

« Ce drôle se croit trop grand seigneur pour se salir les mains », disait-on — en se réjouissant secrètement que M. Nicolas Barforth, à qui tout réussissait, échouât si totalement avec sa femme et son fils. Gervais ne faisait rien pour détromper l'opinion sur son compte. Il exagérait, au contraire, son dédain envers la crasse des villes industrielles et la pesanteur d'une bourgeoisie où, contrairement à sa mère, il avait eu l'infortune de naître. Il s'affichait à la chasse, au jeu et en la compagnie de femmes faciles, distractions d'autant plus sévèrement jugées qu'elles coûtaient gros et ne rapportaient rien. On le soupçonnait de n'attendre que sa part du patrimoine paternel pour tourner définitivement le dos à ses aïeux Barforth et, à l'instar de sa mère, se retrancher derrière la gloire ternie des Clevedon et les murs croulants de son cher Prieuré.

Déjà, Venetia repartait à la charge et Gervais, excédé, tenta de l'interrompre :

— Faut-il vraiment que tu m'assommes avec ces histoires ? Le moment est mal choisi...

— Pour une fois que je te tiens, tu m'écouteras !

En un torrent de paroles, soulignées de gestes et d'interjections, elle entreprit alors de relater sa dernière visite à Galton, l'impression qu'avait produite sur elle la condition de leur mère et les conclusions qu'elle en tirait. Si cette dernière vivait en recluse, comme un animal tenu en laisse par un maître exigeant; si elle renonçait à toute initiative risquant de lui faire perdre le Prieuré pour prix de sa liberté retrouvée; si elle consentait à une parodie de vie conjugale, dont sa récente apparition au mariage de Blanche constituait la dernière preuve, ce n'était que dans un seul but : sauvegarder la propriété ancestrale afin de la transmettre à Gervais. Mais la situation devenait intenable et, selon Venetia, il fallait en finir d'une façon ou d'une autre :

— D'ailleurs, lâcha-t-elle d'un ton de défi, y tiens-tu vraiment, à cette propriété ? Je me le demande ! Quand nous étions enfants, tu y courais à tout bout de champ, mais ce n'était que pour échapper à l'école. Ces derniers temps, tu es odieux avec maman quand tu daignes t'y montrer.

Il fit un sourire las, tendit la main vers la cafetière et ne termina pas son geste, comme si l'effort se révélait trop pénible.

— Crois-moi si tu veux, dit-il enfin, mais il est inutile de se conduire avec « gentillesse » envers maman. Je lui plais tel que je suis. J'irai même plus loin : pour elle, tous les hommes doivent se comporter comme moi.

Cette déclaration choquante tomba dans un profond silence. Les sourcils froncés, Venetia contemplait son frère qui avait fermé les yeux et affectait l'indifférence.

— Je n'admets pas que tu lui infliges de nouvelles épreuves ! La conduite de papa à son égard ne te suffit donc pas ?

Gervais se leva. Après avoir examiné avec dégoût les œufs brouillés et le bacon qui refroidissaient sur la desserte, il se décida à s'en servir une portion, se rassit, fit mine d'en avaler une bouchée.

— Si je te comprends bien, tu me crois incapable de relever le flambeau des sires de Galton ? répondit-il enfin.

— Je n'ai pas dit cela...

— Tant mieux, n'en parlons plus. Car si tu m'imagines assez doué pour m'occuper des usines, c'est que tu n'as pas prêté l'oreille aux diatribes dont papa m'abreuve. Et puis, soyons francs, Venetia. Tu me rends responsable des malheurs de notre mère : admettons qu'elle s'accroche à Galton à cause de moi. Mais papa, pourquoi poursuivrait-il cette comédie, lui ? Tout simplement à cause de toi, Venetia. Parce qu'il veut te marier avant que s'écroule la façade, avant que le scandale délie les langues. Alors, si tu te soucies du sort de notre mère autant que tu le prétends, négocie avec lui. Quand tu lui auras dit que tu acceptes le mari de son choix, maman n'aura plus de problèmes, crois-moi.

Un cri d'indignation échappa à Venetia. Livide à la pensée

d'un tel sacrifice, elle parut un instant prête à défaillir. Mais son trouble fut de courte durée. Le sourire lui revint et c'est avec un éclair de malice dans les yeux qu'elle répliqua :

— Tu es trop bête ! S'il voulait me marier contre mon gré, papa devrait me traîner à l'église par les cheveux.

— Inutile, ma chère petite, je t'aurais déjà abattue d'une charge de chevrotines. Ce serait plus charitable, avoue.

Réconciliés dans l'instant, ils riaient à l'unisson lorsque leur père apparut dans la salle à manger. Sans se concerter, ils firent aussitôt front contre lui.

Nicolas Barforth était un homme imposant, aussi solide et puissant que ses enfants semblaient fragiles et inconsistants. Il avait été beau et le serait resté s'il n'était devenu aussi rébarbatif d'aspect. Taciturne, plus enclin à donner des ordres qu'à soutenir une conversation, il n'agissait jamais sans motif précis, ne faisait rien sans la certitude d'en tirer profit. Selon mon père, qui ne parlait pas à la légère, il était sans doute le plus dur et le plus retors de ces messieurs habiles et froids dont s'enorgueillissait notre vallée de la Law.

— Père, grommela Gervais en guise de salutation.

Venetia se mordit les lèvres, comme un enfant pris en faute. M. Barforth ne leur avait pas accordé un regard. Il se tourna vers moi, ébaucha un sourire :

— Bonjour, Grace.

— Bonjour, mon oncle. Vous me pardonnerez, j'espère, d'être venue de si bonne heure.

— Il n'est pas si tôt que cela et tu es toujours la bienvenue ici. Pourrais-je avoir du café ?

Cette requête s'adressait probablement à Venetia. Mais elle restait paralysée face à ce père devant qui Charles Heron n'avait aucune chance de trouver grâce. Aussi ai-je moi-même versé une tasse que je tendis au redoutable M. Barforth. Si j'avais su résister à Mme Agbrigg, je n'allais pas me laisser intimider par ce parent au troisième ou quatrième degré dont, au demeurant, je n'avais rien à craindre.

Il me remercia d'un nouveau sourire, avala son breuvage en deux longues gorgées, comme le font ceux dont le gosier est asséché par un séjour de plusieurs heures dans la poussière des ateliers. Puis, sans se tourner vers lui, il dit à Gervais :

— Te voici donc revenu. Ce matin, en me rasant, je me disais justement que je ne t'avais pas revu depuis — combien de jours au juste ? Cinq, six ? En sortant, j'ai remarqué des dégâts dans le jardin et j'ai compris ce qu'ils signifiaient.

Désarçonné, Gervais bredouilla une vague réponse.

— Nous sommes à la fin du mois, reprit son père. Tu as sans doute des dettes pressantes ?

— En effet.

Leur dialogue me choquait moins par l'animosité, dont je ne distinguais que des traces, que par l'indifférence qu'ils paraissaient éprouver l'un envers l'autre. Cette froideur, cette absence de rapports constituait un phénomène peut-être unique dans une région comme la nôtre, où les pères poussaient volontiers à coups de fouet leurs fils vers leurs ateliers et les y maintenaient de force en leur coupant les vivres. Sir Joël Barforth se vantait d'avoir déjà gagné mille livres quand ses concurrents soufflaient encore sur leur porridge matinal. Nicolas, son fils, en amassait probablement davantage. Gervais, pour sa part, n'avait jamais gagné un sou par lui-même et ne le ferait sans doute pas davantage à l'avenir pour la seule raison que son père avait froidement décidé de se désintéresser de son sort. Inscrit une fois pour toutes dans la colonne des pertes, il ne comptait plus et son père acceptait cet état de fait. Gervais, je le voyais bien, en était pleinement conscient.

— Combien, ce mois-ci ?

M. Barforth avait posé sa question avec un calme confondant, alors que pour n'importe quel autre père il se serait agi d'un crime inexpiable. Gervais pâlit à peine. Il jouait si bien son personnage de jeune propre-à-rien que je me demandais s'il ne s'efforçait pas, comme je l'avais souvent fait moi-même avec ma belle-mère, de voir jusqu'où il pourrait aller.

— Bah ! Guère plus que d'habitude.

— Puis-je espérer obtenir de toi quelque geste, en remerciement de mes libéralités — pour ce mois-ci, en tout cas ?

— Cela dépend de ce que vous attendez de moi, père.

— Avec toi, je sais qu'il ne faut pas se montrer exigeant.

— Vous êtes vraiment trop bon.

— Il me faut quelqu'un pour aller à Londres, distraire un client quelques jours, l'inviter à dîner. C'est encore dans tes cordes, je suppose ?

— Je devrais en être *encore* capable, en effet.

L'insolence du ton rendait la provocation évidente, mais M. Barforth ne daigna pas relever le défi. Il lui était inutile de se fâcher pour faire sentir son autorité — et voilà, précisément, ce dont Gervais souffrait le plus.

— Bien. Tu prendras donc le train demain matin. Je comptais y envoyer Liam Adair, mais j'ai besoin de lui ici.

— Il a bien de la chance, qu'on ait *besoin* de lui...

J'espérais presque un éclat, une saine colère, des insultes — comme n'importe quel père, en pareilles circonstances, en aurait lancé à n'importe quel fils. Mais avant même de se déclarer, la tempête se dissipa. Gervais se leva.

— Je vais prendre mes dispositions, déclara-t-il avec nonchalance.

Il quitta la pièce sans rien ajouter, en effleurant au passage l'épaule de Venetia. Celle-ci garda les yeux baissés :

— Vous est-il jamais venu à l'esprit, papa, qu'un jour il se lasserait et ne rentrerait pas ? A sa place, je l'aurais déjà fait.

Son père feignit de ne rien entendre. Il me redemanda du café et m'en remercia d'un sourire d'autant plus charmeur qu'il était inattendu.

— Eh bien, Grace, tu as fait de brillantes études en Suisse, paraît-il ?

— J'ai fait de mon mieux, mon oncle.

— Tu es modeste. Ton père, je crois, regrette que tu ne sois pas un garçon. Selon lui, tu dirigerais sans mal une usine comme Fieldhead.

— Son estime me touche, mais je ne suis pas sûre de la mériter à ce point.

Il me gratifia de nouveau d'un de ses surprenants sourires et me scruta avec attention, comme s'il me voyait pour la première fois. Pendant cet examen, je devinais qu'il analysait ma personnalité, supputait l'usage qu'il pourrait en faire comme si j'étais venue solliciter de lui un emploi. Lorsqu'il eut quitté la pièce, je fis part à Venetia de mon étonnement.

— Ne le savais-tu pas capable de déployer tant de charme ? me répondit-elle.

— Si, par ouï-dire. Mais je le constate pour la première fois.

— Méfie-toi, Grace. Pour te sourire ainsi, il cherche sans doute à obtenir quelque chose de toi — ou de ton père. A mon avis, il doit chercher à m'envoyer à l'étranger afin de me mettre à l'abri de je ne sais quoi et envisage de te charger de me surveiller. A moins qu'il ne se demande si tu ne ferais pas une épouse idéale pour Gervais... Grand dieu ! Comment ai-je pu dire une chose pareille ?

— Je me le demande ! Tenons-nous-en là, je te prie.

— Rassure-toi, Gervais n'est pas mûr pour le mariage, il s'amuse bien trop ! S'il se décidait un jour à sauter le pas, il préférerait une snob dans le genre de Diana Flood — elle lui fait les yeux doux avec une insistance écœurante.

— Pauvre Diana Flood ! Pourquoi la détestes-tu à ce point ?

Venetia haussa les épaules. Je ne connaissais de cette jeune fille que sa parenté avec Sir Julian Flood, dont elle était la nièce. Ce dernier piquait davantage ma curiosité, car l'on chuchotait depuis longtemps que, si la mère de Venetia avait eu — certains prétendaient : avait encore — un amant, il s'agissait du fort distingué, mais impécunieux, Sir Julian, dont les ancêtres avaient régné trois siècles durant sur le fief de Cullingford.

— Je n'ai rien contre elle, répondit-elle enfin. Si elle voulait bien laisser Gervais tranquille, elle ne serait pas plus antipathique que les autres, malgré leurs sempiternelles histoires de chasse et de chevaux.

— Il t'arrive pourtant d'en faire autant.

— Oui, mais je ne pense pas qu'à cela, moi ! Gervais aussi peut s'intéresser à autre chose. Malheureusement, il lui suffit de fréquenter les Flood, les Chard et toute cette clique pour se mettre à leur ressembler.

— Au fait, vois-tu les Chard, ces temps-ci ?

En dépit de l'évidence, j'espérais qu'elle se troublerait et ferait quelque allusion à Georges, prouvant ainsi que son cœur n'était pas exclusivement accaparé par Charles Heron. Mon espoir fut vite déçu; d'un geste, Venetia balaya les Chard de la surface de la Terre :

— Dominique et Noël ne mettent jamais les pieds en ville. Quant à Georges, il ne vient ici que pour parler textile avec papa, snober Gervais et dédaigner de m'adresser la parole.

— Il ne te plaît donc pas ?

— Georges ? Il n'est pas repoussant ni complètement idiot, j'en conviens. Mais je le trouve trop infatué de lui-même pour mon goût. Que ce doit être agréable d'avoir une si bonne opinion de soi !

— Tu ne te mésestimes quand même pas, j'espère ?

— Bien sûr que non ! dit-elle en riant. Je me demande simplement qui je suis. Il est difficile de le savoir, crois-moi. Avec un père si totalement Barforth, une mère si radicalement Clevedon, tout ce qui semble bon à l'un est forcément mauvais pour l'autre — et cela dure depuis notre plus tendre enfance. Jamais nous n'avons pu les satisfaire tous les deux en même temps, il fallait toujours choisir l'un ou l'autre... En ce qui me concerne, du moins, cette époque-là est bien finie, Dieu merci. Les filles n'héritent pas, donc personne ne me forcera à devenir le noble sire de Galton ou le potentat des usines Barforth. C'est à Gervais qu'il incombe de prendre cette décision — s'il vit assez longtemps, ce que je lui souhaite de tout mon cœur.

— Que diable veux-tu dire ? me suis-je écriée.

Elle éclata d'un rire qui démentait bien sa sinistre déclaration :

— Chez les Clevedon, les hommes ne vivent pas vieux, tu sais. Le cimetière de Galton abonde en ancêtres tués à une quelconque bataille. D'autres ont fini différemment, sinon moins tristement. Ainsi, le grand-père de ma mère est tombé victime du cognac. Son frère, mon oncle Perry, s'est cassé le cou en voulant sauter une haie trop haute. Tous ces faits d'armes excitent furieusement l'imagination de Gervais. Il en oublie un peu trop volontiers qu'il s'appelle Barforth, et non pas Clevedon.

— Alors, où veux-tu en venir, au juste ?

— C'est pourtant simple : il n'aura de cesse, à son tour, qu'il ne saute un obstacle plus haut, un fossé plus large que ce dont un Flood ou un Chard se sera montré capable. Il a toujours cherché à leur prouver qu'il savait les battre à leurs propres jeux. Jusqu'à présent, je l'avoue, il a réussi...

— Et toi, Venetia ? Veux-tu prouver quelque chose ?

— Non, mais j'ai mes propres obstacles à franchir. Je ne suis pas aveugle, tu sais. Mon père ne consentira jamais à mon mariage avec Charles — ce qui ne change rien à mes sentiments. Quant à Gervais, il tombera tôt ou tard amoureux de quelqu'un...

— Et tu préférerais que ce « quelqu'un » ne ressemble pas à Diana Flood, n'est-ce pas ?

— C'est exact, répondit-elle avec une soudaine gravité. Ma mère en serait ravie, je le sais. Une Diana Flood partagerait ses goûts, posséderait les mêmes valeurs — et ferait, par-dessus le marché, une maîtresse de maison tout à fait décorative pour le Prieuré. Mais Galton n'est qu'un tas de pierres et Gervais est fait de chair et de sang... Ce que j'essaie de te faire comprendre...

— C'est que tu te résignes mal à perdre ton frère. Me suis-je trompée ?

— Non, en un sens. En fait, vois-tu, Gervais n'est pas aussi marqué par les Clevedon qu'il veut le faire croire. Pour moitié, il reste un Barforth — et je ne trouve rien de méprisable là-dedans. Écoute-moi, Grace... Je ne devrais pas te le dire, je sais, mais si je pouvais faire un vœu, un seul puisque j'ai la chance d'avoir trouvé Charles...

— J'ai peur de deviner, Venetia ! Tais-toi, je t'en supplie.

— Tant pis, je te le dirai quand même, en espérant qu'une bonne fée nous écoute... Ce vœu qui me tient tant à cœur, Grace, le voici : c'est que Gervais se marie un jour. Mais pas avec n'importe qui, non. Avec toi.

4

Vers la fin du mois, nous apprîmes officiellement que Georges Chard était engagé dans les entreprises Barforth. Je sus alors qu'il ferait n'importe quoi pour épouser Venetia; Georges n'était pas homme à consacrer son temps et ses forces à des affaires dont la moitié lui échapperait si un autre que lui mettait la main sur l'héritière.

On le voyait souvent à Cullingford accompagner son oncle dans sa tournée des usines, à la Halle au Drap ou à la Bourse de la laine. Parfois, Gervais se joignait à eux. Nul ne s'attendait cependant à ce que le jeune gentilhomme résistât longtemps à la discipline et aux incommodités de l'industrie textile. « Aux premiers beaux jours d'automne, il filera rejoindre ses semblables pour traquer ces malheureux renards, répétait-on avec sarcasme. Et si le grand Nick Barforth est incapable de mater son propre garnement, comment voulez-vous qu'il s'en tire avec celui de Lady Caroline ? »

Ce fut pourtant Gervais, comme je m'y attendis, qui s'éclipsa avant la fin d'août pour tirer les premiers grouses de Galton. De son côté, Georges continuait à se montrer à la Halle au Drap ou au bar d'un de nos hôtels tout neufs, où se concluaient nombre de transactions. Il donnait toujours l'image du parfait homme d'affaires, dans sa redingote noire, ses sobres gilets gris et ses faux cols empesés. Seules, la perle de sa cravate et son attitude supérieure rappelaient sa haute naissance — sinon sa situation de cadet.

— Mon père est très satisfait de lui, me dit Venetia. Les directeurs en revanche ne l'aiment pas. Avec Gervais, une fois papa à la retraite, ils s'attendaient à une liberté complète, mais Georges manifeste déjà l'intention d'avoir de la poigne. Remarque, il se moque comme d'une guigne d'être aimé ou détesté. Il n'est pas venu par affection pour la famille mais pour gagner de l'argent.

— Écoute, Venetia...

Elle m'interrompit d'un sourire :

— Je ne suis pas aussi sotte que tu l'imagines, Grace ! Je sais très bien qu'ils comptent tous me voir épouser Georges. Mais que m'importe ? Je ne me laisserai jamais faire. D'ailleurs, j'ai remarqué qu'il te coulait de ces regards !...

Avec un calme convaincant, je lui ai répondu ne m'être aperçue de rien. Mais lorsqu'elle fut partie sa réflexion me plongea dans un malaise dont, ces derniers temps, je ne pouvais plus ignorer la réalité. Je supportais avec toujours plus d'impatience les contraintes et l'asservissement de ma condition, celle de « jeune fille à marier ».

A mon retour de Suisse, je me sentais adulte. Gouvernantes et préceptrices m'accordaient une indépendance raisonnable qui respectait ma dignité. L'on faisait confiance à mon jugement et, n'ayant jamais abusé de ce crédit, je tombai de haut lorsqu'on me le retira. Mme Agbrigg me cloîtra comme une adolescente frivole non, soupçonnais-je, par souci de ma vertu et de ma sécurité mais, plus simplement, pour me pousser à disparaître de sa vie.

Si je voulais me soustraire à ses vexations, il fallait repartir pour l'étranger, Paris peut-être, maintenant que la guerre avec la Prusse était terminée. Il serait passionnant, me disais-je, d'observer les débuts vacillants de la jeune république, de prêter l'oreille à ces mots grisants de Liberté, d'Égalité et de Fraternité qui, près de cent ans auparavant, avaient pris leur essor en France même. Pourtant, quoi que je fasse, où que j'aille, il me faudrait toujours revenir ici, y retrouver les mêmes problèmes, les mêmes conflits restés en suspens; revoir l'usine sous ma fenêtre, les toits charbonneux sous un ciel chargé de pluie. Car je savais avoir besoin de cette grisaille.

Jamais, certes, Cullingford ne m'offrirait les merveilles contemplées ailleurs. Je trouvais pourtant dans ces ruelles tortueuses et sombres, accrochées au flanc des collines, un je-ne-sais-quoi qui me touchait, une forme d'énergie vivifiante, un refus tenace de se soumettre à l'arbitraire d'une autorité ou d'un destin aveugles. Cet univers-là, c'était le mien et j'en faisais partie intégrante.

L'injustice et l'exploitation y florissaient, je le savais. Les ateliers de mon père étaient remplis de femmes venues y travailler dix heures par jour, ou davantage, avant de regagner leurs taudis insalubres. Et que dire du calvaire permanent de la maternité ? Dans toutes les venelles qui enserraient nos usines, des troupeaux de jeunes enfants étaient lâchés, sans soin et sans surveillance, de l'aube au crépuscule, jusqu'à ce que les grilles de ces bagnes industriels se rouvrent pour dégorger la horde pitoyable de leurs mères.

Mes racines plongeaient des deux côtés de cette barrière; car si mon grand-père Aycliffe avait bâti sa fortune en construisant ces taudis, mon grand-père Agbrigg y avait lui-même vécu, mon père y était né et m'en léguerait le souvenir. Avant de devenir Monsieur le Maire, Ira Agbrigg n'était qu'un de ces misérables orphelins expédiés par pleines charretées vers les usines du Nord par quelque responsable d'un dépôt de mendicité. Jusqu'à l'âge de vingt et un ans, il avait travaillé dix-sept heures par jour, couché sur des piles de vieux sacs, mangé son pain sec dans un recoin d'atelier. Et, malgré tout, cet homme exceptionnel était parvenu non seulement à survivre mais à s'élever, par l'effet d'une persévérance qui provoquait toujours mon ardente admiration, jusqu'à une position éminente d'où exercer pleinement son autorité. Maire de Cullingford, il avait envoyé son fils à Cambridge. Sans amertume, sans esprit de revanche, il avait toujours su garder la conviction inébranlable que tous les hommes — et toutes les femmes — méritaient le respect dû à la dignité humaine. En cela, il incarnait l'esprit même de ce Cullingford dont je me considérais, comme lui, l'héritière.

Ma participation à cet effort collectif se trouvait, cependant, entravée par mon sexe, mon statut de célibataire et la présence de ma belle-mère. Je n'avais jamais eu le droit de parcourir les ateliers de Fieldhead; mon état m'interdisait, en effet, de m'informer des moyens par lesquels ma famille acquérait sa fortune et arrondissait ma dot. Pourtant, lorsque chaque matin je voyais dans la cour de l'usine ces jeunes filles de mon âge lutter contre le froid et la fatigue, je savais que j'aurais pu me trouver parmi elles si mon grand-père avait échoué dans sa tentative d'ascension sociale. Mais si j'avais été un garçon, j'aurais déjà été leur supérieur, le « jeune maître » de Fieldhead.

Si j'avais été le fils de mon père, je n'aurais pas été assujettie aux tatillonnes ingérences de ma belle-mère dans ma vie quotidienne. J'affronterais les réalités du travail et des responsabilités, je relèverais leurs défis. Je posséderais mes chevaux, ma voiture, j'irais à Leeds ou à Londres selon mon gré ou les circonstances. J'aurais le droit d'exprimer mes opinions, je prendrais des engagements, des décisions, des risques. Je me fixerais des objectifs. Certes, j'aurais essuyé des revers, reçu des coups. Mais j'aurais, tout ce temps, joui de ma liberté.

En tant que fille, qui ne différait nullement de ce garçon hypothétique, je n'étais tenue qu'à une seule obligation : me montrer vertueuse et soumise. Je ne disposais que d'une alternative : me marier ou non. Aussi, ce jour-là, tandis que je réfléchissais à ces problèmes sur un banc du jardin, face à cette ville rude dont me séparaient gazons de velours et massifs de fleurs, je me suis finalement dit qu'il valait mieux me marier.

Consciemment, je n'étais pas en quête de l'amour fou, même si une partie de moi en rêvait parfois. Je me savais trop raisonnable, trop douloureusement marquée par mon enfance solitaire pour envier le tempérament passionné de Venetia. Je ne me sentais pas davantage attirée par un mariage strictement de convenance ou d'intérêt, celui de mon père m'avait trop fait souffrir. Ce qu'il me fallait, me dis-je en conclusion, c'était un mariage qui ne soit ni de passion, ni de raison mais fondé sur l'amitié et la confiance mutuelles, un de ces accommodements harmonieux qui rendent la vie plaisante et légère — et qui aurait pour avantage décisif de me libérer à jamais de la pesante tutelle de Mme Agbrigg et des inconvénients d'un célibat prolongé. Si, par malheur, le candidat idéal tardait à se manifester, j'aurais la sagesse d'en prendre mon parti. Je saurais alléger mes chaînes en adoptant quelque occupation digne d'intérêt. Car j'étais trop la fille de mon père pour ne pas exécrer l'échec. Or, quoi de plus humiliant, de plus destructeur, de plus asservissant qu'un mauvais mariage — ou l'oisiveté desséchante des vieilles filles ?

Dans les rangs de ces dernières, dont Cullingford regorgeait, je n'en voyais guère dont la vie me parût enviable. Seul, je crois, l'exemple de Mlle Rebecca Mandelbaum pouvait me procurer une lueur d'espoir et m'offrir des distractions.

Mlle Mandelbaum se distinguait pour plusieurs raisons, et particulièrement par un talent de pianiste qui lui aurait valu une belle carrière de concertiste si ses parents, par une décision sans appel, ne la lui avaient interdite. Après leur mort, survenue quelques années auparavant, elle s'était installée dans le quartier de Blenheim Lane, encore bien habité quoique déchu de sa splendeur passée. Elle vivait seule et devait son indépendance à la conjonction de son âge mûr, du montant de son héritage et de la compréhension de son frère qui, nouveau chef de famille, aurait pu exiger de sa sœur qu'elle continuât de résider au foyer paternel.

Dodue, sinon boulotte, mais d'allure majestueuse, Mlle Mandelbaum aimait discourir avec ses amies de musique, d'art ou de philosophie et disputait avec chaleur de l'essence de la vérité ou de la nature de la justice. Elle s'intéressait aussi peu aux frivolités mondaines qu'à l'adduction d'eau dans nos quartiers populaires. Mais elle pouvait s'enthousiasmer en comparant les mérites respectifs de Botticelli et d'Andrea del Sarto. Une sonate de Beethoven la faisait souvent se pâmer. Quant aux activités de l'Association nationale pour le suffrage des femmes, elles suscitaient en elle de véritables élans de passion. La rencontre de Mlle Tighe, cheville ouvrière de cet estimable mouvement, avait achevé de la convertir et fait d'elle une suffragette convaincue.

Admise dans son cénacle, j'y écoutais la bonne parole. Ce n'était cependant pas pour moi une révélation, car j'étais persuadée depuis ma naissance de la validité de tels principes. Ma conviction, que j'exprimais avec naturel, dut impressionner la redoutable Mlle Tighe car, lors de notre première conversation devant le thé de Chine et les biscuits au gingembre de Mlle Mandelbaum, elle voulut bien me gratifier d'un de ses rares sourires :

— L'avenir de notre mouvement, ses fruits peut-être, vous appartiennent, ma chère petite. Venez donc à Manchester, vous y ferez la connaissance de Mlle Lydia Becker, notre fondatrice. Elle saura vous inspirer de nobles ambitions.

Aurais-je douté du bien-fondé de l'émancipation des femmes que mon envie d'accepter cette invitation — et la certitude qu'on ne m'y autoriserait pas — auraient suffi à faire de moi une adepte du mouvement. Par esprit de contradiction, je résolus donc d'en devenir, un jour ou l'autre, l'une des plus dévouées militantes.

Ce même automne, M. Nicolas Barforth nous pria à dîner chez lui. C'était là un événement car, depuis longtemps, il ne traitait ses invités qu'au restaurant et, le plus souvent, se déchargeait sur Gervais ou Liam Adair de ce qui lui apparaissait comme une corvée nécessaire à ses affaires. Le bristol gravé ne laissait cependant subsister aucune ambiguïté, ce qui aurait dû remplir d'aise le cœur de Mme Agbrigg, si elle n'avait aussitôt subodoré les intentions de notre hôte.

M. Barforth, semblait-il, se résignait enfin à se mêler de la vie de son fils et à lui accorder une dernière chance. La voix du sang parlait sans doute plus fort que celle de la raison; plutôt que de laisser Gervais affronter seul, dans un avenir proche, les ambitions voraces de personnages tels que Georges Chard, son père tentait un dernier effort pour lui fournir les moyens de résister. Je l'imaginais en train de l'exhorter :

« Redescends donc sur Terre. Il faut trouver une femme sensée, capable de t'épauler, une femme de tête avec du bien au soleil. » Et il ne me fut guère difficile de deviner que je représentais précisément cette femme de tête, cette épouse riche et sensée, digne fille de notre vallée de la Law, sur laquelle M. Nicolas Barforth, en homme d'affaires avisé, avait jeté son dévolu.

— Je vois, fit mon père pour seul commentaire, après avoir pris connaissance de l'invitation.

— Moi aussi, je ne vois que trop bien ! fulmina Mme Agbrigg. J'en avais depuis longtemps la hantise. Avec la meilleure volonté du monde, rien n'améliorera mon opinion sur ce jeune homme — et je ne parle même pas de la réputation de sa mère ni des bruits qui courent sur son compte à lui... Grace devrait avoir une migraine, ce soir-là, et se trouver trop indisposée pour se rendre à ce dîner.

La nouvelle que Georges Chard ferait lui aussi partie des invités déconcerta si bien ma belle-mère, qui rêvait sans vergogne de me le donner pour époux, que le fameux soir arriva sans qu'elle eût rien décidé. Elle s'abstint même de critiquer le décolleté hardi de ma toilette de soie pêche, la jupe étroitement ajustée sur le devant et la longueur de la traîne incrustée de velours. Elle portait elle-même une robe sombre, mon père un habit de soirée qui accentuait sa minceur. Quand il m'aida à monter en voiture, je ne vis que son visage triste et sa mine résignée. S'il songeait à cette demande en mariage déguisée, si son désir de se débarrasser de moi se révélait plus fort que son regret de me perdre, il n'en laissa rien paraître.

Un maître d'hôtel indifférent nous ouvrit la lourde porte de chêne sculptée et nous annonça sans plus se soucier de nos personnes. Venetia, à qui le rôle de maîtresse de maison faisait l'effet d'un jeu de société, nous accueillit en riant dans le grand salon. Un feu d'enfer ronflait dans la cheminée : M. Barforth se tenait au beau milieu de la pièce, le dos aux flammes. M. Georges Chard s'accoudait au coin de l'entablement, un pied contre l'écran, prêt, me sembla-t-il, à se précipiter à la place de son oncle si ce dernier faisait mine de la lui concéder. Quant à Gervais, affalé dans un fauteuil, il lui fallut un moment pour se lever, comme si ses muscles épuisés par une journée d'exercice requéraient les plus grands égards.

— Nous arrivons de Galton, nous informa Venetia avec autant d'énergie que son frère montrait de lassitude. Enfin, nous avons mis pied à terre il y a moins d'une heure, pour être plus précise. Nous avons dû nous lever à cinq heures du matin pour le rendez-vous de l'équipage. Les renards eux-mêmes dormaient encore.

— C'est absurde de chasser d'aussi bonne heure, renchérit Gervais d'une voix mourante. Le matin, les renards sont incapables de courir comme il faut. Mais Noël ne tient aucun compte de ce que je lui dis.

— Noël est maître d'équipage, il doit savoir ce qu'il fait, déclara Georges avec une feinte désinvolture.

Il était cependant évident qu'il n'admettrait aucune critique sur son frère, titulaire d'une charge appartenant à sa famille depuis près de trois siècles.

C'est alors que Mme Agbrigg se tourna vers Georges avec son plus gracieux sourire :

— Par un si beau temps, il doit vous en coûter de ne pas chasser, cher monsieur.

Elle lui offrait une chance de briller et fustigeait indirectement

Gervais, qui ne s'était pas privé de ce plaisir. Georges répondit avec onction :

— La chasse me manque, je l'avoue. Mais le devoir passe avant tout...

— Grand dieu ! s'exclama Venetia. Quand vous parlez sur ce ton, Georges, on se demande si vous n'auriez pas mieux fait de devenir évêque, comme votre mère en rêvait !

L'interpellé ne manifesta pas de mauvaise humeur. Il répondit par un sourire plein de suavité et par un léger signe de tête.

Nous avons mangé du gibier, puisque la saison l'exigeait. Les légumes trop cuits étaient indignes des somptueux plats d'argent dans lesquels ils étaient servis. Les cristaux étincelants mettaient en valeur un vin irréprochable, dont les messieurs consommèrent des quantités impressionnantes. Mais la crème au chocolat fut un désastre, le service déplorable et la conversation d'un ennui prodigieux. M. Barforth et mon père ne parlaient que de chaîne et de trame, de profits et de pertes. Gervais refusait délibérément de proférer un mot sans rapport direct avec la chasse. De son côté, Georges Chard observait un silence prudent. Je le voyais réprimer son désarroi devant la médiocrité du repas, qu'auraient refusé les domestiques de Listonby, et tenter de masquer sa réprobation devant des manquements à l'étiquette qui auraient justifié les foudres de sa mère. Je restais muette, moi aussi, tant l'atmosphère me mettait mal à l'aise. Aussi ai-je accueilli avec soulagement la fin du repas, quand Venetia se souvint de ses devoirs de maîtresse de maison et escorta les dames vers le salon. Elle nous fit asseoir, offrit le café et les biscuits et se retira aussitôt dans une méditation dont je craignais de connaître l'objet.

Le silence s'éternisait : ma belle-mère et moi n'avions rien à nous dire et je ne pouvais parler librement à Venetia en sa présence. Livrée à mes réflexions, je me suis rappelé les objections soulevées par Mme Agbrigg contre Venetia, en tant qu'amie intime, et contre Gervais dans son rôle de prétendant — et j'ai senti le rouge me monter aux joues.

Gervais n'éprouvait pas la moindre attirance pour moi, j'en étais persuadée. Mais, si les pressions s'accentuaient, il trouverait probablement plus commode de hausser ses maigres épaules et de céder par lassitude. Sans l'avoir voulu, je deviendrais ainsi maîtresse de cette vaste demeure négligée. Du même coup, j'aurais Venetia pour belle-sœur. Et parce que je m'étais toujours sentie plus proche d'elle que d'une véritable sœur, je me suis plu à me représenter cet avenir. Je me suis vue restaurer Maison Haute et lui rendre son lustre d'antan. Je me suis entendue réprimander l'insupportable maître d'hôtel, fulminer contre la cuisinière. Je me suis imaginée au petit salon, en compagnie de Venetia, ordonnant de répondre : « Madame est sortie » si Mme Agbrigg, ou quelque autre visiteuse importune, se faisait annoncer. Et mon sourire s'effaça aussitôt ébauché; car j'oubliais, dans ce rêve idyllique, d'inclure un personnage essentiel : le mari. Gervais.

Je n'avais pas non plus le droit d'ignorer Georges Chard, qui saurait imposer sa présence en dépit de tout. Seul, l'intérêt devait le pousser vers moi. Nicolas Barforth avait beau être le plus riche industriel de la région, et la fortune de Venetia considérable, ce trésor comportait une lourde hypothèque en la personne d'un frère qui, un beau jour, pourrait se découvrir une soudaine passion pour les affaires. De mon côté, sans avoir eu besoin de lire le testament de mon père, je savais devoir hériter de tous ses biens — sans qu'un frère importun fasse obstacle entre Fieldhead et mon éventuel mari.

Ainsi envisagée, ma situation devenait angoissante et le séjour à Fieldhead d'autant plus oppressant que je n'y étais pas chez moi. Dans un éclair de lucidité, je compris qu'il me faudrait épouser un homme en mesure de me libérer de ces entraves. Mon mari ne devrait jamais dépendre financièrement des Agbrigg ni solliciter leurs faveurs, sinon je risquais de me retrouver, une fois mariée, l'otage de ma belle-mère. J'avais besoin, tout bien pesé, d'un domaine à moi, où je puisse librement jouir de ma liberté, exercer mon autorité. Or, parmi les coureurs de dot dont j'étais environnée, je n'en distinguais aucun qui soit susceptible de m'assurer l'indispensable libération à laquelle j'aspirais...

— Ah ! Vous voilà installées, à ce que je vois.

Du pas de la porte, M. Barforth nous interpellait. Il entra le premier, suivi de son fils, de son neveu et de mon père. Puis, une fois carré devant la cheminée à sa place habituelle, il nous disposa à son gré comme un metteur en scène place ses comédiens sur un plateau :

— Jonas, mettez-vous là, près de votre femme. Venetia, sers le café, je te prie. Georges, installe-toi ici. Et toi, Gervais, là-bas. Voilà qui est bien.

En quelques mots, il avait stratégiquement déployé ses pions — pour la soirée, ou pour la vie ? Encore perdue dans ses rêves amoureux, Venetia se retrouverait sans y prendre garde auprès de Georges Chard. Gervais était déjà assis à côté de moi. Quant à M. Barforth, il dominait la situation et s'était placé au point où devaient converger les regards. Aussi, connaissant son tempérament tyrannique et vindicatif, me suis-je demandé comment il réagirait à sa déconvenue. Car j'étais sûre que ses beaux projets ne se réaliseraient jamais.

5

Cet automne-là, je fus soumise à de nombreuses brimades et d'intolérables contraintes. Ainsi, lorsque ma tante Prudence, Mme Frédéric Hobhouse, directrice d'une florissante école de jeunes filles à Ambleside, m'invita à séjourner chez elle, ma belle-mère répondit que j'étais « trop jeune » pour voyager seule dans ces contrées barbares. Et quand Mlle Tighe demanda fort courtoisement à Mme Agbrigg si elle consentirait à « se priver de ma compagnie » une semaine ou deux, celle-ci répondit en termes humiliants pour moi qu'il ne saurait être question de me laisser aller à Manchester. Plus tard, Mlle Tighe m'avoua s'en être amusée : « Une belle-mère abusive est un bien lourd fardeau, me dit-elle avec un éclair malicieux dans le regard. Je me demande parfois si un mari ne serait pas d'un commerce plus aisé... »

Il devenait ainsi chaque jour plus évident que Mme Agbrigg m'amènerait à la même conclusion.

Ma cousine Blanche revint au début de l'hiver. Aussitôt, tante Caroline sortit de son abattement et se lança avec frénésie dans un tourbillon de réceptions et de mondanités auxquelles je fus conviée. Un dimanche soir, au cours d'un dîner familial — que certains qualifièrent de « chant du cygne » —, elle suspendit d'un geste impérieux l'exode des dames vers le salon et prit la parole avec solennité :

— J'aimerais vous annoncer une nouvelle. En sa qualité de chef de famille, Dominique en a été le premier informé. Il m'a signifié son approbation et je suis assurée de recueillir la vôtre. Le duc de South-Erin a demandé ma main, je la lui ai accordée. Nul d'entre vous, je pense, ne s'en étonnera.

Au milieu des rires et des exclamations, j'entendis Blanche s'écrier avec accablement, comme déjà écrasée sous le poids de responsabilités importunes :

— Pourquoi ne m'en avez-vous rien dit, Dominique ?

Ce fut la seule fausse note dans le concert des louanges. Car si le duché de South-Erin était plus honorifique que véritablement assorti d'influence politique, les trois fils de tante Caroline ne pouvaient dédaigner les avantages de cette alliance. Dominique laissait son regard explorer les horizons prometteurs d'une présentation à la Cour. Noël rêvait galons et avancement. Quant à Georges, il supputait déjà les relations qu'il ne manquerait pas de se faire dans tous les milieux. Aussi ces messieurs s'attardèrent-ils à la salle à manger en compagnie de leur futur beau-père afin de lui prodiguer les marques d'une affection désintéressée. Pour ma part, incapable de supporter l'indignation de Blanche devant cette « trahison », ou ses jérémiades cent fois répétées : « Comment vais-je diriger seule cette baraque sinistre, quand je ne demandais qu'à rester bien tranquille dans mon coin ? », j'ai très vite cherché le salut dans la fuite.

Après avoir gravi le grand escalier, j'ai traversé la salle de bal, où la pénombre ne parvenait pas à éteindre l'or des lambris et le cristal des lustres. Dans la grande galerie, les ancêtres alignés sur les murs m'accueillirent avec sévérité. Leur physionomie réprobatrice s'indignait, sans s'étonner de ce que, en ce siècle où sombraient les plus solides traditions, la fille d'un roturier fût parvenue à épouser l'un des leurs avant de s'approprier un duc.

Je les connaissais cependant trop bien pour me laisser impressionner et, seule dans le calme apaisant de la nuit, j'ai arpenté la galerie tout en réfléchissant à ce que je venais d'apprendre. À la place de Blanche, je me serais réjouie de ce mariage. Délivrée d'une belle-mère envahissante, je m'empresserais de m'asseoir sur son trône, de l'égaler et, peut-être, de la surpasser. Mais je n'étais pas à la place de Blanche et, Dieu merci, je n'étais pas forcée de vivre avec un mari tel que Sir Dominique. Ainsi rassurée et parvenue au bout de la galerie, sinon au terme de mes réflexions, je fis demi-tour — pour me trouver nez à nez avec Georges.

Une bouffée d'émotion me saisit à l'idée — soupçon ou espoir ? — qu'il n'était pas venu par hasard, mais bien à ma recherche, et me laissa stupéfaite. Il me fallut faire effort pour me dominer et affecter une froideur désinvolte, plus que jamais indispensable :

— Quel coup de théâtre, n'est-ce pas ? ai-je réussi à dire.

— En effet. Blanche ne s'en réjouit toutefois guère.

— Oh ! Son sort ne m'inquiète pas outre mesure. Elle trouvera toujours quelqu'un pour voler à son secours.

— Sans doute... Malgré tout, Noël doit regagner son régiment dès le Nouvel An.

Je me suis abstenue de répondre. Il abordait un sujet trop délicat, qui risquait de nous entraîner sur un terrain dont mon instinct me conseillait de me méfier. Machinalement, mon regard s'est alors posé sur un portrait, le seul de la galerie à ne pas représenter un Chard. Georges fut prompt à le remarquer :

— Sir Joël Barforth, mon « usinier » de grand-père, dit-il

avec ironie. Dominique s'empressera probablement de le décrocher dès que notre mère aura le dos tourné.

Un je-ne-sais-quoi dans son ton retint la repartie acerbe qui me venait aux lèvres.

— Dominique réprouve-t-il vos nouvelles activités ?

— Me considère-t-il comme un traître à ma classe sociale, voulez-vous dire ? Bien entendu ! Au moindre prétexte, il m'accusera de toutes les turpitudes, ce qui ne l'empêchera pas de vouloir étrangler quiconque oserait me critiquer en sa présence.

— Et vous lui rendriez la pareille ?

— Cela va de soi.

Je ne voulais à aucun prix lui manifester sympathie ou compréhension. Mais je n'ai pu m'empêcher de demander :

— N'est-ce pas pénible par moments, Georges ? Je veux dire, la Halle au Drap, les ateliers...

— Oui, très, répondit-il avec une nonchalance affectée. En fait, tout ce qui touche à Cullingford me paraît indigeste. Mais les difficultés n'existent que pour être vaincues— je ne vous apprendrai rien sur ce sujet, n'est-ce pas ?

— Non, rien, en effet.

— Je m'en doutais.

L'entendre suggérer qu'il pensait à moi — et y pensait en bien — n'aurait pas dû me causer tant de joie. Soudain muette, j'ai levé les yeux vers lui. Longtemps — l'instant, du moins, me parut interminable — je ne pus me détourner. J'étais retenue par la découverte d'un sentiment encore inconnu, mais que mon corps tout entier explorait avec délectation : le désir. Le sien, que je voyais s'exprimer par l'éclat de ses yeux, le changement de son expression, l'accélération de son pouls qui faisait battre une veine sur sa tempe. Le mien, aussi, un élan instinctif que je sentais se traduire par un flux de chaleur, un bouillonnement de tout mon être, la conscience que je prenais de sa présence, si proche — et l'attente impatiente du plaisir.

Je me considérais comme une jeune fille sensée, à l'abri des excès de toutes sortes. Or, la sensualité qui venait de s'éveiller en moi y sommeillait depuis toujours, je m'en rendais compte. Je connaissais l'existence d'un tel phénomène; je n'étais pourtant pas prête à en subir le choc de plein fouet, à découvrir avec une telle intensité ma véritable nature, femelle plutôt que féminine et, comme telle, avide de soumission. C'était exaltant et accablant à la fois, une trahison autant qu'un assouvissement de mes plus secrètes aspirations. A quels périls allais-je m'exposer désormais ? Cette crainte même me les rendait plus désirables. La révélation de ce que j'étais me donnait le vertige. Si Georges, à ce moment-là, m'avait simplement effleurée, je n'aurais su ni pu lui résister, quoi qu'il m'en coûtât.

J'ignore comment la raison me revint, comment je parvins à articuler avec les apparences du détachement et de la fermeté :

— Il fait sombre ici et je n'ai pas chaud.

— C'est vrai. Allons-nous-en.

Son ton, son expression ne dévoilèrent rien. En homme d'expérience, connaissant les femmes, il savait avoir laissé passer sa chance et s'inclinait devant le fait.

L'instant avait pris fin. Je n'avais rien subi, ni consenti, d'irréparable. Mais tandis que je redescendais l'escalier du pas mal assuré d'une convalescente, je prenais douloureusement conscience de n'avoir pas échappé au danger grâce à mes propres forces. Si Georges avait esquissé le moindre geste... Mes pensées refusaient d'aller plus loin. Elles se cabraient comme le cheval qui se dérobe devant l'obstacle et refuse un risque qu'il pressent lui être mortel.

Le lendemain, nous étions tous invités au Prieuré de Galton. Encore plongée dans la désolation, Blanche ne cessa de gémir sur la « désertion » de sa belle-mère. Devant Venetia et moi, pendant le trajet, elle envisagea longuement l'assistance de gouvernantes, de secrétaires, voire de sa « meilleure amie », Grace Agbrigg — suggestion que Venetia balaya d'un geste péremptoire :

— Grace a mieux à faire que te tenir la main ! Peut-être aura-t-elle bientôt sa propre maison à mener.

Était-ce le froid de novembre ou cette dernière affirmation qui me fit frissonner ?...

Construite en partie avec les pierres de l'ancienne abbaye, la maison d'habitation de Galton me parut plus étriquée, plus vétuste que dans mes souvenirs. Je n'y étais revenue qu'une fois depuis mon enfance, mais j'y retrouvais aussitôt l'atmosphère quelque peu sinistre d'abandon et de délabrement qui m'avait alors frappée. Ce jour-là, cependant, le ciel bleu pâle, la courbe de la rivière, où jouaient les reflets d'un soleil parcimonieux, la rendaient presque accueillante. Mme Barforth nous attendait dans un petit salon encombré de sièges tendus de chintz passé. Un bon feu flambait dans la cheminée; un vieux chien et un chat indolent s'y chauffaient, pelotonnés sur un tapis en une amicale promiscuité.

Notre hôtesse nous reçut avec effusion. Mais si je trouvais son sourire aussi chaleureux, ses yeux verts aussi francs, sa poignée de main aussi ferme que ceux de Venetia, je ne pouvais m'empêcher de penser qu'elle me considérait, aux dires de son mari, comme la « promise » éventuelle de Gervais. Aussi, malgré moi, je restai froide et empruntée.

— Quelle pittoresque demeure, suis-je parvenue à proférer. J'en avais oublié le charme et l'intérêt historique.

Ma phrase de politesse lui fit visiblement plaisir :

— Vraiment ? s'écria-t-elle. Il faut la visiter ! Venez.

Pendant que Blanche s'installait devant la cheminée en ronronnant comme le chat, Mme Barforth nous entraîna, Venetia et moi, à travers la maison. Ces pierres représentaient pour elle un trésor plus précieux que les millions des usines Barforth, dont elle restait prête à faire le sacrifice, avec celui de sa propre liberté, à seule fin de transmettre le patrimoine des Clevedon à un fils qui n'en portait plus le nom.

De retour dans le vestibule à la fin de notre périple, elle me montra un portrait et me demanda ce que j'en pensais. Il représentait un jeune homme de l'âge de Gervais, arborant la même redingote, la même cravate de chasse qu'affectionnait ce dernier. Il se dégageait de sa physionomie la même énergie tendue et capricieuse, aussi prompte à s'exalter qu'à retomber dans l'indolence. Le visage pâle aux traits anguleux, la chevelure rousse étaient ceux de Gervais, mais je savais qu'il ne pouvait s'agir de lui.

— C'est mon oncle Perry, intervint Venetia. Tout le monde croit que c'est le portrait de Gervais. As-tu donc oublié l'illustre Perry Clevedon, capable d'abattre quatre-vingts grouses en autant de coups de fusil et de forcer six renards en un seul après-midi ?

Mme Barforth la fit taire d'un sourire mélancolique :

— Mon frère est mort il y a de longues années, avant de s'être marié. Nous étions très proches l'un de l'autre, car nous avions été élevés ensemble, sans autre compagnie. À vrai dire, nous n'en souhaitions aucune. Nous vivions dans un bonheur parfait, jusqu'à ce que le temps nous apprenne que le bonheur parfait n'existe pas. Sa mort ne m'a pas seulement causé une peine profonde, elle a laissé Galton dépourvu d'héritier mâle pour la première fois depuis trois siècles. Je ne sais, chère mademoiselle, si vous vous rendez compte de ce que cela représente pour nous autres qui...

Devant mon embarras, elle marqua une pause avant de poursuivre :

— Pardonnez-moi. En ville, je crois, le mot héritage évoque l'argent, les biens matériels. Il n'en va pas de même pour nous. Je ne pense jamais à Galton en termes de profits d'exploitation, voyez-vous, mais au contraire dans la perspective d'une tradition à respecter : servir la terre qui nous a si longtemps nourris, les fermiers qui la cultivent, les artisans du village qui satisfont aux besoins des hommes. C'est une vie rude que la nôtre, une vie de dévouement, fondée sur des devoirs plutôt que sur des droits. Il s'agit donc moins d'un héritage que de la transmission d'une charge héréditaire, dont les hommes de ma famille s'étaient toujours fidèlement acquittés.

Je ne pouvais me méprendre : avec un tact mêlé de gêne, elle me donnait un avertissement. Mes valeurs bourgeoises et matérialistes ne s'accorderaient jamais avec celles en vigueur à Galton, donc avec celles de son fils. J'ai balbutié une réponse évasive et, pour reprendre contenance, je me suis dirigée vers la fenêtre.

Un spectacle me détourna de mes réflexions : une petite troupe de cavaliers dévalait la colline au galop, franchissait la rivière dans de grands éclaboussements et pénétrait sans ralentir dans la cour. Couverts de boue, leurs habits détrempés, superbes dans leur mépris du froid et de l'inconfort, Gervais et les trois frères Chard mirent pied à terre. À peine les eut-elle aperçus que Mme Barforth se métamorphosa. Elle perdit la retenue que lui imposait ma présence pour redevenir elle-même au milieu des siens. Sans se soucier d'offrir du thé aux dames, elle servit aux cavaliers des bières fortes et du vin chaud, qu'ils avalèrent devant le feu qui faisait fumer leurs redingotes. Ses soins, son affection, seuls en étaient dignes ces jeunes gens insolents et débordant de vitalité qui savaient recréer autour d'elle un univers à mille lieues de Cullingford, de ses bourgeois vénaux et de ses usines empanachées de suie.

Sur une table sommairement dressée, l'on servit peu après un déjeuner frugal de gros pain et de fromages, de viandes froides et de bière, conclu par un volumineux *plum-cake* et des corbeilles de pommes rouges. Le soleil se décidait à briller et ces messieurs, repus et ranimés, s'empressèrent de partir. Leur chevauchée du matin ne leur avait sans doute pas suffi.

— Je reste au salon, ma tante, déclara Blanche. Si j'en crois leur humeur, ils vont encore faire des paris stupides et se lancer dans Dieu sait quelles aventures auxquelles je préfère ne pas me mêler. Tiens-moi donc compagnie, Grace.

Une demi-heure plus tard, soulagée de la voir enfin assoupie après qu'elle m'eut assommée de ses plaintes sur la perfidie de sa belle-mère, j'ai pris mon manteau et je suis sortie. Le vent frais, le ciel bleu parsemé de nuages me vivifièrent en apaisant mon énervement. Debout derrière un muret, en bordure d'un pré, Venetia et sa mère regardaient Gervais sauter un obstacle.

Ce déploiement de prouesses équestres était, bien entendu, le résultat d'un pari. Gervais prétendait sa jument alezane capable de sauter plus haut que le bai brun de Dominique et les chevaux de ses deux frères. Il avait mis en jeu vingt guinées, somme que Noël aurait du mal à distraire de sa solde de lieutenant ou Georges du médiocre salaire que lui allouait M. Barforth Ils n'en avaient pas moins dressé cet obstacle d'exercice que jadis —

répétait-on de Galton à Listonby et dans tout le comté — le légendaire Perry Clevedon franchissait de jour comme de nuit, à jeun ou ivre mort, jusqu'à plus de deux mètres.

Ce jeu me parut d'abord puéril et ne menacer que l'amour-propre des perdants, ou leur porte-monnaie. Mais le silence tendu de Venetia, l'angoisse diffuse qui émanait de sa mère me firent bientôt considérer la scène d'un autre œil.

Noël fut le premier éliminé, ce qui ne m'étonna guère. Un instant d'inattention ou, peut-être, l'habitude d'être toujours le second, le fit hésiter. Son cheval le sentit, stoppa net devant l'obstacle et expédia son cavalier dans la boue, d'où il se releva avec le sourire. Déjà, Gervais remontait la barre avant de se remettre en selle. Quand les concurrents eurent exécuté un nouveau saut, la barre fut relevée d'un autre cran. Pendant ce temps, j'observais Gervais. Il me fallut un certain temps pour reconnaître, dans cet écuyer virtuose, le jeune vaurien indolent qui provoquait son père à la table du petit déjeuner, ainsi que j'en avais été témoin.

Ce jour-là, il avait délibérément joué avec le feu, dissimulant la crainte que lui inspirait le tempérament explosif de son père. C'était d'ailleurs moins de ce dernier qu'il avait peur que de lui-même, du besoin aveugle qui le poussait à se lancer un défi, à reculer ses propres limites. De même, en ce moment, c'était moins aux Chard qu'il avait jeté le gant qu'à sa propre témérité. Il avait résolu d'aller jusqu'au bout, quelles qu'en fussent les conséquences. Et tandis que j'observais sa mince silhouette perchée sur ce grand cheval rétif, sa ressemblance avec le portrait de son oncle Perry m'apparut de manière si frappante que je compris, avec une compassion mêlée d'irritation, qu'il trouvait dans cette similitude une raison supplémentaire d'avoir peur et de vaincre sa frayeur. Aussi n'avais-je pas besoin des mimiques angoissées de Venetia pour deviner que si ses nerfs le lâchaient, ou si sa folle hardiesse cédait devant la panique, il s'exposait à un sérieux danger.

La ronde se poursuivait, monotone :

— Plus haut ? disait Gervais en mettant pied à terre.

— Autant que tu voudras, répondait Georges, hautain.

Alors, avec un sentiment de hargne étranger à mon caractère, je me suis surprise à penser que ce jeune gentilhomme, si fier de sa naissance et qui croyait faire fortune sans se salir les mains, était dénué de l'imagination qu'il faut pour connaître la peur.

Gervais et lui restaient seuls en lice. Sir Dominique avait mordu la poussière quelques minutes auparavant, en dissimulant mal son humiliation. Il incombait donc à Georges de défendre l'honneur de sa famille et de donner une bonne leçon à ce prétentieux Barforth qui se prenait pour un Clevedon.

À leur première tentative, les deux chevaux refusèrent devant l'obstacle. Au deuxième essai, ils parvinrent à franchir la barre à 2,10 m, ce qui aurait dû amplement les satisfaire.

Noël était de cet avis, car il intervint :

— Nous pourrions en rester là. Qu'en penses-tu, Dominique ?

Avant que ce dernier ait eu le temps de se prononcer, Gervais voulut prouver que les règles en usage à Listonby lui étaient indifférentes :

— Il faut, au contraire, nous départager clairement. T'en sens-tu capable, Georges ?

Ainsi défié, Georges haussa ses larges épaules avec indifférence, prit son élan et franchit l'obstacle sans aucune marge, dans un style efficace mais dépourvu d'élégance. Il avait rempli son contrat, prouvé sa supériorité. C'était au tour de Gervais d'en faire autant.

De toutes mes forces, j'ai souhaité le voir gagner. Crispée, les nerfs tendus, je l'encourageais par la pensée tandis qu'il reprenait sa position au bout du pré, sur la ligne de départ. L'odeur fauve du cheval en sueur, son halètement, le choc sourd des sabots sur la terre humide, toutes ces impressions restèrent longtemps gravées dans ma mémoire. Aujourd'hui encore, je les retrouve sans effort.

Je n'ai jamais très bien compris ce qui survint alors. J'avais d'abord cru le saut réussi; mais la barre, me dit-on par la suite, s'était prise dans les antérieurs du cheval, provoquant sa chute. Je ne sais si j'ai réellement entendu le craquement des os brisés. Ce que je me rappelle, en revanche, c'est un hurlement, le fracas de la bête, de l'homme et des morceaux de bois tombant en même temps sur la terre détrempée. Déjà, les Chard sautaient de leurs montures et se précipitaient en jurant vers la scène du drame.

Pendant qu'ils s'évertuaient à tirer Gervais de sous l'animal, Mme Barforth invoquait le Ciel d'une voix tremblante, Venetia marmonnait des incantations en faisant le geste de repousser un spectre. Enfin debout, Gervais s'étira, fit jouer ses articulations. Une fois de plus, il avait échappé au sort de son oncle Perry. Pourtant, nous le vîmes aussitôt retomber, un genou en terre, et rester ainsi, la main sur l'encolure du cheval qui frémissait de douleur et se débattait, agonisant.

— Qu'attends-tu pour aller chercher un fusil ? dit Georges.

— Ne traîne pas, cet animal souffre, renchérit Dominique d'un ton sec.

Ils avaient raison : le maître avait le devoir d'abréger les souffrances de son cheval et de procéder au plus vite à cette exécution, sous peine de mériter la réprobation de ses pairs. La douleur de Gervais était peut-être touchante, mais les règles de la société ou, plutôt, de sa caste devaient prévaloir.

Gervais, cependant, ne bougeait pas. Le visage détourné, il tentait de dissimuler les sentiments qui l'agitaient et se lisaient trop clairement sur ses traits. Quand je m'en fus rendu compte, quand j'eus compris que ni Venetia ni sa mère n'étaient en mesure de lui venir en aide, je me suis avancée d'un pas et, en évitant de poser les yeux sur le pitoyable spectacle qui s'offrait à nous, j'ai déclaré de mon meilleur ton de citadine au cœur sec :

— Allons-nous rester éternellement ici ? J'ai froid, je préfére-rais retourner devant la cheminée. J'avais d'ailleurs promis à Blanche de la rejoindre, elle doit s'inquiéter de mon absence.

Mme Barforth ne comprit pas tout de suite le sens de mon intervention :

— C'est vrai ! s'écria-t-elle au bout d'un instant. Ne nous attardons pas. Pauvre Blanche, j'avais oublié que nous l'avions laissée seule.

Nous avons alors regagné la maison en ne parlant que de Blanche. Silencieux, les hommes menaient leurs chevaux par la bride et je m'évertuais à meubler la conversation de futilités. Mais je ne parvenais pas à effacer de ma mémoire le spectacle de cette silhouette agenouillée que la distance amenuisait, que la souffrance isolait. De quoi Gervais s'affligeait-il le plus ? De n'être ni Perry Clevedon ni Nicolas Barforth ? Du conflit qui faisait rage en lui et le privait de son identité ? D'être incapable de vouloir les choses sans les refuser en même temps ?

Bientôt, je me suis forcée à penser que cela ne me concernait pas. Mieux valait, me répétais-je afin de m'en convaincre, laisser à d'autres le soin de trouver les réponses. À Venetia, par exemple. Ou à Diana Flood.

6

Le coup de feu retentit pendant que nous prenions le thé. Venetia grimaça de douleur, sa mère se retint de courir au-dehors. Comme si de rien n'était, Blanche passa le sucrier.

— Il est grand temps de nous retirer, annonça-t-elle peu après. Merci de cette merveilleuse journée, tante Georgiana.

Celle-ci fit l'effort de répondre sur le même ton. Mais Venetia, comme à son habitude, dédaigna les faux-semblants :

— Il faut que je voie Gervais avant de partir !

Les Chard prenaient déjà congé. Aussi me suis-je une fois de plus retrouvée seule pour faire face à une situation gênante.

— Va voir dans le cloître, me dit Venetia. Je vais chercher du côté des écuries.

Elle s'éclipsa avant d'entendre mes protestations et j'ai dû ouvrir la petite porte qu'elle m'indiquait. Au bout d'un passage couvert, j'ai pénétré dans le cloître. Seul vestige de l'ancienne abbaye, c'était un lieu obscur et renfermé, dont les arches murées m'inspiraient un sentiment de malaise. Adossé à un mur aveugle, Gervais contemplait les pierres qui lui faisaient face.

Il me vit aussitôt. Alors, ne voulant pas prolonger un silence embarrassant, je l'ai hélé depuis le seuil :

— Je suis désolée de te déranger, Gervais, mais nous nous apprêtons à partir et Venetia désire te parler.

— Vraiment ? J'aurais cru qu'elle savait où me trouver.

À mon vif soulagement, j'ai constaté que sa voix ne tremblait pas. Si sa pâleur trahissait encore un certain trouble, il avait apparemment recouvré son sang-froid.

— Elle te cherche aux écuries.

— C'est donc qu'elle voulait que ce soit toi qui me retrouves ici...

— Peu importe. Je vais la prévenir.

— À quoi bon tant de hâte ? N'aurais-tu rien à me dire, aucune question à me poser au sujet de la jument ?

— Je ne désire rien savoir de plus.

— Et sur mon compte, alors ? Me prends-tu pour un pleutre ?

— Je ne te reproche pas d'avoir hésité à achever le cheval. C'est le contraire qui m'aurait choquée.

— De si beaux sentiments seraient normaux chez toi. On s'attend plutôt à l'inverse de ma part.

— Il ne sert à rien d'épiloguer. Tu as fait ce que tu devais, nous avons tous entendu la détonation.

— Elle ne prouve rien. Un coup de feu a été tiré, soit. Mais par qui ? Une fois le terrain dégagé, grâce à ton intervention, je le reconnais très volontiers, j'aurais fort bien pu aller chercher un palefrenier pour le faire à ma place.

— Quelle importance ? Pourquoi y revenir ?

Il ne répondit pas. Dans le silence, les vieux murs semblaient chercher à nous rapprocher l'un de l'autre, à favoriser une intimité qui nous permît de parler librement.

— Pour moi, c'est important, dit-il enfin. On a de soi une certaine idée, on cherche à donner une certaine image qu'il est toujours vexant de contredire publiquement. Les Chard n'auraient pas réagi comme moi. Ils auraient su dissimuler leurs véritables sentiments afin de n'embarrasser personne et de ne pas se donner en spectacle. Toute leur éducation a été conçue pour leur « former le caractère », comme on dit. Ils se croient désormais autorisés à dire que j'en suis dépourvu, de ce fameux « caractère », et que ce n'est pas étonnant de la part d'un affreux petit-bourgeois dans mon genre.

— C'est cela qui te chagrine ?

— Oui. J'ai tort, sans doute, mais je me soucie de l'opinion d'autrui autant que de l'estime que je me porte.

— En d'autres termes, tu te découvres différent de celui que tu croyais être et tu te demandes qui tu es.

— Je ne me savais pas si profond.

Il me fit un sourire ironique et son regard me surprit. Je n'y voyais pas la franchise candide de Venetia et j'y reconnaissais pourtant la même fragilité.

Au bout d'un nouveau silence, il s'adossa pesamment au mur, comme pour s'y intégrer ou en prendre possession :

— Que penses-tu de cet endroit ? demanda-t-il.

— Du Prieuré ?

— Oui. Parle franchement.

— J'en avais peur, dans mon enfance. Je croyais y rencontrer des fantômes embusqués dans tous les coins. Aujourd'hui, je l'ai simplement trouvé... austère. Est-ce le mot qui convient ?

Il acquiesça d'un signe de tête, parcourut des yeux les murs gris, les ogives de la voûte.

— Il s'en dégage aussi une sorte de puissance... non, disons plutôt une forme d'envoûtement, précisa-t-il. Quand ma mère a voulu quitter mon père, c'est Galton qui l'en a empêchée. Il la menaçait de vendre et elle n'a pas pu s'y résoudre.

— Il est inutile de m'en parler, Gervais.

Il feignit de n'avoir pas entendu et poursuivit :

— Je suis un enfant gâté, un propre-à-rien, tout le monde le sait. Les choses auraient été bien différentes si mon oncle Perry n'était pas mort si jeune. La propriété aurait dû lui échoir. Aujourd'hui, il aurait des héritiers. Ma mère aurait pu reprendre sa liberté sans se soucier de moi. Seulement, voilà : la fatalité a voulu que mon oncle se casse le cou...

— En faisant la même chose que toi cet après-midi.

— C'est exact. Voilà pourquoi mon père a utilisé Galton comme moyen de chantage. Un jour, selon l'accord conclu par mes parents à ce moment-là, j'hériterai du Prieuré et des terres. Mais, jusque-là, il tient ma mère.

— Je ne comprends pas ! Pourquoi refuse-t-il sa liberté à une femme avec qui il ne vit plus ?

Il éclata de rire, fit un geste faussement horrifié :

— Les convenances, ma chère ! Sérieusement, je serais bien en peine de répondre. Venetia y est sans doute pour beaucoup. Notre père ne veut pas qu'elle pâtisse d'un scandale trop flagrant, je crois. Ou bien cherche-t-il encore à protéger ma mère de ses propres inconséquences — à moins que ce ne soit de Julian Flood ? Quoi qu'il en soit, nous ne sommes pas assez bons amis pour qu'il se donne le mal de m'expliquer ses actes, encore moins de les justifier...

— Si les raisons que tu viens d'énumérer sont vraies, elles me paraissent hautement recommandables.

Pour la première fois, je le vis sourire avec sincérité :

— Décidément, on dirait que mon père te plaît !

— Je préfère m'abstenir de juger les autres.

— Tu vois comme on se trompe ? J'étais persuadé du contraire ! Tu me parais toujours si sûre de tout — quand je doute perpétuellement de moi-même...

— Quand tu te complais à t'apitoyer sur ton sort, devrais-tu dire !

— N'aurais-tu pas même pitié de moi ? Dommage ! Tout à l'heure, tu as pourtant fait preuve d'un remarquable esprit de décision, en emmenant tout le monde de peur que je ne me ridiculise. Aussi, j'espérais...

— S'agissait-il seulement du sort de ton cheval, Gervais ?

— Non seulement tu as toutes les vertus qu'on te prête, mais en plus tu as l'esprit philosophique. C'est trop beau ! Je vais donc être franc : non, je ne m'apitoyais pas seulement sur le sort de ce malheureux animal. Par moments, vois-tu, je me sens las sans savoir pourquoi. C'est peut-être une forme d'instabilité ou de faiblesse de caractère... appelle cela comme tu voudras.

— Je ne veux ni de l'un ni de l'autre et je n'en crois rien ! Cette conversation me semble d'ailleurs parfaitement inutile.

— Dans ce cas, tu ne devrais pas t'attarder dans ce lieu écarté avec un inconnu.

— Tu n'es pas un inconnu, voyons !

Son rire de franche bonne humeur me fit comprendre que je m'étais précipitée tête baissée dans le piège qu'il me tendait :

— Alors, qu'attendons-nous pour faire plus ample connaissance ?

— Je n'y tiens pas du tout !...

Il fit quand même un pas vers moi. J'avais moins peur de lui que de Georges Chard. Leurs tailles respectives n'étaient pas en cause : si Gervais était plus menu, il avait assez de force pour user envers moi d'une violence dont Georges n'aurait pas ressenti la nécessité. En fait, je ne lui trouvais rien de menaçant; et cette absence de crainte — dans laquelle l'expérience m'aurait fait reconnaître un manque de désir — provoqua ma curiosité. J'avais soudain envie de participer à une expérience, d'explorer un domaine inconnu. Et puis, autant l'avouer : seule de mes cousines — l'une, Blanche, étant déjà mariée et l'autre, Venetia, perdue dans les transes de l'amour — à n'avoir pas encore reçu, à dix-huit ans, mon premier baiser, je jugeais cette particularité infamante.

Ainsi décidée à aller jusqu'au bout, je fus piquée au vif de ce qu'il continuât à parler au lieu de passer aux actes. Quand il leva enfin la main pour m'effleurer la joue, je fus étonnée de la sentir hésitante et froide. Sans doute m'attendais-je à de la brutalité de la part de ce cavalier fougueux. Peut-être espérais-je le contact d'une bouche exigeante... Lorsque ses lèvres se posèrent sur les miennes sans insister, ou presque, j'attendis en vain que mon cœur bondisse, qu'un vertige m'emporte. Aussi est-ce avec un plaisir un peu pervers que je me voyais rester pleinement maîtresse de moi.

Son rire s'insinua dans mon oreille pendant qu'il chuchotait :

— Je me méprenais sur ton compte, Grace. Je te croyais pétrie d'innocence et je te découvre blasée. T'aurait-on enseigné cela aussi, en Suisse ?

À quoi j'ai riposté, avec toute la dignité hautaine dont je me sentais capable :

— Pour qui me prends-tu, Gervais ? T'imaginais-tu que j'allais, à mon âge, me pâmer pour un baiser ?

Le lendemain matin, il vint à Listonby demander ma main. Ma première réaction fut l'effarement :

58

— Tu plaisantes ! Si tu me crois compromise par ce qui s'est passé hier soir dans le cloître, il n'en est rien. Tu n'es pas obligé...

Il m'interrompit, un éclair de colère dans le regard :

— Ainsi, pour toi, cela ne va pas plus loin qu'un baiser volé ? Tu te trompes, Grace. Je ne te demanderais pas de m'épouser si je ne le désirais pas vraiment. T'aurais-je infligé de véritables outrages que je ne me considérerais pas obligé de « réparer » pour autant.

Il retrouva finalement son calme et prit congé après avoir accepté mes refus réitérés. Il me fallut alors essuyer les récriminations de Venetia, qui m'accusait avec véhémence d'avoir brisé le cœur de son frère.

— Il n'est pas question de son cœur ! Gervais n'est pas amoureux de moi, voilà tout.

— Qu'en sais-tu ?

— D'abord, il ne me l'a même pas dit.

— Naturellement, il ne saurait comment s'y prendre ! Sache, en tout cas, que papa n'y est pour rien, au contraire. S'il avait seulement dit un mot pour suggérer ce mariage, Gervais aurait immédiatement pris le contre-pied. Gervais désire sincèrement t'épouser, j'en suis sûre. Veux-tu savoir pourquoi ? Parce que maman s'y oppose ! Accepte, Grace. Tu pourrais tant faire pour lui.

— Et lui, que ferait-il pour moi ?

Elle me prit la main, me gratifia de son sourire le plus enjôleur :

— Pour commencer, nous deviendrions vraiment des sœurs. Et puis, Gervais est riche, tu le sais bien. Il est plutôt beau garçon, avoue...

— C'est vrai, il te ressemble.

— Merci du compliment ! Alors, tu diras oui, la prochaine fois ?

Je n'envisageais cependant pas de revenir sur ma décision. Cette demande en mariage n'était que le caprice d'un esprit compliqué qui interprétait à sa façon la compassion que j'avais manifestée à Galton ce jour-là et cherchait à y voir autre chose. Redevenu lucide, Gervais me remercierait, au contraire, d'avoir eu le bon sens de refuser. Si l'envie de se marier le tenaillait encore, il se rabattrait plus volontiers sur une Diana Flood.

Or, ce fut cette dernière qui m'administra la preuve de mon erreur. Venue en visite à Listonby quelques jours plus tard, elle me parut déprimée, en proie à un chagrin inconsolable et fut même incapable de m'adresser la parole. Son état me fit pitié malgré moi et j'y fis allusion devant Venetia, dont la réaction me choqua :

— Diana, malheureuse ? Bah ! Elle finira bien par se trouver quelque hobereau, un vrai, cette fois. J'en serais ravie.

De retour à Fieldhead, j'y trouvai une atmosphère orageuse. À peine le seuil franchi, Mme Agbrigg me reprocha durement mon « inconduite ». Car Gervais ne s'était pas contenté d'informer sa mère et Diana Flood de ses intentions; il avait, le jour même, galopé jusqu'à Maison Haute et, pour la première fois de sa vie, sollicité le secours de son père. M. Barforth s'était rendu sur l'heure à Fieldhead afin de présenter à mon père sa demande officielle : il ne voulait sous son toit, affirmait-il, aucune autre bru que moi. Si mon père nourrissait des doutes, fort légitimes, quant au sérieux de Gervais, il pourrait les apaiser en dictant à sa guise les clauses de notre contrat de mariage. Par ailleurs, M. Barforth s'engageait à m'accorder des crédits illimités pour mon argent de poche et le train de maison — générosité dont il escomptait, bien entendu, l'équivalent de la part de mon père. Comme si ces assurances ne suffisaient pas, il prenait l'engagement solennel de veiller personnellement à mon bonheur : Gervais me rendrait heureuse, sinon gare à son père ! Enfin, pressé de conclure avant que son fils s'avise de battre en retraite, M. Barforth se rendit du même pas à Galton où il intima à son épouse l'ordre de se prétendre ravie du mariage de son fils.

— Tu n'aurais pas dû en parler à ton père, ai-je reproché à Gervais lorsque je le revis quelques jours plus tard.

— Je sais. Mais le désespoir mène à tout...

— Le désespoir ! Tu me donnerais envie de rire, si cette situation n'était pas aussi ridicule.

— Mon père est pourtant fort aise de me voir réduit à de telles extrémités et j'avoue qu'il m'a paru tout naturel de me tourner vers lui. Étonnante métamorphose, n'est-ce pas ?

— C'est une excellente habitude que tu devrais reprendre. Tu t'en trouverais beaucoup mieux.

— Je n'en doute pas, Grace. Mais j'ai besoin de toi pour me guider, m'aider à poursuivre jusqu'au bout ma transformation.

— Tu dis n'importe quoi !

— Pas du tout, Grace... Tu ne m'empêcheras pas de revenir te voir, au moins ? Je garderai mon calme, je me conduirai sagement, je te le promets...

Mon seul allié dans ce combat inégal, je le trouvai, à ma vive surprise, en la personne de ma belle-mère :

— Tout cela devient absurde ! s'écria-t-elle un soir. Enfin, Jonas, réagissez ! Il est grand temps d'y mettre un terme.

— C'est à Grace de décider, répondit-il tristement. Je ne veux l'influencer ni dans un sens ni dans l'autre. Cette décision est la plus importante, peut-être la seule de sa vie. Je ne m'arrogerai pas le droit de me mettre en travers.

Mais j'avais beau répéter fermement que je ne reviendrais pas sur mon refus, personne ne semblait me prendre au sérieux — ou peut-être étaient-ils trop absorbés par leurs propres intérêts pour accorder aux miens quelque valeur.

De toutes parts pleuvaient les encouragements, les félicitations, les manœuvres tentatrices. Par l'entremise de Venetia, son père fit miroiter devant moi la liberté et l'autorité dont je jouirais à Maison Haute. Discrètes se faisaient les pressions, alléchantes les perspectives. Mais, si elles restaient insuffisantes par elles-mêmes pour faire plier ma détermination, elles m'amenaient néanmoins à me demander, avec un désarroi croissant, pourquoi Gervais persistait à vouloir m'épouser.

Il ne pouvait s'agir de ma fortune — éventualité pour laquelle j'avais toujours éprouvé la plus vive répugnance et dont avec Gervais, au moins, je savais être à l'abri. A ces réflexions se mêlaient, bien que je m'en défendisse, une certaine amertume, une sorte de déception devant la trop prompte retraite de Georges Chard; il avait trop lucidement calculé qu'en faisant obstruction aux visées de M. Barforth sur moi il risquait à la fois son emploi et ses chances d'épouser Venetia. Si donc Gervais ne s'intéressait pas à mon argent, que cherchait-il en moi ?

— Mais tu es belle, ma chérie ! s'écria Venetia un jour que j'exprimais ma perplexité à haute voix. Tes cheveux noirs, tes yeux bleus — et ta présence, surtout ! Quand tu entres dans une pièce, toutes les têtes se tournent. Quand tu ouvres la bouche, tout le monde t'écoute. Et puis, à quoi bon ces questions ? Gervais t'aime. N'as-tu donc pas envie d'être aimée ?

Si, bien sûr... Quelle femme ne voudrait pas être aimée ? Même les petites filles studieuses, à l'enfance solitaire et triste, qui grandissent pour devenir des jeunes filles raisonnables, font des rêves romanesques. Je n'étais pas une exception.

De tout côté me revenaient des échos apitoyés sur l'état de mon amoureux transi. Selon les unes, il faisait « peine à voir »; d'autres me reprochaient de ne pas rayonner de fierté pour avoir su capturer « un cœur si volage », assagir « un être si fantasque ». Pour n'être pas en reste, Venetia revenait sans se lasser à la charge : Gervais était follement amoureux de moi. Et elle m'en administrait cent preuves. Soumise à un tel traitement, il était donc fatal que j'en arrive à éprouver une sorte de fascination pour des sentiments que je ne me savais pas capable d'inspirer et que je n'étais toujours pas disposée à partager.

D'insidieuses pensées venaient aussi me visiter, qui sapaient sournoisement mes belles résolutions. À l'indignation d'être si ouvertement manœuvrée par les uns et les autres, et surtout par le tout-puissant M. Barforth, se mêlait parfois la fierté d'avoir mérité son approbation, dont je le savais peu prodigue. Aurais-je l'habileté, la force de caractère de la conserver ? Et puis, il y avait Gervais, dont la présence constante, quasi quotidienne, exigeait de plus en plus mon temps et mon attention, me troublait et m'exaspérait, me faisait sourire parfois, me réchauffait et parvenait à m'émouvoir, me rendait cruelle et compatissante tour à tour, mais s'imposait à moi.

— Gervais, tu deviens insupportable !

— Je sais.

Il l'était, en effet, surtout lorsqu'il me lançait des regards pleins de reproches muets dans tous les salons où il me poursuivait, au grand amusement des témoins. Pourtant, si, le lendemain, il ne venait pas carillonner à ma porte ou ne surgissait pas, un peu échevelé, une lueur de folie au fond de ses yeux verts, au détour d'une rue, j'en étais arrivée à m'en étonner d'abord, à m'en inquiéter ensuite, à m'en irriter enfin et je me surprenais à l'attendre avec impatience. De plus en plus fréquentes, ses crises de jalousie m'indisposaient moins qu'elles ne m'emplissaient de remords. Je me sentais responsable de ses souffrances et lui pardonnais presque d'en faire étalage sous mes yeux.

L'avant-veille de Noël, Lady Caroline Chard, née Barforth, devint duchesse de South-Erin dans la petite église de Listonby. Parmi les invités, soigneusement sélectionnés, se trouvaient sa mère Lady Virginie Barforth, venue tout exprès du Midi de la France; ses frères Nicolas et Sir Blaise Barforth; leurs épouses, Mme Georgiana Barforth resplendissante sous les diamants et les émeraudes réservés aux grandes occasions, et Lady Julia, ma tante, attendrissante et belle. Pendant que Sir Dominique escortait dignement sa mère à l'autel, Blanche se glissait entre Georges et Noël, particulièrement séduisant en grand uniforme de hussard. De l'autre côté de la nef, je voyais Venetia rougir de bonheur : elle avait réussi, par Dieu sait quels moyens, à faire inviter son bien-aimé Charles Heron.

Elle l'avait beaucoup vu ces derniers temps. Trop occupé par les affaires de son fils pour s'inquiéter des faits et gestes de sa fille, Nicolas acceptait distraitement les explications qu'elle lui donnait de ses absences.

« Je suis en train de me perdre de réputation », m'avait-elle déclaré joyeusement. Je savais pourtant qu'il ne se produisait rien d'inconvenant. Qu'elle se soit précipitée dans les bras de son Charles lors de leurs premières rencontres, qu'elle accepte et lui rende ses baisers, l'on n'en pouvait douter. Mais leur amour était trop idéalisé pour laisser place à la sensualité. Plutôt que le déchaînement des passions, leurs tête-à-tête favorisaient l'éclosion de sentiments éternels et la maturation d'espoirs pour l'avenir.

Je le connaissais à peine. Il se distinguait par un visage fin et expressif, une voix douce et hésitante par laquelle s'exprimaient des opinions qui ne l'étaient guère. Mais l'athéisme dont il se vantait provenait surtout, je crois, d'une fâcheuse confusion entre Dieu et son indigne père; quant à ses plaidoyers virulents en faveur de la justice sociale et de la révolution, ils m'avaient paru bien timides après certaines professions de foi entendues à l'étranger. Il croyait aux vertus du suffrage universel, ce qui était louable, et condescendait à octroyer le droit de vote aux femmes. Et s'il me semblait mieux doué pour démolir églises et palais que pour rebâtir autre chose à la place, je le voyais facilement dans la peau d'un respectable maître d'école, que seuls ses irrésistibles yeux bleus et ses bouleversantes boucles blondes sauveraient de la banalité.

La nouvelle duchesse et son frétillant petit duc n'étaient guère enclins à s'attarder, car un tourbillon de mondanités les attendait à Londres. Aussi le lunch fut-il hâtif, bien que somptueux comme il était de règle à Listonby. La duchesse savourait son triomphe et Blanche le sien : la veille au soir, elle avait réussi un coup double en annonçant qu'elle se trouvait enceinte. Elle échappait de ce fait à ses obligations de maîtresse de maison et éclipsait, pour un temps, la gloire de sa belle-mère.

Déjà, la duchesse se drapait dans sa zibeline, le duc distribuait poignées de main et accolades. Il y eut une brève bousculade vers les voitures lorsque le nouveau couple prit le chemin de la gare. Isolés dans la foule, Venetia et Charles Heron se tenaient la main en rougissant. C'est alors que Gervais m'empoigna par le bras et m'entraîna dehors, sous un ciel rosi par le couchant, vers le fond du parc.

Il marcha d'abord sans rien dire, la mine maussade, à un train d'enfer que ma jupe entravée et mes fragiles escarpins ne me permettaient pas de suivre.

— Gervais, pas si vite ! ai-je enfin crié. Je suis hors d'haleine.

— Tant pis, continue.

Il stoppa brusquement à l'abri d'une haie de conifères, me prit aux épaules et écrasa ses lèvres contre les miennes en une étreinte brutale dont je réussis quand même à me dégager.

— C'en est assez !...

— Non ! Écoute, Grace, je ne peux plus attendre.

— Eh bien, n'attends pas ! Je t'ai cent fois répété que...

Il m'interrompit par un nouveau baiser, à peine plus tendre. Mais j'oubliais qu'il me faisait mal pour ne plus ressentir que sa propre douleur, qu'il s'efforçait de dissimuler sous sa brusquerie. Malgré moi, mon corps réagissait comme il avait été conditionné pour le faire par des générations de femmes en pareilles circonstances. Il s'offrait, prêt à dispenser amour et réconfort.

Quelques instants plus tard, nous nous sommes assis sur un banc de fer forgé. Gervais restait prostré, les coudes sur les genoux et le visage dans les mains. Je croyais voir vibrer son corps maigre sous la tension de ses nerfs. Alors, me souvenant de l'avoir vu agenouillé à Galton auprès de son cheval mourant et d'avoir deviné sous ses bravades sa nature faible et vulnérable, j'ai posé la main sur son épaule. Son frémissement me fit presque sursauter; l'expression de douleur et d'égarement imprimée sur ses traits, lorsqu'il leva vers moi son visage, la profondeur de son désespoir me désarçonnèrent lorsqu'il me cria :

— J'ai besoin de toi, Grace ! Tu ne comprends donc pas, grand dieu ? Es-tu aveugle ? Je t'en prie, Grace, je t'en supplie...

Pourquoi moi ? Qui peut bien avoir besoin de moi ? ai-je eu la présence d'esprit de me demander. Mais une sorte de vertige m'emportait déjà. J'étais au bord du rire ou des larmes, la tête me tournait. Et je fus incapable de résister lorsqu'il me prit les mains et, avec douceur cette fois, m'attira vers lui pour m'embrasser de nouveau.

— J'ai besoin de toi, Grace, répéta-t-il à voix basse.

J'ai secoué la tête, mais sans dire non. Et cette fois, je me suis préparée à son baiser, je me suis penchée vers lui. Je n'avais pas peur de ce corps que j'entourais de mes bras, je trouvais délectable la peau fine sur laquelle je posais mes lèvres. Le discret parfum de lavande et de citronnelle qui émanait de sa personne me comblait, je ne sais pourquoi, de plaisir.

Beaucoup plus tard, nous nous sommes levés pour regagner le château. Nous marchions sans rien dire ou presque. À chaque arbuste, à chaque buisson faisant écran, nous nous arrêtions. Il m'embrassait, je me laissais faire, comme hypnotisée : mais je levais de plus en plus volontiers mon visage à la rencontre de ses lèvres; mais tout mon être obéissait un peu plus docilement aux impulsions de mes sens qui me poussaient contre lui, dans ses bras, et m'y maintenaient chaque fois plus longuement blottie. Loin des regards importuns, je participais avec une délicieuse gourmandise à ses initiatives, j'en prenais à mon tour. J'éprouvais un exaltant sentiment d'émancipation, comme si j'avais dénoué ma chevelure, jeté au loin le carcan de ma traîne et de mes jupons pour danser, libre et légère, dans l'air pur et le soleil. Me conduisais-je en dévergondée ? Sans doute — mais je n'en avais cure.

Certes, je n'avais pas formellement accepté de l'épouser. Rien ne s'était décidé entre nous. Et cependant, lorsque nous sommes entrés au grand salon où un groupe d'invités sablait encore le champagne, le silence se fit à notre vue, comme si l'on pressentait quelque événement d'importance. Nous nous sommes avancés vers eux, en marchant à une distance respectueuse l'un de l'autre. Ma coiffure n'était guère plus dérangée que sous l'effet du vent. Alors, je vis Gervais se placer délibérément dans le regard de son père; puis, avec lenteur et fermeté, il me prit par la main et me rapprocha de lui.

— C'est bien, mon garçon, déclara M. Barforth.

L'affaire était conclue.

7

Nos premières semaines de vie commune, nous les avons passées dans une maisonnette au toit d'ardoise, près du village de Grasmere et du lac de Rydal. J'étais soulagée que notre mariage ait mis fin à l'agitation qui l'avait précédé.

Notre union n'avait pas soulevé d'opposition déclarée. Mme Agbrigg était trop heureuse de se débarrasser de moi tandis que Mme Barforth, si elle reprochait à son fils cette mésalliance, le faisait discrètement et affectait à mon égard une politesse de bon aloi. Mais l'association ainsi contractée, par notre intermédiaire, entre deux entreprises aussi considérables ne pouvait se célébrer sans faste. L'argent devait couler à flots et de manière ostentatoire, l'honneur des Barforth et des Agbrigg l'exigeait. Aussi voyais-je s'amonceler à Fieldhead les mêmes futilités prénuptiales dont Blanche avait été entourée, à un rythme et dans des proportions tels que la cérémonie, lorsqu'elle survint enfin, me fit l'effet d'une véritable libération.

La veille du grand jour, mon père me convoqua dans son cabinet de travail afin de m'expliquer mon nouveau statut de femme mariée. Il se résumait à peu de chose : Grace Agbrigg allait disparaître pour faire place à Mme Gervais Barforth, frappée d'une incapacité légale à contracter et posséder quoi que ce soit par elle-même. La loi de 1870, en vigueur depuis trois ans, n'améliorait guère cet état de fait; elle ne faisait qu'autoriser la femme mariée à conserver par-devers elle ses gains et ses salaires propres. Cette grande nouveauté était peut-être utile à quelque génie des lettres, à une danseuse étoile ou une prima donna; mais elle restait lettre morte pour le commun des mortelles, dont je faisais partie, car nulle disposition légale ou pratique ne nous autorisait à gagner notre vie. Comment l'aurions-nous pu, d'ailleurs, quand il n'existait aucun emploi décemment rétribué auquel nous puissions prétendre; quand nos époux, en échange du gîte et du couvert — et d'un peu d'amour, pour les mieux loties —, exigeaient de nous une présence constante au foyer ? Quant aux classes laborieuses, habituées depuis l'enfance à gagner péniblement le pain quotidien, la question pour elles ne se posait même pas.

Dans sa mansuétude, la loi prévoyait cependant la rédaction d'un contrat de mariage. Je pouvais ainsi bénéficier d'allocations généreusement calculées et dont je ne pouvais me voir dépouillée. Grâce à un système compliqué de provisions et autres restrictions, la fortune dont j'hériterais un jour se trouverait à l'abri des caprices maritaux et j'étais assurée de ne jamais connaître le dénuement. Mon père avait en outre obtenu de M. Barforth des engagements précis quant au salaire alloué à Gervais et des précisions sur ses intentions au sujet de Venetia, de son mari éventuel et des enfants qu'ils pourraient avoir. J'appris ainsi que Gervais jouirait d'une certaine indépendance financière assortie de sérieuses garanties. Mon père jugea utile, par ailleurs, de m'avertir que Mme Barforth, enhardie par la bonne humeur de son époux, avait profité de l'occasion pour lui suggérer de transférer à Gervais le titre de propriété de Galton et s'était vu opposer une fin de non-recevoir.

Ces éclaircissements dûment exposés, mon père ouvrit un tiroir de son bureau afin d'y prendre un petit écrin qu'il posa devant moi et que je reconnus aussitôt avec un serrement de cœur. Un instant, je craignis de céder à l'émotion lorsque mon père souleva le couvercle et me désigna un sautoir d'or, un collier de corail, un camée, des boucles d'oreilles en turquoise, une broche :

— Ce ne sont que quelques babioles sans grande valeur, à vrai dire, me déclara-t-il calmement. Je n'étais pas riche, à l'époque, et ta mère... eh bien, disons qu'elle n'avait guère de goût pour le monde. Tu n'es pas obligée de les porter, bien entendu, mais tu aimerais peut-être les conserver. Je ne vois personne d'autre, d'ailleurs, à qui ces bijoux pourraient échoir.

— Merci, papa, ai-je murmuré.

Lorsqu'il me tendit l'écrin, je lui saisis la main et l'ai gardée, serrée dans la mienne. La gorge nouée, j'aurais voulu lui demander s'il était heureux, je désespérais de pouvoir lui dire que je l'aimais. Et pourtant, en cet instant, mon cœur débordait d'amour pour lui.

Pour notre nuit de noces, j'avais souhaité que nous échappions au tohu-bohu d'un grand hôtel, à l'ennui d'un long souper élaboré et à la curiosité d'étrangers. La maison de Grasmere, studieuse retraite de mon père, isolée dans la verdure, avec pour seule occupante une gouvernante taciturne, pouvait nous garantir l'intimité que nous recherchions.

J'avais espéré que nous mettrions cette période de tranquillité à profit pour nous raconter nos secrets, parler de nos parents, comparer nos épreuves d'enfance, évoquer nos espoirs pour un avenir préparé en commun. En fait, nous n'avons presque rien dit : nous avons fait l'amour, dont je n'imaginais pas qu'il devienne une forme de dialogue. Le premier soir, sous la lampe de chevet, Gervais posa sur moi une main légère, la fit lentement descendre de la courbe de mon front au creux de mes chevilles. Sous le frôlement de ses doigts, je me sentais frissonner de plaisir, tandis que je le voyais hésitant, inquiet. Je n'étais pourtant pas la première à bénéficier de ses caresses, je le savais. Il fallut que je le touche à mon tour pour qu'il reprenne son assurance et que nos mains, nos lèvres, en contact harmonieux, nous fassent vibrer de concert.

Une heure s'écoula ainsi, en caresses émerveillées. Quelques instants suffirent à disposer de ma virginité. Il m'épargna ensuite les questions indiscrètes et, le visage enfoui au creux de mon épaule, s'abandonna entre mes bras à un sommeil léger, agité, qui, j'allais l'apprendre, durait rarement plus de deux heures d'affilée. C'est à cela que je dus, au plus noir de la nuit, d'être réveillée par des baisers à demi irréels qui préludaient à un plaisir délivré, cette fois, de toute peine.

Le lendemain, nous promenant le long du lac, nous nous arrêtions à chaque pas à seule fin de sentir nos mains se toucher, de redonner à nos fronts, à nos joues le plaisir de ce contact qui nous émerveillait. Nous ne désirions, nous ne pouvions rien faire d'autre. Nous savourions cette communion des sens jusqu'à ce que son désir attise le mien, jusqu'à cet instant impalpable où la joie d'être aimée se fond dans le bonheur d'aimer et s'y transcende. Je l'aime, me surprenais-je à penser. Il a besoin de moi — et j'en étais bouleversée. Il s'en fallait de peu que je ne lui avoue, à mon tour, avoir besoin de lui.

Si nous ne faisions pas l'amour, notre imagination y suppléait. Nous en rêvions, nous le désirions — mais nous n'en parlions pas : nos corps s'exprimaient avec assez d'éloquence. Bientôt, non contente de me laisser aimer, je pris l'initiative. A sa surprise, à sa délectation correspondait mon extase qui ne cessait de croître et me laissait pantelante.

— J'ai tant besoin de toi, chuchotait-il.

— Je suis toute à toi, mon amour.

Je l'étais, en effet, lorsqu'il posait ses mains sur moi. Quand nous étions debout, je refusais de m'écarter d'un pas. J'avais soif de caresses s'il m'en privait une demi-heure. Je sentais que, de son côté, il se livrait à moi corps et âme. Nous vivions dans un paroxysme dont je n'avais jamais soupçonné l'existence et que j'aurais dû craindre si, à ce moment-là, je m'étais doutée que Gervais entendait nous y maintenir pour toujours.

— Je ne veux pas rentrer à la maison, Grace.

Sa mine de petit garçon buté me fit rire. Je l'ai embrassé :

— Je parle sérieusement ! protesta-t-il. Allons à Londres, rien ne nous en empêche. Je t'offrirai des diamants...

— J'en ai déjà.

— Pourquoi pas d'autres ?

Nous sommes pourtant retournés à Cullingford parce que, sans tenter consciemment de l'influencer, j'étais douée d'une volonté plus forte que ses réticences. Notre retour se fit par un après-midi pluvieux qui expliquait peut-être son humeur maussade. Une fois seuls dans notre chambre, il m'a prise dans ses bras pendant que sonnait la cloche du dîner et nous avons fait l'amour comme s'il voulait défier le monde entier.

Le lendemain matin, il partit pour l'usine à une heure raisonnable, pas aussi matinale que son père ou le mien en avaient l'habitude, mais en progrès notable par rapport à son indiscipline passée. Il me laissait seule pour affronter, avec une appréhension mêlée de fierté, ma première journée dans le rôle de maîtresse absolue de Maison Haute.

Avant de me présenter aux serviteurs, j'ai toutefois pris le temps de passer une heure en compagnie de Venetia. Elle m'avait accueillie la veille avec des transports de joie, en me soufflant à l'oreille qu'il se préparait des événements sensationnels dont elle m'informerait dès que nous serions seules, au moment du petit déjeuner.

— Je savais que vous vous aimeriez ! me déclara-t-elle d'emblée. J'en serais folle de joie si je n'étais pas victime d'une effroyable catastrophe...

Pour « effroyable » qu'elle soit, ladite catastrophe ne paraissait pas l'avoir gravement affectée car, le menton dans les mains, elle consacra un long moment à sourire aux anges, pour se moquer peut-être de sa propre folie, mais sans me donner en tout cas l'image du désespoir. Du récit qui suivit, je déduisis que, à l'instar de sa mère, elle avait cru pouvoir profiter de la bonne humeur de son père pour lui présenter Charles Heron. La rencontre tourna vite au désastre. M. Barforth ne vit rien pour lui plaire en cet instituteur aux opinions radicales; de son côté, Charles Heron était tellement paralysé par la timidité que son interlocuteur le qualifia d'abruti, ce qui couronnait la liste de ses autres défauts.

Son impécuniosité ne constituait pourtant pas un vice rédhibitoire aux yeux de mon beau-père. Il aurait volontiers accepté un gendre démuni d'argent mais riche d'ambition, comme Georges Chard, ou même un travailleur acharné tel que Liam Adair, dont les qualités professionnelles compensaient la réputation douteuse. Chez Charles Heron, toutefois, l'idéologie tenait lieu d'ambition; aussi M. Barforth, qui ne voyait s'ouvrir aucun marché profitable pour les idéaux fumeux, se borna-t-il à déclarer : « Ce jeune homme ne me convient pas. » Lorsque Venetia fit mine de protester, il la menaça incontinent de l'expédier avec armes et bagages chez sa grand-mère, dans le Midi de la France, où elle aurait loisir de revenir à de meilleurs sentiments.

— Et voilà comment je me retrouve avec l'interdiction absolue de revoir Charles, conclut-elle en gémissant. Mais ce n'est pas le pire : imagine-toi que Georges Chard s'avise de me faire la cour. C'est grotesque !

— Pas tant que cela. Tout le monde s'y attendait quand ton père l'a engagé. Tu n'es quand même pas aveugle à ce point !

— Non, bien sûr, je savais que les gens s'empresseraient de jaser. Mais c'est de ma vie qu'il s'agit, Grace, la seule dont je dispose ! Combien de chances ai-je de la réussir ? Alors, quand je pense à Georges, seigneur !... D'ici dix ans, Grace, il sera exactement comme mon père, en plus insupportable. Rappelle-toi ce que je te dis : dans dix ans, pas plus, Georges aura fait fortune et l'étalera sans vergogne. Il voudra vivre comme un roi — et tu me connais, je n'ai rien d'une reine...

Jusqu'au déjeuner, mes rencontres avec la gouvernante, le maître d'hôtel et la cuisinière se déroulèrent au grand salon, cadre que je jugeais propice à l'affirmation de mon autorité. Je réunis ensuite l'ensemble des domestiques dans le hall, où je leur administrai une allocution pleine de fermeté bienveillante dont je n'étais pas mécontente. Jusqu'à présent, tout se déroulait conformément à mes vœux. J'avais, je crois, repris les choses en main et condamné sans appel le déplorable laisser-aller qui régnait jusqu'alors. Ensuite, je m'accordai le plaisir de faire atteler pour aller rendre, en ville, mes premières visites de femme mariée.

Cette journée si bien remplie me laissa un peu grisée par le sentiment de ma liberté toute neuve. Aussi fut-ce sans déplaisir que je reçus, en fin d'après-midi, un mot de mon beau-père m'avisant que, forcé de se rendre à Leeds pour la soirée, il ne rentrerait pas dîner; sa présence nous aurait imposé une réserve pesante dont je me réjouissais d'être si tôt délivrée. A l'heure du repas, cependant, Gervais n'apparut pas lui non plus. Après avoir retardé le service jusqu'aux limites des convenances, mon amour-propre et l'indifférence désinvolte de Venetia me poussèrent à dîner sans lui.

— Crois-tu qu'il est resté travailler tard ?

— Cela m'étonnerait ! Qu'il soit allé à l'usine aujourd'hui représente déjà un miracle.

— Aurait-il accompagné son père à Leeds ? Il n'en était pas question dans le billet...

— C'est donc qu'il est ailleurs.

Puis, tandis que nous passions au salon prendre le café, Venetia remarqua la nervosité que je ne parvenais pas à dissimuler et se pencha vers moi en pouffant de rire :

— Avoue que j'avais raison, Grace ! Tu prétendais que Gervais te laissait de glace, et te voilà dans les transes parce qu'il est un peu en retard.

— La question n'est pas là. Ne vois-tu pas que je m'inquiète ?

— De quoi, grand dieu ? s'écria-t-elle avec incrédulité. Le crois-tu gisant dans un fossé, le cou brisé ? Allons ! Il est sans doute allé rendre visite à maman.

— Sans m'avoir prévenue ?

— Ne fais pas tant d'histoires pour rien, je t'en prie ! Il n'y aura plus pensé, voilà tout.

Une heure s'écoula dans un silence quasi total. Venetia avait la tête ailleurs, elle pensait très vraisemblablement à son Charles adoré. Mes pensées oscillaient entre la colère provoquée par la discourtoisie de Gervais — s'il s'était vraiment rendu à Galton, il aurait au moins pu m'en informer ! — et la peur qu'attisait le souvenir terrifiant de la manière dont il menait sa voiture ou chevauchait au grand galop. La pluie tombait de nouveau, il faisait nuit noire et j'aurais tout donné, croyais-je, pour le savoir en sécurité.

Aussi, lorsque retentit la sonnette de la porte d'entrée, mon cœur cessa de battre. Au bout d'une attente qui me parut interminable, le maître d'hôtel introduisit enfin le visiteur : ce n'était que Liam Adair, la mine sereine et visiblement à cent lieues de toute mauvaise nouvelle. Il apportait, dit-il, un dossier urgent à soumettre à M. Barforth; comme il ne pouvait en ignorer l'absence, il venait donc tout exprès rendre visite à Venetia.

Celle-ci le reçut avec de grandes démonstrations d'amitié :

— Vous arrivez à point pour nous distraire de nos malheurs !

— Des malheurs ? Mon dieu, j'en suis déjà bouleversé !

L'on distinguait encore, dans sa voix moqueuse, les accents rocailleux de son Irlande ancestrale. Son sourire restait aussi impudent, son regard aussi malicieux que jamais. Le plus âgé de notre génération — il allait sur ses trente ans —, Liam avait assez vécu pour deviner la cause des « malheurs » de Venetia et possédait assez de confiance dans ses propres charmes pour ne pas s'alarmer indûment d'une aussi piètre concurrence que celle offerte par un Charles Heron.

— Alors, commença-t-il en se carrant dans un fauteuil, racontez-moi ce qui vous chiffonne toutes les deux.

— Oh ! Pour moi, c'est papa qui me rend la vie impossible, comme toujours. Quant à Grace, elle tremble que Gervais n'ait pris la fuite... Non, je plaisante ! se hâta-t-elle d'ajouter devant ma mimique courroucée. Il se passe tout simplement qu'il n'est pas rentré dîner et n'a pas même prévenu. L'auriez-vous aperçu aujourd'hui, par hasard ?

— Je l'ai vu, en effet — ou plutôt le nuage de poussière qu'il soulevait sur la route. Il me paraissait prendre la direction de Galton.

— C'est bien ce que je pensais.

— Voilà donc un malheur de réglé, déclara Liam, tout en sachant pertinemment qu'il n'en était rien. Ce dont je voulais vous parler, ma chère Grace, c'est d'une lettre ahurissante que je viens de recevoir de Cannes. Selon toute vraisemblance, votre chère grand-mère Elinor nous mijote une surprise de taille et je ne serais pas étonné, au prochain courrier, d'apprendre qu'elle est une fois de plus la proie d'une passion dévorante.

Et c'est ainsi, Dieu merci, qu'il fit dévier la conversation sur les imprévisibles foucades de mon adorable grand-mère, qui abordait sa soixante-troisième année sans rien avoir perdu de sa vitalité. Il se plut à évoquer la générosité dont elle avait fait preuve à son égard, exprima sa satisfaction de parcourir le monde afin d'y vendre les étoffes tissées par M. Nicolas Barforth, activité infiniment plus rémunératrice et moins pénible que de tondre la laine sur le dos des moutons, comme il l'avait pratiqué en Australie quelques années auparavant.

— L'Australie... murmura Venetia d'une voix rêveuse.

Aussitôt, Liam nous y entraîna par la pensée, décrivit avec tant de persuasion les immenses horizons désertiques de ce pays dangereux et fascinant que nous vivions les scènes dont il nous faisait le récit.

— Non, Liam, c'est impossible ! s'exclama Venetia. Vous n'avez pas pu en faire autant que ce que vous dites.

— Vous mentirais-je à vous, Venetia ?

— Sans le moindre scrupule ! Mais cela m'est égal, continuez, c'est trop passionnant.

Elle riait encore lorsqu'il prit congé, après être resté bien plus longtemps que ce que les convenances ou son père auraient autorisé. Quant à moi, pour la première fois depuis un mois, j'ai gravi seule l'escalier pour me glisser dans un lit glacial et trop grand où le sommeil, en l'absence de Gervais, de son agitation et de ses exigences, s'obstina à me fuir.

Dans le froid de cette sinistre nuit, Galton tout entier, ses pierres grises, ses landes désertes et son torrent trop vif, me paraissait hostile. Que Gervais fût allé voir sa mère, je ne pouvais le lui reprocher — n'avais-je pas rendu visite à mon père cet après-midi même ? Mais je connaissais trop, désormais, ses sautes d'humeur, sa double hérédité, son caractère déchiré entre des tendances inconciliables. Si son père avait cru que Gervais, en m'épousant, se réconcilierait avec lui-même, j'étais sûre qu'il n'en serait rien. Sa disparition de ce soir trouvait donc une explication plausible : à bout de nerfs, asphyxié d'avoir passé sa journée enfermé à l'usine, il s'était tout naturellement précipité vers son refuge habituel. Non auprès de moi, l'épouse, celle pour qui les hommes doivent accepter de telles contraintes, mais chez sa mère, qui restait persuadée du contraire.

Égoïstement, je l'avais d'abord aimé parce qu'il m'aimait. Ce stade était largement dépassé, maintenant : j'éprouvais le *besoin* qu'il m'aime. Je m'y étais accoutumée, je comptais sur cet amour dont je ne pouvais envisager d'être dépossédée. Exclusive, peut-être, je me sentais cependant prête à lui donner tout ce qu'il exigerait de moi, à observer scrupuleusement mes vœux nuptiaux — car sinon je ne les aurais pas prononcés. Débordante de bonne foi et de bonnes intentions, je voulais qu'il soit là, près de moi, en cet instant même afin de les mettre à l'épreuve. Son absence me blessait. Et si j'étais accoutumée à la souffrance, je la redoutais d'autant plus que j'avais cru en être à jamais délivrée.

Je m'endormis enfin — le sommeil ne manque jamais d'arriver, quoi qu'on en dise — pour me réveiller en sursaut au milieu de la nuit. Gervais se tenait au milieu de la pièce et retirait sa chemise trempée qu'il laissa tomber à terre sur la pile de ses autres vêtements. Il devait être environ trois heures du matin; une pluie rageuse crépitait contre les fenêtres, le vent gémissait.

Nu et tremblant de froid, il se tourna vers moi :

— Beau temps pour rouler en voiture découverte, me dit-il.

— Je ne sais pas, je dormais.

— Vraiment ? Ce n'était donc pas la peine de braver la tempête pour revenir près de toi.

— Je ne t'attendais plus. Je croyais que tu resterais à Galton.

— Moi aussi, à vrai dire. J'aurais directement été de là-bas à l'usine demain matin. C'est ma mère qui m'en a dissuadé. Elle m'a dit que mon devoir m'appelait dans le lit conjugal — les Clevedon, comme tu le sais peut-être, sont très portés sur le devoir.

Je retrouvais le Gervais sarcastique et lointain que je détestais, un intrus qui se permettait d'entrer dans mon lit. C'est à son dos tourné que je dus adresser mes reproches :

— Tu aurais au moins pu me faire parvenir un message, me prévenir que tu ne rentrerais pas dîner.

— Oui, je sais. J'aurais dû...

Cette fois, j'ai accepté la provocation. Il fallait vider l'abcès une fois pour toutes :

— Alors, pourquoi ne l'as-tu pas fait ? ai-je dit sèchement.

Il s'étira, se tourna sur le dos, poussa un soupir las :

— Rien ne m'y obligeait, Grace. En fait, je ne t'ai pas prévenue parce que, jusqu'à la dernière minute, j'ignorais si je me rendrais ou non à Galton.

— Je vois...

— Permets-moi d'en douter. De ton côté, tu as passé une journée sûrement très agréable. Tu as remis les choses en ordre dans la maison, tu as même réussi à rappeler ses devoirs à Chillingworth, le maître d'hôtel. Il était poli en m'ouvrant la porte. Un miracle !

Depuis mon réveil, la gorge nouée, je sentais les larmes me piquer les yeux. Maintenant, pour mon désespoir, elles étaient prêtes à couler. Je me redressai contre l'oreiller afin de mieux me défendre. Puisque l'on m'attaquait, je ne me laisserais pas piétiner. Qu'avais-je donc fait pour mériter tant de froideur, tant d'animosité de sa part ? De quelle erreur m'étais-je inconsciemment rendue coupable ? J'étais exactement la même femme que lors de notre séjour à Grasmere, celle qu'il prétendait aimer. Rien en moi n'avait changé, sauf mon amour pour lui qui n'avait fait que grandir. Allait-il s'en plaindre ? Blessée, désorientée, j'étais cependant décidée à aller jusqu'au fond des choses et à déterminer les causes de cet étrange comportement.

Au prix d'un effort, je parvins à refouler mes larmes et maîtriser le tremblement de ma voix :

— Comment va ta mère ? ai-je demandé froidement.

— A merveille, accaparée par sa nouvelle portée de chiots. Elle t'envoie son meilleur souvenir.

— Je voudrais te poser une question, Gervais, il est grand temps que j'en aie le cœur net. Elle était opposée à notre mariage, n'est-ce pas ?

— C'est exact, il lui a déplu. Bonne nuit, Grace.

— Changera-t-elle un jour d'avis ?

— Probablement. Mon père lui a fait comprendre que dorénavant, quoi qu'il arrive et dût-il me chasser de chez lui, il resterait assez d'argent — le tien — pour l'entretien de Galton. Elle pouvait difficilement s'en plaindre, tu en conviendras. Bonne nuit, Grace.

Je n'aurais pas cru qu'il puisse me faire autant de mal. Certes, il avait dit : « Mon père lui a fait comprendre », et non : « Je ne t'ai épousée que pour ton argent. » Mais cela revenait au même. Il avait sciemment cherché à me blesser — et n'y était que trop bien parvenu. Longtemps, tandis qu'il paraissait dormir, je me suis efforcée d'amortir ce coup. Je n'aurais pas éprouvé un plus grand choc, un plus douloureux effarement s'il m'avait battue. En fait, j'aurais mieux supporté des brutalités physiques; je me savais assez forte et résolue pour me défendre et l'assommer en cas de besoin. C'est contre son mépris, intentionnel ou non, que je me trouvais démunie.

J'ai malgré tout fini par m'endormir. Au réveil, comme à Grasmere, j'ai senti ses bras qui m'enserraient, j'ai vu l'expression muette de son désir. D'instinct, toutefois, je l'ai repoussé; l'idée même de m'y plier me révoltait. Je refusais, quoi qu'il m'en coûtât, de me transformer en objet de plaisir anonyme, en épouse soumise à qui la loi et la coutume dictent l'obéissance. Et pourtant, dans la lueur incertaine de l'aube, j'ai reconnu la pâleur de son visage, ressenti ce tremblement, cette incertitude dont notre nuit de noces avait été marquée. Il se blottissait contre moi, en dépit de ma résistance, avec la pitoyable obstination d'un enfant apeuré, si bien que mon corps finit par capituler. Longtemps après notre bref moment de plaisir, je le serrais encore dans mes bras, je le berçais jusqu'à ce que ses tremblements s'apaisent.

— Qu'y a-t-il, mon chéri ? ai-je chuchoté.

— Dieu sait... Serre-moi bien fort, Grace. Et pardonne-moi, je t'en prie.

Loquace quand il le voulait, il ne connaissait pas de mots pour exprimer la tendresse. Aussi, qu'il eût ou non regretté de m'avoir blessée, ses soupirs de contentement, la pesanteur détendue de son corps, le contact de sa tête contre mon épaule m'apprenaient qu'il m'aimait encore. Et j'ai cru, à ce moment-là, pouvoir m'en satisfaire.

8

En juillet de cette année-là, Blanche donna le jour à l'héritier de Listonby. Je suis allée lui présenter mes compliments en compagnie de Venetia et celle-ci, au retour, m'infligea une longue tirade sur les joies de la maternité — ce qui ne laissa pas de m'étonner.

— Quoi ! s'indigna-t-elle. N'aurais-tu pas envie d'avoir des enfants ?

Franchement, je ne savais que répondre. Cela m'arriverait sans doute un jour ou l'autre mais, pour le moment du moins, Gervais me suffisait amplement. Il accaparait mon temps et mes forces avec toutes les exigences d'un enfant gâté — et je l'imaginais fort mal dans le rôle de père.

Mariés depuis bientôt six mois, nous parvenions à une sorte de bonheur en consolidant les fondations incertaines de notre ménage. J'étais, nous le savions, la plus forte, la plus résolue des deux. Peut-être était-ce ce qui l'avait d'abord attiré vers moi; en fait, il ne m'en demandait souvent pas davantage. Depuis ce jour d'hiver où Gervais, agenouillé dans une prairie de Galton, hésitait à achever son cheval blessé, depuis cet instant où j'avais volé à son secours avec une efficacité et une discrétion dont il me restait reconnaissant, je ne l'avais pas déçu. Il savait pouvoir compter sur mon énergie et trouver près de moi réconfort et consolation. Il lui arrivait encore, au hasard de ses lubies, de me bombarder de sarcasmes blessants, comme s'il cherchait à me mettre à l'épreuve ou à s'affirmer lui-même. Mais ces escarmouches trouvaient presque toujours leur heureux dénouement sur l'oreiller et elles apportaient à l'amour un piment dont, je l'avoue, le goût m'apparaissait de plus en plus délectable.

Gervais se rendait à l'usine tous les jours, ou presque. Quand je lui demandais ce qu'il y faisait ou s'il y réussissait, il me répondait avec désinvolture que sa présence ne servait à rien. Il ignorait tout des mystères de la production, savait à peine compter et n'avait nullement l'intention d'apprendre :

— Persévère quand même, Grace. Tu finiras peut-être par faire de moi un homme d'affaires.

— T'entends-tu bien avec Georges, au moins ?

— On n'a pas besoin de « s'entendre » avec ses employés, répliqua-t-il froidement.

Par la suite, j'eus lieu de me reprocher amèrement d'avoir négligé l'avertissement sous-entendu dans cette réponse.

La régularité relative à laquelle il s'astreignait satisfaisait cependant son père, qui désirait sincèrement lui voir au moins faire un effort. A titre de récompense, M. Barforth accorda à Gervais une semaine de congé pour l'ouverture de la chasse à Galton, puis une autre à l'automne afin de participer aux chasses à courre de Listonby. Ainsi, notre vie s'organisait peu à peu selon des lignes directrices dont j'avais tout lieu d'être contente, puisque je les traçais en grande partie.

Au prix de quelques bouleversements du côté des cuisines, la maison redevenait plaisante à vivre. Désormais, les feux étaient régulièrement allumés dans les cheminées, le linge correctement repassé et des repas savoureux servis à heures fixes. Les visiteurs n'attendaient plus à la porte et se voyaient traités avec égards. En digne émule de ma tante Julia et de Mme Agbrigg, j'avais réussi à remettre la machine en marche. Si Venetia ne s'en souciait guère, si Gervais s'en rendait à peine compte, mon beau-père en était pleinement conscient et appréciait ma réussite à sa juste valeur.

Connaissant son tempérament exigeant et autoritaire, je n'avais pas envisagé sans appréhension de vivre sous le même toit que lui. Très vite, cependant, je m'aperçus qu'il ne s'intéressait réellement qu'à son travail, auquel il s'adonnait moins par goût du lucre ou de l'autorité que pour le plaisir. Levé à l'aube, il ne rentrait qu'à l'heure du dîner. Il s'enfermait ensuite dans son cabinet de travail où, selon les circonstances, le rejoignaient l'un ou l'autre de ses directeurs, son homme de loi, son architecte ou, parfois, Georges Chard ou Liam Adair. Il sortait trois ou quatre fois par semaine et passait alors sa soirée dans le cabinet de travail de quelqu'un d'autre. Plus rarement, il s'absentait pour un voyage d'affaires dont il me prévenait scrupuleusement, en m'informant chaque fois de l'heure de son retour. Taciturne, il se montrait toujours courtois à mon égard. Aussi n'arrivais-je pas à comprendre pourquoi il inspirait une telle terreur à sa femme et à ses enfants.

— Patience ! me dit Venetia. Jusqu'à présent, il est aimable avec toi, ce qui est assez inattendu de sa part. Mais le jour viendra où tu lui demanderas quelque chose qu'il ne voudra pas t'accorder. Alors, tu comprendras ! Il ne cède jamais, Grace. Rien ni personne ne le fait changer d'avis. C'est l'autre qui se lasse le premier. Il arrive toujours — j'en sais quelque chose ! — un moment où l'on accepte n'importe quoi, où l'on cède parce qu'on est à bout de forces.

J'allais la questionner sur Charles Heron quand elle me fit taire d'un geste :

— Non, Grace, ne me demande rien. Je ne veux pas t'imposer le fardeau de mes peines, ce serait injuste.

Sa réponse me parut excessive : M. Barforth avait seulement interdit à Charles Heron de venir à Maison Haute et de demander la main de Venetia. Tant qu'elle ne soumettait pas à son approbation un prétendant de valeur équivalente, M. Barforth favorisait Georges Chard et souhaitait l'avoir pour gendre. Venetia avait affecté de se soumettre et son père, rassuré, ne songeait pas à prendre des mesures plus sévères. Il aurait été beaucoup plus inquiet, à vrai dire, s'il s'était agi de Liam Adair, dont les pouvoirs de séduction, plus proches de son entendement, constituaient à ses yeux une menace autrement redoutable que ce petit instituteur falot aux propos vaguement révolutionnaires.

Résolue à renforcer cette fiction qui convenait si bien à ses projets, Venetia accueillait Georges Chard avec sa bonne humeur et sa vivacité coutumières et ne semblait pas s'offusquer de la fréquence croissante de ses visites. A la demande de mon beau-père, et désireuse de mettre à l'épreuve les talents de notre nouvelle cuisinière, j'avais organisé mon premier grand dîner. Sans déplaisir apparent, Venetia accepta Georges Chard comme chevalier servant et ne ménagea pas ses rires quand il lui chuchotait des bons mots à l'oreille.

« Bravo ! » se borna à me dire mon beau-père à la fin de la soirée. Le compliment me fit d'autant plus plaisir que je le jugeais mérité. Tout compte fait, j'étais heureuse. Notre ménage n'offrait peut-être pas l'image de la perfection — mais existe-t-elle sur Terre ? Et cependant, une fois émoussée la nouveauté de me sentir libre de mes mouvements et d'exercer mon autorité, j'éprouvais le besoin de meubler mes journées en me trouvant une occupation. Ce n'était pas encore un sentiment de frustration; tout au plus, une sorte d'insatisfaction vague.

Pour mon premier Noël de femme mariée, nous sommes allés à Listonby. La famille s'y réunissait au complet, à l'exception de M. Nicolas Barforth, qui préféra ne pas quitter Maison Haute, et de son épouse, rencognée au Prieuré de Galton où Gervais, Venetia et moi avions passé la journée de la veille en sa compagnie. Le duc et la duchesse de South-Erin étaient venus de Londres; le capitaine Noël Chard avait obtenu une permission pour célébrer ses galons neufs. Mon père et ma belle-mère assistèrent au bal. Blanche fit la tête une heure ou deux lorsque son père, Sir Blaise, lui déclara vouloir emmener tante Julia dans le Midi pour le Nouvel An. Il n'était donc pas question pour eux de se charger du jeune Mathieu pendant que Blanche se rendrait à Londres, ce dont cette dernière éprouva une vive contrariété.

Gervais me fit cadeau de boucles d'oreilles en diamant et partit au grand galop, à l'aube du lendemain, suivre la chasse à courre. Il reparut seul avant midi, sous prétexte que son cheval boitait — il m'avait pourtant paru se porter à merveille. Nous avons passé tous deux un merveilleux après-midi à errer sous le soleil hivernal dans les bois de Listonby, en compagnie des écureuils.

J'étais heureuse, Gervais aussi, je crois — autant que le lui permettait, du moins, sa nature tourmentée. Blanche trouvait le moyen de résoudre ses problèmes à son entière satisfaction. Et si Venetia, à la fin du grand dîner de la veille, avait fondu en larmes à l'occasion des toasts — en évoquant, j'imagine, la solitude de Charles Heron réduit aux maigres festivités de son internat — cet accès de mélancolie ne dura pas. Elle flirtait complaisamment avec tous les jeunes gens et accorda même un baiser à Georges Chard quand celui-ci l'entraîna sous le gui — ce qui déplut profondément à la duchesse.

Le Nouvel An fut marqué par un grand bal à la salle des fêtes de Cullingford. J'avais activement participé à l'organisation de cet événement auquel, à la dernière minute, Gervais ne put assister. Son père l'envoyait en tournée dans certaines régions pour veiller aux intérêts de la firme. S'il me peinait, car j'allais me trouver seule au bal, ce contretemps me satisfaisait en ce qu'il représentait un pas dans la bonne direction. Aussi, aveuglée par ce que je prenais pour une marque de confiance de la part de M. Barforth, je ne compris pas aussitôt qu'il voulait ainsi éloigner son fils, le seul à se rebeller contre la menace que Georges Chard faisait peser sur ses propres intérêts.

Car, à peine Gervais parti, Georges multiplia ses visites à Maison Haute. Il venait presque tous les soirs conférer avec mon beau-père qui, au lieu de s'enfermer avec lui dans la bibliothèque, l'invitait à dîner et s'arrangeait ensuite pour le laisser en tête-à-tête avec Venetia.

A ma grande surprise, celle-ci acceptait la situation avec sérénité.

— C'est que tu as l'intention de refuser, n'est-ce pas ? lui ai-je déclaré un jour de but en blanc.

— Pas du tout. Il ne me demandera rien.

— Tu te trompes, Venetia ! Il ne vient que pour cela.

— Mais non, mais non. Crois-moi, je sais ce que je dis.

Et elle s'éloigna en chantonnant, le visage illuminé par un incompréhensible ravissement.

Le soir du bal, Georges dîna avec nous. Il était suprêmement élégant dans son habit noir et sa chemise au plastron ruché rehaussé de boutons de perles. De fait, il soignait infiniment plus son apparence que son oncle richissime ou son noble frère aîné. Je n'accordais malgré tout aucune attention aux conséquences que pourrait avoir, pour moi-même comme pour Gervais, son mariage avec Venetia. Nous ne croyions sérieusement ni l'un ni l'autre à la réalisation de ce projet.

Après le dîner, Venetia s'éclipsa afin, prétendit-elle, de mettre la dernière main à sa toilette. Elle resta longtemps absente en me laissant seule tenir compagnie à Georges, avec qui je m'efforçais tant bien que mal de soutenir un semblant de conversation. L'heure tournait, la voiture attendait devant la porte, nous nous impatientions. Alors que je me levais pour aller aux nouvelles, Venetia apparut sur le seuil. Sa robe flottait autour d'elle comme un nuage vaporeux, ses traits rayonnaient d'un bonheur secret si intense qu'elle ne parvenait pas à le dissimuler tout à fait.

Georges la considéra avec un plaisir mêlé d'étonnement :

— Vous êtes un véritable enchantement, Venetia ! dit-il en se portant à sa rencontre.

Les mains tendues, elle fit quelques pas vers lui avec un rire joyeux. Au moment de le rejoindre, elle s'arrêta net, laissa retomber ses bras et fit une moue de regret :

— Allons, Georges, mettons fin à cette mauvaise plaisanterie.

— Je ne comprends pas...

— Mais si, vous savez très bien de quoi je parle. Vous n'avez pas vraiment envie de m'épouser. Et moi, je brûle de désir pour un autre.

Il sourit sans la quitter des yeux :

— Ah oui, je vois... Tenons-nous-en là, voulez-vous ? Nous en reparlerons plus tard.

Venetia s'était trop préparée à cette minute de vérité pour se résoudre à la voir esquivée avec tant de désinvolture. Les mains jointes, les traits soudain crispés, elle insista :

— Écoutez-moi, Georges ! Je parle sérieusement. J'en aime un autre...

— Je vous crois, Venetia. Ce genre de choses arrive à tout le monde. Permettez-moi simplement de vous faire remarquer que nous ne parlons pas d'amour, mais de mariage.

— Pour moi, Georges, il s'agit de la même chose.

Son sourire se fit presque protecteur :

— Dans ce cas, il me faudra faire en sorte que vous m'aimiez.

Mi-choquée, mi-agacée, elle ne put s'empêcher de rire :

— Vous n'êtes décidément pas sérieux !

— Je le suis, au contraire. Vous verrez, vous n'aurez pas lieu de vous plaindre de moi. Serais-je un épouvantail ?

— Pas du tout ! En fait, je vous trouverais probablement très séduisant si vous ne ressembliez pas tellement à mon père. Quant à lui, il me captiverait si je le connaissais moins bien. Mais c'est justement là que le bât blesse, Georges. Ne comprenez-vous pas que l'idée vient de lui, qu'il vous accorde ma main comme une sorte de récompense parce qu'il est content de votre travail ? Et vous, Georges, l'accepteriez-vous si volontiers si vous n'espériez devenir ainsi son associé et hériter, grâce à moi, de la moitié de sa fortune ? Rassurez-vous, je le comprends et je ne vous le reproche pas. A votre place, j'agirais sans doute de même. Mais un mariage fait dans de telles conditions ne peut pas réussir ! Je serais pour vous la pire des épouses — pas par méchanceté, croyez-moi, mais simplement parce que je ne suis pas celle qu'il vous faut. De plus, je sais que vous ne m'aimez pas. En un sens, j'en suis ravie, car si vous éprouviez pour moi un véritable attachement...

— Je l'éprouve, Venetia.

Déconcertée, elle ne sut d'abord que répondre :

— Je ne vous crois pas, dit-elle enfin. Vous ne me le dites que pour me faire plaisir. Je suis sûre du contraire, sinon je ne me serais jamais permis de vous donner le moindre signe d'encouragement...

Elle s'interrompit. Le sourire revenait lentement sur les lèvres de Georges :

— Eh bien, vous faites erreur, ma chère. Vous ne m'êtes pas indifférente — personne, ajouterai-je, ne peut rester insensible à votre charme. Bien entendu, il vous arrive de vous montrer exaspérante...

— Vraiment ?

— Oui, je l'avoue franchement. Mais vous êtes le plus souvent séduisante à l'extrême.

— Vous êtes trop gentil !

— C'est vrai, ma gentillesse me perdra... Pour parler sérieusement, Venetia, vous êtes une jeune fille adorable.

— Je suis presque tentée de vous croire, Georges.

— Il le faut, je suis sincère ! Et maintenant, assez parlé. Allons au bal.

Elle lui fit un sourire où transparut, en un éclair, cette joie intérieure dont elle rayonnait un instant auparavant :

— Vous avez raison, partons. Me ferez-vous danser, au moins ?

Sans attendre de réponse, elle glissa d'un geste résolu un bras sous celui de Georges, un autre sous le mien. Et nous sortîmes ensemble dans la nuit froide.

9

Le lendemain, sans Gervais près de moi pour me réveiller, j'ai dormi très tard et je ne fus pas surprise d'être seule à la salle à manger lorsque je descendis déjeuner. Il faisait un temps maussade de saison. Le ciel gris et bas, l'humidité pénétrante et les averses glaciales donnaient envie de se pelotonner au coin du feu avec un bon livre et une tasse de chocolat. Aussi était-il midi largement passé quand, ayant fait monter un plateau à Venetia, l'on m'apprit que sa chambre était vide.

Sortie ? Mais où ? me suis-je demandé. Titubante de fatigue, elle s'était couchée vers quatre heures du matin en annonçant à sa femme de chambre qu'elle comptait dormir toute la journée. Personne ne l'avait donc dérangée. Je vis son lit défait, sa robe de bal jetée sur une chaise. Serait-elle sortie prendre l'air ? Ma bouffée d'espoir se dissipa aussitôt : une fois les serviteurs éveillés, il lui aurait été impossible de quitter la maison sans être vue. Peu à peu, l'hypothèse la plus vraisemblable se précisa dans mon esprit. Après avoir envoyé sa femme de chambre se coucher, elle avait dû attendre que le maître d'hôtel termine sa dernière tournée. Puis, vêtue d'une tenue de voyage et munie d'un léger bagage, elle s'était glissée par la petite porte latérale dont usait Gervais pour ses escapades nocturnes. Elle avait donc pris la fuite — pour rejoindre Charles Heron.

J'en étais sûre mais je me refusais à l'admettre tant je rêvais pour elle d'un autre destin, paré de plus riantes couleurs. Il devait y avoir à sa disparition une explication innocente. Mes pires appréhensions se virent, malheureusement, confirmées. Des plis de sa robe, que la femme de chambre rangeait dans l'armoire, s'échappa une lettre qui m'était adressée :

Tu ne m'en croyais pas capable, n'est-ce pas, ma chérie ? J'aurais préféré, crois-moi, un beau mariage à l'église avec toute la famille, mais tu sais que mon père s'y serait opposé. Comme je te l'ai dit, il ne cède jamais et je ne suis pas de taille à l'affronter. J'aurais voulu te prévenir, je n'en ai pas eu le courage. Hier soir, j'étais même prête à le dire à Georges et à lui présenter mes excuses de m'être servie de lui pour égarer les soupçons de papa. Mais Georges n'en fera pas grand cas. Gervais comprendra, je l'espère, que j'ai fait ce que je devais. Je te l'ai dit une fois, Grace, je n'ai qu'une vie à vivre, qu'une seule chance de la réussir. Cette chance, je la prends Dis-le à Gervais de ma part et réjouis-toi de mon bonheur.

Me réjouir de son bonheur... Assise sur son lit, accablée, j'ai longuement prié pour que ce soit vrai, sans parvenir à m'en convaincre. Je me suis accordé le luxe de quelques larmes, de réflexions apitoyées. Puis, m'étant enfin ressaisie, j'ai écrit à mon beau-père un billet où je le priais de venir de toute urgence et l'ai fait porter à l'usine.

Il arriva presque aussitôt. Je ne savais que lui dire, aussi lui ai-je simplement tendu la lettre de Venetia, sans oser lever les yeux pendant qu'il en prenait connaissance. Au lieu de l'explosion de rage que je redoutais, de la foudre que je m'attendais à recevoir sur la tête, il se contenta de me demander sèchement :

— De qui s'agit-il ?
— De Charles Heron.
— Le petit maître d'école ?
— Oui.
— Où se sont-ils enfuis, à votre avis ?
— En Écosse, probablement. Pour se marier.

Il jeta un nouveau coup d'œil à la lettre, la plia, s'en tapota pensivement la main avant de la glisser dans sa poche.

— L'Écosse, hein ?... Ayez l'obligeance de faire prévenir Liam Adair à Lawcroft. Qu'il vienne sans tarder.

J'appris plus tard, par bribes, ce qui s'était passé. A partir du récit des divers acteurs de ce drame, je parvins à reconstituer les faits, avec, je crois, assez d'exactitude.

Un homme plus impulsif, moins calculateur que Nicolas Barforth se serait sans doute précipité à Gretna Green, où la loi écossaise accorde obligeamment aux fugitifs la possibilité de se marier. Cette solution était trop évidente pour un personnage tel que lui qui, sa vie durant, avait affronté sans sourciller des hommes d'affaires autrement retors qu'un Charles Heron et réduit à sa merci des adversaires cent fois mieux doués que Venetia pour tromper sa clairvoyance.

Je le vis accueillir Liam Adair dans le vestibule :

— Ah, vous voici, Liam ! dit-il avec une brève poignée de main. Juste un petit service à vous demander. Entrez donc.

Vingt minutes plus tard, tandis que M. Barforth restait dans son cabinet de travail à fumer un cigare, Liam Adair s'en allait au grand trot vers l'internat de St. Walburg où Charles dispensait son enseignement. Son éloquence persuasive délia suffisamment les langues pour qu'il y apprenne que le ravisseur n'avait pas entraîné Venetia vers le nord, donc vers l'Écosse et une conclusion rapide, mais licite, à leur fugue. Le couple avait pris la direction opposée, ce qui élargissait le champ des hypothèses et leur donnait une coloration déplaisante.

L'Écosse aurait équivalu à une intention clairement avouée, celle de se marier à tout prix et de défier un père courroucé en lui criant : « Déshéritez-nous si bon vous semble. Rien ne nous importe que d'être ensemble et de nous aimer. » Voilà ce que l'on aurait attendu de Charles l'idéaliste et de Venetia l'obstinée. Mis devant le fait accompli, son père n'aurait pu que s'incliner. Au pire, il leur aurait coupé les vivres — et combien de fois avait-elle déclaré s'en soucier comme d'une guigne !

Fuir vers le sud, en revanche, créait une équivoque. On emmenait une jeune fille là-bas pour la séduire plutôt que pour l'épouser. Sachant qu'une femme déflorée n'a plus aucune valeur sur le marché matrimonial, le père de l'infortunée serait alors trop heureux d'accepter le premier venu, fût-il son séducteur, au prix d'une rançon dont le mari « compréhensif » serait alors libre de dicter le montant. Charles Heron se montrerait-il capable d'un tel calcul ? Rien n'autorisait à l'en soupçonner. Et pourtant...

— Bon travail, Liam, lui déclara M. Barforth à son retour.

Il devait s'être déjà formé une opinion car, quelques instants plus tard, une voiture les attendait à la porte pour les emmener à la gare. M. Barforth était morose et taciturne, Liam exceptionnellement grave et soucieux. Je distinguais cependant dans sa physionomie une fièvre mal contenue; car s'il fallait dénicher en hâte un mari pour Venetia, il tenait peut-être là une chance inespérée.

Ils n'eurent aucun mal à trouver le père de Charles Heron dans son presbytère. Le révérend se montra sensible au spectacle de quelques pièces d'or — sans parler de la constitution musclée de Liam Adair — et apprit à ses visiteurs tout ce qu'ils désiraient savoir. Moins d'une heure plus tard, ils surprenaient les tourtereaux au nid, ou plutôt dans l'unique chambre d'une auberge de fort mauvaise apparence. Venetia les accueillit avec un regard terrifié, moins par l'apparition de son père, comprit Liam, que par l'étendue et la cruauté de sa propre désillusion. Cette sordide escapade était à cent lieues de ses rêves et de ses espoirs. Elle avait voué à Charles une confiance aveugle, elle croyait ne faire qu'un avec lui. L'Écosse, lui avait-il déclaré, représentait trop de risques. C'est là, en premier lieu, qu'on les rechercherait, c'est là que son père arriverait sans doute à temps pour empêcher la cérémonie. Elle avait donc mis sa main dans celle de l'homme qu'elle aimait et l'avait suivi jusqu'à une « cachette sûre », disait-il, qui n'était autre que cette misérable auberge, au lit étroit et dur où, l'avant-veille, il l'avait suppliée dans un flot de larmes de lui donner « la preuve de son amour ».

Elle s'y était résignée à contrecœur; sa nuit de noces idéale, tant de fois évoquée avec ferveur, elle était loin de se l'imaginer ainsi. Mais la perte rapide de sa virginité constituait la clef de voûte des projets de Charles Heron; aussi usa-t-il des émotions de Venetia afin d'atteindre son but. Il parvint à la persuader qu'en lui refusant son corps elle lui retirait son amour. Comme il ne pouvait vivre sans cet amour, autant dire qu'elle le tuait.

Depuis des mois, Venetia brûlait de s'abandonner aux étreintes de Charles. Elle n'y trouva aucun plaisir et son dégoût fut tel qu'elle se crut obligée de s'en excuser. Elle s'était imaginé cet acte comme un rituel magique, une lente progression vers une parfaite harmonie. La réalité ne fut que tâtonnements hâtifs et malhabiles. La science amoureuse dont Charles se vantait n'était pas mieux fondée que ses théories pseudo-révolutionnaires. Et lorsque, au cours de leur seconde nuit, il posa une main sur le ventre de Venetia en disant : « Mon fils est peut-être déjà là », elle se détourna en pleurant.

Quand ils virent M. Barforth traverser la cour de l'auberge et entendirent son pas dans l'escalier, Venetia crut que Charles tremblerait de peur, ou tenterait quelque manœuvre désespérée pour assurer leur fuite. Son calme imperturbable confirma, plus tard, ce qu'elle soupçonnait déjà : il voulait être découvert.

— Bonjour, monsieur, dit-il lorsque la porte s'ouvrit.

— Bonjour, jeune homme, répondit posément mon beau-père. Serait-ce Mme Heron que je vois dans ce lit ?

— Vous jugeriez naturellement convenable qu'elle le soit. Descendons, monsieur, je vous prie. Nous trouverons sans doute une solution appropriée...

— C'est bien inutile, mon garçon, la situation est assez claire. Si j'en crois ce que je vois, vous avez séduit ma fille. J'aimerais simplement savoir combien vous voulez.

— Descendons, monsieur, insista Charles avec embarras. Il n'y a pas de raison d'infliger à Venetia une telle conversation.

Si M. Barforth ne doutait pas de remmener sa fille, il n'avait nullement l'intention de la voir ensuite soupirer, des mois durant, au souvenir d'un vaurien :

— Il y en a d'excellentes, au contraire, pour qu'elle écoute. Ce lui sera désagréable à entendre, j'en conviens. Aussi serai-je bref : je ne vous donnerai pas un sou, Heron. Épousez ma fille si elle veut bien de vous, mais vous n'aurez rien.

— J'ai du mal à vous croire, monsieur...

— Vous avez tort. Elle s'imagine que vous pourrez vivre d'amour et d'eau fraîche, vous êtes persuadé du contraire. Soit. Mais je le maintiens : vous n'obtiendrez rien de moi.

Eût-il été moins lâche, Charles Heron aurait relevé le défi.

Dans une ville provinciale comme Cullingford, assoiffée de ragots, un scandale d'une telle ampleur ne serait jamais tombé dans l'oubli. En dépit de sa puissance, M. Barforth ne pouvait prendre le risque d'y ramener Venetia comme si de rien n'était. De même que nous tous, Charles Heron avait été élevé dans le culte d'une certaine « pureté », qui accordait à la virginité des femmes une valeur quasi mystique. Une fille déflorée, à moins qu'elle n'épousât aussitôt son séducteur, n'avait d'autre issue que l'exil ou la mort pour échapper au déshonneur. Et pourtant, ce jour-là, Nicolas Barforth paraissait ignorer, avec un mépris souverain, ces considérations. Il se bornait à répéter : « Épousez-la si elle veut bien de vous, mais je ne vous donnerai pas un sou. » Quant à Venetia, au lieu de se jeter aux pieds de son père en le suppliant de lui épargner la honte — comme son rôle dans cette affaire le lui aurait imposé — elle s'était tournée contre le mur et enfermée dans un mutisme opiniâtre.

« Épousez-la si elle veut bien de vous... » Charles Heron commençait à en douter sérieusement. Lorsqu'il se mit à balbutier d'une voix tremblante que tout cela lui « brisait le cœur », M. Barforth, désireux de ne plus laisser subsister le moindre doute dans l'esprit de Venetia quant au véritable caractère de son amoureux, offrit aussitôt de le dédommager des dégâts infligés à cet intéressant organe. Mille livres conviendraient sans doute ? Somme dérisoire, proposition insultante ! répliqua Charles Heron. C'est bien possible, admit son interlocuteur qui, généreusement, l'informa qu'il maintenait son offre jusqu'à trois heures de l'après-midi avant de la réduire de moitié. Il s'en fallait de cinq minutes que l'on atteignît l'heure fatidique. Répugnant à repartir les mains vides, Charles Heron accepta les mille livres au bout d'une longue réflexion qui ne dura pas quinze secondes.

— Ne crois pas que je ne t'aie pas aimée, déclara Charles au dos muet de Venetia. Je n'ai jamais prétendu être courageux, voilà tout. Et puis, tu ne sais pas, tu ne sauras jamais ce que c'est que la pauvreté...

— Si vous voulez bien descendre avec mon ami ici présent, l'interrompit M. Barforth, il vous expliquera les modalités de notre accord. En fait, je ne veux rien de vous, Heron : ni lettres, ni soupirs, ni paroles, ni vantardises devant témoins s'il vous arrive de boire un verre de trop. Rien. M. Adair se fera un plaisir de vous le préciser en détail.

J'ignore si ce qui s'ensuivit était conforme ou non aux instructions de M. Barforth. En tout cas, propulsé par un vigoureux coup de botte appliqué par Liam Adair, Charles Heron trébucha sur le pas de la porte et dégringola l'escalier la tête la première. Il se trouva ensuite catapulté de la même manière jusque dans la cour de l'auberge, où Liam lui remit une liasse de billets et l'envoya, meurtri et saignant du nez, se faire pendre ailleurs.

— Viens, ma chérie, dit alors M. Barforth à Venetia. Nous rentrons à la maison.

Il n'ouvrit plus la bouche et laissa à Liam le soin de la distraire de son mieux pendant le voyage de retour, qui s'effectua pour Venetia dans un brouillard d'angoisse.

En tout, sur tout, elle s'était trompée. En perdant la foi qu'elle accordait à Charles Heron, elle en arrivait à douter d'elle-même. Autour d'elle, le monde entier devenait flou. Tout ce qu'elle croyait solide perdait sa consistance, lui glissait entre les doigts. Il ne lui restait aucune certitude. Pourtant, et c'était là pour elle le plus accablant, la mort de ses illusions ne parvenait pas à tuer son amour. L'étranger avec qui elle venait de passer ces deux jours de cauchemar n'était pas le vrai Charles Heron. *Son* Charles, le seul, était bel et bien perdu sans espoir de le retrouver, puisqu'il n'avait jamais existé. C'est lui qu'elle avait aimé de toute son âme, lui dont elle pleurait la perte; car il n'avait rien de commun avec le méprisable aventurier qui l'avait attirée dans un piège et auquel elle avait tourné le dos. L'avenir ne pouvait plus rien lui offrir, il ne lui restait aucun espoir; son père lui eût-il proposé, à ce moment-là, quelque moyen commode de s'anéantir qu'elle l'eût accepté avec joie et reconnaissance.

Lorsqu'ils arrivèrent enfin à Maison Haute, Venetia fut incapable de me regarder en face. Le visage enfoui au creux de l'épaule de son père, elle s'accrochait à lui avec un tel désespoir que je me suis écartée. Il la souleva comme l'enfant sans défense qu'elle était redevenue et la porta jusque dans sa chambre.

J'ai jeté à Liam un regard interrogateur :

— Elle s'en remettra, me dit-il.

Il répondait distraitement aux questions que je lui posais, tout en tendant l'oreille afin de guetter le retour de M. Barforth. A peine eut-il entendu ses pas dans l'escalier qu'il se précipita à sa rencontre.

— Ah, mon cher Liam !

— Oui, monsieur ?

Mon beau-père descendait posément. A cinquante ans, il restait toujours aussi vigoureux et ne semblait pas souffrir de deux nuits blanches passées dans des trains. Liam Adair l'attendait en s'efforçant de dominer sa nervosité; son avenir reposait entre les mains de cet homme impérieux, dont la décision était sans doute déjà prise.

— J'ai envers vous de grandes obligations, Liam.

— Mais non, monsieur, vous ne me devez rien.

— J'apprécie votre générosité, Liam, et je n'en attendais pas moins de vous. Mais je vous ai déjà fait perdre trop de temps. Vous avez sans doute hâte de rentrer chez vous.

— Puis-je vous être encore utile en quoi que ce soit ?

— Non, mais je vous remercie de votre amabilité. Je ne manquerais pas de vous prévenir si le besoin s'en faisait sentir.

— Dans ce cas, je vais me retirer.

— C'est cela. Prenez donc la voiture.

Puis, tandis que Liam acceptait de bonne grâce le congé qui lui était ainsi signifié et se dirigeait vers la porte, M. Barforth héla le maître d'hôtel :

— Chillingworth ! Veuillez faire porter ce billet à mon neveu, M. Chard, je vous prie.

Une fois de plus, je voyais mon beau-père soumettre les événements à sa volonté et obtenir ce qu'il souhaitait, en dépit des circonstances. Tout en regagnant discrètement le salon, je me demandais cependant s'il trouverait Georges Chard aussi docile, aussi empressé, voire aussi intéressé qu'il l'escomptait. Venetia était dans une situation sérieuse qui requérait un mariage immédiat, nous le savions. Liam Adair aurait accepté de l'épouser sans rien que de vagues promesses pour l'avenir et une dot dans le présent; trois jours plus tôt, Georges aurait agi de même. Mais les faits lui mettaient en main, aujourd'hui, des atouts dont il ne manquerait pas de se servir pour faire monter les enchères — M. Barforth lui retirerait son estime s'il s'en abstenait. On ne lui demandait pas seulement, en effet, d'étouffer un scandale sous l'éclat aristocratique de son nom mais, le cas échéant, d'assumer la paternité de l'enfant d'un autre. Afin de l'y amener, il faudrait évidemment lui accorder d'importantes concessions financières assorties de garanties très précises, dont l'évocation me rappela mes devoirs envers Gervais.

L'entretien s'éternisait. Au bout d'une heure, j'ai fait atteler et suis montée dans ma chambre mettre mes gants et mon chapeau. Jusqu'à présent, je ne m'étais souciée que du sort de Venetia; Gervais méritait davantage encore mon dévouement. Les dispositions prises pour l'avenir de sa sœur influaient directement sur le sien et le mien. Il n'était pas là pour s'en enquérir, M. Barforth ne daignerait évidemment pas se justifier à moi de ses décisions. Mon seul recours, par conséquent, consistait à me rendre chez mon père qui saurait prendre les mesures indispensables pour protéger les intérêts de Gervais.

M. Barforth n'avait pas pu entendre le roulement de la voiture depuis la bibliothèque; il avait donc donné des ordres pour que l'on me surveille car, à peine avais-je posé le pied sur le sable de l'allée, je le vis surgir, son sempiternel cigare à la main :

— Ah, Grace, je vous cherchais ! Puis-je vous dire deux mots ?

— Bien sûr.

Il me prit par le bras et m'entraîna vers le jardin, en m'éloignant doucement mais fermement de la voiture.

Jamais encore je n'avais été ainsi serrée contre lui. Son imposante stature, ses mains puissantes qui me faisaient si peur me parurent, au contraire, rassurantes ce jour-là. Je me sentais protégée par l'autorité qui émanait de lui. Et puis, je l'avoue, je dormais peu et mal depuis plusieurs jours, j'étais lasse, hésitante, inquiète.

— Vous sortiez ?

— J'allais voir mon père.

— Je comprends. Mais vous me feriez plaisir en retardant cette visite jusqu'à demain. Vous pensez à Gervais, vous avez raison. Mais réfléchissez, Grace. Mieux vaut le laisser en dehors de cette affaire jusqu'à ce que tout soit réglé de manière satisfaisante. S'il en était informé trop tôt, il serait fort capable d'aller provoquer ce jeune voyou — c'est du moins ce que Venetia redoute et cela n'arrangerait rien, convenez-en. Les duels sont interdits depuis longtemps. De nos jours, l'on qualifie d'assassinat ce qui, jadis, aurait été une affaire d'honneur. Parlez-en donc à Venetia, elle ne tardera d'ailleurs pas à vous demander.

Nous avons fait demi-tour et repris le chemin de la maison. La voiture avait disparu, mes belles résolutions avec. Comment partir quand Venetia avait besoin de moi ? Comment prendre le risque de faire prévenir Gervais, s'il devait se lancer à la poursuite de Charles Heron le fusil à la main, comme son oncle Perry Clevedon n'aurait pas manqué de le faire ? Certes je m'étais une fois de plus laissé influencer par mon beau-père. Mais il n'avait pas uniquement agi dans son intérêt. Tous trois, Venetia, Gervais et moi-même, tirerions profit de ce temps de réflexion. La sagesse prévalait.

— Resterez-vous dîner ? lui ai-je demandé en retirant mes gants sur le perron.

— Je ne sais pas encore.

C'est en entrant dans le vestibule que j'aperçus Georges Chard. La porte de la bibliothèque venait de s'ouvrir devant une femme de chambre qui portait un plateau.

— Oui, il est encore là, me dit M. Barforth. Il n'en bougera probablement pas tant qu'il n'aura pas résolu un petit problème. S'il me demande, je serai dans la chambre de ma fille. Faites-moi prévenir.

Le cœur soudain glacé, je me suis éloignée à la hâte. Car dans l'expression maussade de Georges, dans ses traits contractés, dans la crispation de sa mâchoire, je n'avais pas reconnu la joie du soupirant comblé à la veille de voir ses vœux exaucés.

L'annonce des fiançailles, faite le lendemain, ne provoqua aucun remous. Les gens, pour la plupart, savaient combien M. Barforth les désirait et s'étonnaient, au contraire, que ce ne fût pas survenu plus tôt. Les yeux cernés, trop calme, Venetia vint me l'apprendre elle-même de très bonne heure. Assise au pied de mon lit, elle m'expliqua avec une grande conviction que Georges faisait preuve de grandeur d'âme en l'acceptant, quand elle se dégoûtait elle-même :

— Pauvre Georges ! conclut-elle. Je me demande comment il fait pour accepter tout cela, même pour de l'argent. A sa manière, il doit lui aussi avoir peur d'être pauvre... Peux-tu me promettre quelque chose, Grace ?

— Tout ce que tu voudras, Venetia.

— Oh ! ce n'est pas grand-chose. Je te demande seulement de ne rien dire à Gervais. J'ai tellement honte de moi, vois-tu, je ne voudrais pas qu'il rougisse de ma conduite. Aide-moi à garder au moins l'estime de mon frère.

— Il ne te la retirera pas, voyons ! Gervais n'a pas l'esprit aussi étroit.

— Je ne sais plus où j'en suis, Grace. Je croyais que Charles avait raison et que mon père avait tort. Il a été si bon avec moi. C'est lui qui avait vu juste. Alors, je ne veux plus rien faire, plus rien décider. Je ne fais que me tromper... Je t'en supplie, Grace, ne dis rien à Gervais. Tu sais qu'il saute sur le moindre prétexte pour se quereller avec papa et je ne pourrai pas le supporter, pas maintenant. Le mariage est une chose trop sérieuse, je dois faire des efforts et réussir enfin ce que j'entreprends — c'est ce que papa me répète. M'aideras-tu ?

Le mariage, évidemment somptueux, fut célébré très peu de temps après, sous le prétexte commode d'un important voyage d'affaires en Amérique. L'impétuosité de la jeunesse servit à justifier tant de précipitation, bien que Venetia eût déjà l'assurance de ne pas porter l'enfant de Charles Heron. Dans son désir touchant de complaire à son père et de satisfaire ses moindres désirs, elle avait abdiqué toute volonté propre. Docile jusqu'à l'hébétude, elle sombrait dans des absences dont des questions répétées ne parvenaient pas toujours à la tirer. De fait, elle retombait avec un soulagement morbide dans l'irresponsabilité de l'enfance et trouvait ainsi un moyen de s'évader d'une réalité trop cruelle.

10

Le voyage de noces n'arrangea pas les choses. Docile et éperdue de reconnaissance, offrant le spectacle d'une humilité qui me brisait le cœur, Venetia restait incapable de se croire réellement mariée. Georges Chard demeurait à ses yeux le hautain cousin dont la présence dénudée dans son lit lui causait un profond embarras.

Le premier soir, elle n'avait vu, sur l'écran de ses paupières closes, qu'un inconnu affublé du visage de Charles Heron qui, deux nuits durant, l'avait humiliée et fait souffrir. Paralysée par cette image, elle avait subi dans les larmes les fougueux assauts de son mari. Sa répugnance pour cette parodie de l'amour n'avait fait que croître. Aussi comprit-elle que, malgré tous ses efforts, elle ne suffirait pas à assouvir les appétits de Georges. A leur retour à Cullingford, elle savait qu'il chercherait ailleurs des compensations et ne se sentait pas le droit de l'en blâmer.

Gervais guetta leur arrivée à Maison Haute, tendu comme un chat à l'affût. La hâte de son beau-frère à se rendre à l'usine sans avoir pris le temps de défaire ses bagages le fit ricaner. Le soir, au dîner, il ne desserra pas les dents et affecta de ne pas écouter Georges et son père qui discutaient de l'état du marché et de l'inquiétante montée de la concurrence étrangère. A la fin du repas, les messieurs ne nous accordèrent pas un regard lorsque nous nous retirâmes, Venetia et moi. Quand ils nous rejoignirent au salon pour le café, Gervais n'était pas avec eux — sans qu'ils parussent remarquer sa disparition. Il rentra longtemps après que tout le monde se fut couché, dans un état d'ivresse euphorique qui l'aurait fait rire de mes remontrances si je m'étais avisée d'en faire.

— J'ai froid, me dit-il.

Aussitôt, j'ai repoussé les couvertures, je l'ai attiré dans mes bras, je lui ai passé tous ses caprices. Les nouvelles circonstances de notre vie m'imposaient plus que jamais la prudence à son égard.

Trois semaines plus tard, Georges Chard partit pour l'Amérique en compagnie de Liam Adair — quand ce rôle, à mon avis, revenait à Gervais. Si le voyage fut commercialement une réussite, Liam arborait à son retour la mine circonspecte que je voyais à Gervais dans les situations délicates. Peu de temps après, il présenta sa démission à M. Barforth.

— Son compte a été vite réglé, fit observer Gervais.

— Que veux-tu dire ? C'est lui qui a démissionné. Personne ne l'a forcé à partir.

— Non, certes. Mais « quelqu'un » a eu tout le temps, pendant une longue traversée de l'Atlantique par exemple, de lui faire comprendre qu'il n'avait aucune raison de rester.

Le jour où il vida les tiroirs de son bureau à Nethercoats, Liam vint me rendre visite. Avec sa désinvolture coutumière, il m'apprit avoir fait l'acquisition d'une petite imprimerie — où il avait probablement englouti jusqu'à son dernier sou.

— Mais que savez-vous du métier d'imprimeur, Liam ? me suis-je exclamée.

— Rien, c'est ce qui fait le charme de la chose ! J'ignorais tout de la tonte des moutons ou de la vente des textiles avant de m'y essayer.

— Vous risquez de tout perdre.

— Dans mon cas, Grace, « tout » ne représente rien, ou presque, alors que j'ai peut-être là une chance de faire fortune.

Mon scepticisme se confirma quand j'appris que l'imprimerie en question était celle d'un journal, et que ledit journal n'était autre que *L'Étoile de Cullingford.*

Dans mes plus lointains souvenirs, il n'existait à Cullingford qu'un seul journal digne de ce nom, *Le Courrier,* que publiait M. Roundwood. Étroitement provincial, résolument conservateur, il parlait de prospérité à des lecteurs fortunés en leur assurant qu'ils étaient riches parce qu'industrieux et entreprenants, que les pauvres devaient s'en prendre à eux-mêmes de leur misère et que tout allait pour le mieux dans le meilleur des mondes. De son côté, *L'Étoile* ne s'adressait qu'à un public fort restreint à qui il affirmait le contraire. Installé dans un sous-sol et un rez-de-chaussée croulants de Gower Street, *L'Étoile* avait vu au fil des ans décroître ses tirages au point, ces derniers temps, d'avoir presque cessé toute activité.

Le journal avait été fondé, il y a une cinquantaine d'années, par un groupe d'intellectuels radicaux dont faisait partie un membre de ma propre famille, Charles Aycliffe, le demi-frère de ma mère*. Ces bouillants jeunes gens ambitionnaient de faire voler en éclats l'univers bourgeois et satisfait dont M. Roundwood se proclamait le porte-parole. *L'Étoile* s'était ainsi lancé dans de virulentes campagnes qui dénonçaient le vice

_____

* Du même auteur, lire *Les chemins de Maison Haute*, Belfond.

là où il se trouvait, la violence légale qui régnait dans les ateliers. Il décrivait en détail les conditions de vie des travailleurs, en désignait les véritables responsables.

Volontairement voué au scandale, ce brûlot de la presse n'avait jamais joui d'une large audience; le droit de timbre le mettait, à l'époque, hors de la portée des ouvriers auxquels il était destiné et qui, de toute façon, ne savaient pas lire. Maintenant qu'une grosse majorité de notre population était alphabétisée, *L'Étoile* n'avait pas pu remonter la pente et, des nobles croisades sociales, s'était rabattu sur le colportage de ragots plus ou moins nauséabonds. Le principal obstacle à son rétablissement se trouvait cependant ailleurs : à mesure que leurs conditions de vie s'amélioraient, les travailleurs se rapprochaient de la bourgeoisie à laquelle ils rêvaient de s'intégrer; par conséquent, ils devenaient en nombre croissant de fidèles lecteurs du *Courrier*.

Lors de ma rencontre suivante avec Liam, je lui fis part de mes doutes et de mes réticences :

— Mais enfin, Liam, vous ne savez rien non plus du journalisme ! A quels lecteurs vous adresserez-vous ? Vous n'en avez plus aucun !

— Et pourquoi pas à vous, Grace, si je fais campagne en faveur du vote des femmes ? répondit-il sans perdre son sourire.

— Y croyez-vous sincèrement ?

— Pourquoi pas ? Je n'y avais encore jamais pensé, je l'avoue, mais maintenant que l'idée me vient... Je ne *croyais* pas non plus aux étoffes Barforth, vous savez, ce qui ne m'a pas empêché d'en vendre des centaines de milliers de mètres de par le monde. Dans ces conditions, ce serait peut-être une bonne idée de m'inviter à prendre le thé, un de ces jours, avec vos amies Mlles Tighe et Mandelbaum.

— Leur appui ne vous suffira pas, Liam. Il vous faut autre chose de plus substantiel. De l'argent, par exemple.

— Vous parlez d'or, ma chère Grace. Voilà pourquoi je pense à notre parente commune, votre charmante grand-mère Elinor, et à sa bonne amie et cousine, Lady Virginie Barforth. Ces adorables dames n'ont jamais refusé, à ma connaissance, de soutenir une noble cause. Et ce n'est pas tout, je connais également une certaine Grace Barforth qui trouverait peut-être amusant d'investir un peu de son argent de poche...

— Liam, vous êtes ignoble ! Vous faire entretenir par les femmes, fi donc !

— Ce n'est pas ainsi que je qualifierais mes honnêtes propositions d'affaires. Mais si vous tenez à les appeler de la sorte, soyez sûre que je ferai tout pour que ces dames n'en aient pas de remords et en tirent même quelque satisfaction.

Je ne pus retenir un éclat de rire. Puis, redevenue sérieuse :

— Dites-moi, Liam... Regrettez-vous d'avoir quitté l'usine ?

— Vous avez vos raisons de me le demander, Grace. Aussi comprendrez-vous pourquoi j'ai décidé qu'il était temps pour moi de changer d'horizons. Mais vous allez vous-même avoir fort à faire, maintenant que vous avez une nouvelle bouche à nourrir — une bouche douée d'un solide appétit, si je ne me trompe.

Personne, sauf moi peut-être, n'avait eu l'idée que Georges et Venetia devraient s'installer ailleurs. Maison Haute était immense et il convenait à M. Barforth d'avoir Georges sous la main. La cause était donc entendue. En prévision de leur retour, j'avais fait préparer l'une des grandes chambres sur le devant, pourvue d'une garde-robe et d'une salle de bains. J'y avais disposé des fleurs, fait allumer un feu et attendu leur arrivée non sans m'inquiéter de ce qu'il adviendrait dans une maison pourvue de deux maîtresses et de deux, sinon trois, maîtres.

Mais Venetia manifestait si peu d'intérêt pour les responsabilités ménagères qu'elle accueillit avec stupeur mon offre de les partager avec moi. Elle aurait probablement relevé le défi de tenir la maison de Charles Heron en accomplissant des prodiges d'économie. L'attrait de la nouveauté, le travail quotidien lui seraient apparus comme un moyen d'édifier un monument à leur amour et de préparer leur avenir. Maison Haute, qui appartenait à son père et où elle était née, ne lui offrait en revanche ni défi ni nouveauté. Elle y avait toujours tout vu fonctionner sans avoir à y participer ni fournir le moindre effort. Pour elle, rien n'était changé — sauf qu'elle retrouvait dorénavant tous les soirs un homme dans son lit.

Ainsi que je l'avais redouté, il n'en alla pas de même avec Georges, dont la présence se fit aussitôt lourdement sentir. A l'instar de sa mère, il était envahissant et fort exigeant. S'il entrait dans une pièce, il ne passait pas inaperçu et la conversation, quoi qu'on en ait, se mettait à son diapason. En fait, il s'imposait avec d'autant plus d'insistance que les dix-huit mois passés au service de son oncle lui avaient été plus pénibles.

Tard venu à l'industrie, d'un monde où toutes les formes de commerce se voyaient méprisées, il s'était heurté aux préventions défavorables de chacun : ses anciens condisciples, pour qui il dérogeait; les directeurs et chefs d'atelier, aux yeux de qui il bénéficiait d'inadmissibles passe-droits; les ouvriers, qui s'esclaffaient ouvertement devant son élocution et ses manières. Ces vexations accumulées lui étaient pénibles, je le savais. Aussi, tout en le jugeant vénal et fort capable de poignarder mon mari dans le dos, je ne lui jetais pas la pierre. A sa place — si j'avais été un garçon pauvre et ambitieux — j'aurais sans doute lutté avec le même acharnement et aussi peu de scrupules. Il fallait toutefois accorder de l'admiration à son application, à la persévérance dont il avait fait preuve pour apprendre, en partant du bas de l'échelle, tous les aspects d'un métier complexe auquel rien ne l'avait préparé. Il subissait toutes ces épreuves — sans parler de la répugnance apeurée de sa femme — non pas avec patience, non plus avec humilité, mais avec l'inébranlable résolution de marcher sur les traces d'un homme, Nicolas Barforth, passé maître dans l'art de devenir riche et de le rester.

Ses longues journées de travail, ses absences fréquentes au cours des premiers mois contribuèrent à minimiser ou retarder les conflits que je craignais de voir éclater entre Gervais et lui. Cela n'empêchait pas Georges, s'il était peu vraisemblable qu'il devînt un jour le véritable maître de Maison Haute, d'exprimer sans ambiguïté son opinion sur la manière dont il entendait s'y faire servir et dont la maison devait être menée. Il avait subi sans broncher la rude éducation de son internat et les privations jugées indispensables à la formation du caractère d'un jeune homme bien né, mais n'avait connu à Listonby que la perfection absolue qu'y faisait régner sa mère. Sur ce plan, il n'était pas question de déchoir et je sentis très vite le poids de ses exigences, même si l'excellence de ses manières lui interdisait de me les signifier crûment. Aussi, plus que jamais résolue à éviter toute friction inutile, j'eus quotidiennement de longues conversations avec la cuisinière afin d'apporter aux menus la diversité et la qualité requises. Si les vins ne faisaient pas partie de mon domaine, M. Barforth marquait sa préférence pour les bordeaux corsés qui n'avaient pas toujours le bonheur de plaire au palais délicat de M. Chard. Quant au soin de son linge et à l'éclat de ses bottes, il formulait ses plaintes avec la condescendance affligée de ces voyageurs anglais perdus dans les contrées barbares et qui, avec la meilleure volonté du monde, ne parviendront jamais à comprendre les mœurs bizarres des indigènes.

Je faisais si bien pour prévenir les difficultés et arrondir les angles que Gervais s'en aperçut et me demanda :

— Est-ce de moi que tu le protèges, Grace, ou le contraire ?

— Je m'efforce tout bonnement de promouvoir la paix et l'harmonie. « Heureux les pacifiques, ils hériteront la Terre », dit l'Écriture.

— S'il est question d'héritage et que tu t'évertues ainsi à sauvegarder le mien, je n'ai donc pas lieu de me plaindre.

Son attitude ne tarda cependant pas à devenir de plus en plus distante. Je me demande encore si je m'en serais rendu compte à temps, et en aurais deviné les causes, si j'avais prêté moins d'attention à l'empesage des plastrons et à l'onctuosité des bisques de homard.

Tous les matins, M. Barforth et Georges Chard partaient de bonne heure pour l'usine. Gervais les accompagnait parfois, mais pas toujours. Ils rentraient tard et séparément le soir, dînaient et se retiraient aussitôt dans le cabinet de travail de mon beau-père, où Georges passait consciencieusement la soirée tandis que Gervais, le plus souvent, s'éclipsait; il préférait boire son cognac au bar du tout nouvel hôtel de la Gare ou au Vieux Cygne. Au retour, peut-être parce qu'il arborait son irrésistible mine d'écolier pris en faute, peut-être parce que son absence nous avait procuré une paisible soirée, je m'abstenais de toute récrimination inutile quand il implorait mon pardon avec sa persuasion habituelle :

— Je sais qu'il est minuit passé, Grace — passé de deux heures, je l'avoue. Mais si je ne faisais rien de mal, tu n'aurais pas le plaisir de m'absoudre. Tu adores cela, tu le sais bien !

C'était vrai, surtout au bout d'une pénible soirée où le bœuf avait été trop cuit ou pas assez, Venetia plus fantasque que d'habitude, ou Gervais et Georges sur le point de s'entr'égorger. J'aimais, c'est vrai, voir Gervais me revenir avec ses manières mi-comiques, mi-inquiètes; j'aimais faire preuve d'une fausse sévérité qui tournait au fou rire et préludait aux caresses grâce auxquelles nos corps dialoguaient si savamment. Oui, j'aimais tout cela — et jusqu'aux relents d'alcool et de tabac rapportés d'un monde masculin interdit et qui ne m'en attirait que davantage.

Il me revenait toujours; et quand, de loin en loin, il s'évadait vers Galton sans daigner m'en prévenir, ce qui provoquait la colère de son père, je prenais sa défense — ou plutôt celle de mon amour-propre — et prétendais savoir où il se trouvait, même si je n'en avais pas la moindre idée.

Peu à peu, cependant, ses disparitions se firent plus longues et plus fréquentes. Un soir, je le vis rentrer blanc de rage; son père, sur ses talons, semblait avoir un compte à régler avec lui. Ils s'enfermèrent une grande demi-heure dans la bibliothèque afin de vider leur querelle; puis j'entendis claquer la porte d'entrée et, un instant plus tard, le cabriolet de Gervais s'éloigner au grand galop en faisant crisser le gravier de l'allée.

— Ne comptez pas sur votre mari pour le dîner, me déclara mon beau-père sur le seuil de la bibliothèque, environné de fumée de cigare, tel Jupiter prêt à lancer la foudre du haut de son nuage. Par son incompétence et son insouciance, il m'a fait perdre de l'argent, ce qui n'est pas grave, mais aussi la commande d'un fidèle client, ce que je juge inexcusable.

— Où est-il allé, selon vous ? ai-je demandé calmement.

— Chez sa mère, bien entendu, se terrer dans ce trou à rats de

Galton ! Qu'il y reste à pourrir si cela lui chante, je n'y vois pas d'inconvénient.

— S'il compte y séjourner, je prendrai donc mes dispositions pour l'y rejoindre demain à la première heure.

— Plaît-il ?...

Il s'interrompit et alla s'appuyer à la cheminée, le dos tourné, comme si sa fureur devait se consumer dans les flammes. Lorsqu'il reposa les yeux sur moi, ils avaient perdu l'éclair de férocité qui les faisait étinceler l'instant d'avant.

— Il possède en vous un trésor, Grace. J'espère qu'il sait l'apprécier.

— Bah...

Intimidée malgré moi, je me suis prudemment approchée :

— Écoutez, Gervais n'est pas naturellement doué pour les affaires, comme l'est Georges. Par moments, il lui faut échapper aux contraintes. Il fait de son mieux, croyez-moi. Je sais quels efforts il a accomplis, jusqu'à ces derniers temps...

J'ai hésité à poursuivre, à lui faire part des réticences que Georges m'inspirait. Mon beau-père m'avait écoutée en tirant sur son cigare. Il me gratifia alors d'un de ses trop rares sourires, où il savait mettre un charme irrésistible :

— Jusqu'à l'arrivée de Georges, voulez-vous dire ? Je sais que Gervais ne peut pas le souffrir. Mais je ne lui ai jamais demandé d'éprouver pour lui de l'affection. S'il veut réussir dans la vie, il faut qu'il apprenne à lutter — et à vaincre, vous le savez aussi bien que moi, Grace. Gervais ne peut ou ne veut pas soutenir la compétition ? Soit, mais alors qu'il se décide une bonne fois à faire autre chose ! Or, je ne le crois toujours pas capable de s'occuper de la propriété de sa mère, si tant est qu'il le veuille. Serait-il parvenu à me convaincre du contraire que j'aurais, depuis longtemps, transféré à son nom certaines sommes réservées à cet effet. Vous en a-t-il convaincue, vous ?

J'ai secoué la tête en signe de dénégation.

— J'ai amassé une fortune considérable, reprit-il. Si Gervais me quittait demain, à qui la léguer ? A sa place, je préférerais évidemment attendre ma mort. Alors, dites-lui ceci de ma part, Grace : il ne peut pas continuer à hésiter ainsi, à se dandiner éternellement d'un pied sur l'autre. Il lui faut choisir entre Galton et les usines, et le plus tôt sera le mieux. La perspective de vivre au Prieuré ne vous plaît guère, je le sais. Donc, si j'étais vous, je prendrais la décision qui s'impose — vous saurez comment vous arranger pour le lui faire admettre, je vous fais pleinement confiance.

Peut-être le croyais-je encore moi-même. En tout cas, aveuglée par un excès d'assurance dans mes pouvoirs de persuasion et mes capacités de déterminer mon avenir, je me souciais beaucoup plus de Venetia, dont je suivais journellement l'évolution, que de Gervais.

La soumission remarquée à son retour de voyage de noces se muait en une passivité inquiétante. Naguère encore vive et prompte à s'enthousiasmer, elle devenait absente, perdue dans une somnolence continuelle. Elle voyait s'amonceler avec indifférence les cadeaux de mariage qui continuaient à affluer des quatre coins du monde. Son désintérêt pour tout lui faisait négliger d'ouvrir son courrier; elle commettait ainsi de graves incorrections.

« Je suis lasse, je crois que je vais dormir une heure ou deux », se bornait-elle à me répondre lorsque je la pressais d'ouvrir ses tiroirs où s'accumulaient les enveloppes non décachetées. A mes objurgations, à mes offres répétées de l'aider à se remettre à jour, elle restait sans réaction. Une fois, enfin, je réussis à l'entraîner au petit salon, à l'installer près d'une table à écrire. Devant la pile de correspondance à dépouiller, la plume et l'encrier posés sous ses yeux, elle haussa d'abord les épaules de ce geste saccadé où s'exprimait sa détresse, et détourna la tête comme pour nier la réalité d'une épreuve qu'elle refusait d'affronter. Puis, à ma stupeur, elle balaya la table des deux mains, en un geste rageur qui envoya tout voler à travers la pièce, avant d'enfouir son visage en sanglotant dans ses bras repliés. Longtemps, elle se cogna le front et les poings contre le bois, comme si elle cherchait à se faire mal. Son accès enfin apaisé, elle releva vers moi un visage bouffi et livide et parvint à dire en tremblant :

— Que m'arrive-t-il, Grace ? Que vais-je devenir ?

Sans attendre une réponse peut-être trop bien connue, elle se leva, marcha en vacillant vers un miroir; elle tenta de rajuster sa coiffure défaite, de redevenir courageuse et sensée comme son père le lui recommandait — comme elle aurait sans doute souhaité l'être. Le cœur serré, je la suivis des yeux.

Elle émergeait douloureusement d'un drame dont elle avait cru se protéger par la fuite dans une semi-inconscience. Son mariage précipité, destiné à dissimuler une grossesse éventuelle, avait amorti ses craintes les plus immédiates tout en lui causant un choc émotionnel où sa raison sombrait. Maintenant, elle reprenait contact avec une réalité d'autant plus désespérante qu'elle n'y pouvait rien changer. La chance unique dont elle m'avait parlé, celle de mener sa vie à sa guise et de la réussir, lui avait échappé sans qu'elle ait pu la saisir. D'autres avaient pris des décisions à sa place, voilà tout. Elle s'y était soumise, il ne lui restait d'autre choix que de continuer à obéir.

— Il ne m'arrivera plus rien désormais, me dit-elle au bout

d'un long silence. Ma vie suivra toujours le même cours. Il faudra m'en contenter.

Le calme forcé de sa voix, sa silhouette pitoyable m'émouvaient au point que je ne pus tout d'abord répondre.

— Venetia, suis-je enfin parvenue à dire, n'éprouves-tu pas même un peu d'amitié pour Georges ?

— Mais si, le pauvre ! Je l'admire. Il est intelligent, il se montre avec moi d'une patience exemplaire et je le déçois en tout. Il finira par me détester, j'en ai peur...

— Non, Venetia, c'est impossible !

— Il le fera pourtant, Grace. Pauvre Georges ! C'est un homme, il a des besoins, des exigences que je ne puis... Écoute, il faut que je te dise quelque chose qui me ronge. C'est choquant...

— Je t'écoute, Venetia. Rien ne me choque, tu le sais.

— Eh bien... Quand il me touche, dans le noir... Oh, Seigneur, c'est affreux, si tu savais... Parfois, vois-tu, je le prends pour... pour mon père. C'est abominable.

Je demeurai sans voix.

— Oui, c'est horrible, crois-moi. J'en ai la chair de poule, je reste paralysée. Comment voudrais-tu que je le lui explique ? Quelle déplorable épouse il a trouvée en moi... Je ne réponds pas aux lettres, je commets gaffe sur gaffe. Je ne suis vraiment bonne à rien.

Subitement, sa mine contrite, l'apathie morbide dont je la voyais de nouveau atteinte me révoltèrent :

— Cesse de te sous-estimer ainsi, Venetia ! Tu n'as aucune raison de toujours t'humilier, même devant moi. Georges n'est pas parfait lui non plus !

— Non, je sais. Mais...

— Je ne veux plus t'entendre dire que tu ne vaux rien. Tu es bonne, généreuse, tu peux redevenir adorable comme tu l'étais, lorsque tu ne te complaisais pas dans ces regrets stériles !

— Mais je ne peux plus, Grace !

— Si ! Autant et même plus qu'avant. Tu dois faire un effort, te ressaisir, entends-tu ? Georges ne t'a pas épousée par charité, crois-moi. Quels que soient tes torts, et ils seront vite oubliés, c'est lui qui devrait te manifester sa gratitude. D'ailleurs, depuis le début, c'est *toi* qu'il voulait épouser, Venetia. Tu ne devrais pas l'oublier si vite.

Elle me fit un sourire où la tristesse se mêlait à l'ironie :

— Tu sais aussi bien que moi ce qu'il voulait vraiment, Grace. J'espère qu'il saura s'en contenter. Non, vois-tu, Georges ne s'est pas conduit comme un preux chevalier, volant au secours de sa belle en détresse. Ce rôle, c'est Liam Adair qui l'a joué. Liam m'aurait épousée pour moi-même, sans conditions. Il n'y a rien eu de noble ni de désintéressé chez Georges, pas même de la pitié, je le sais très bien. Une chose, et une seule, l'attirait : mon argent. Après tout, si nous regardons tout cela avec lucidité, nous avons obtenu chacun autant, ou aussi peu, que nous le méritions...

Ce soir-là, au dîner, Venetia fut un peu moins amorphe que d'habitude. Elle échangea quelques mots avec Gervais, ce qui représentait un effort notable de sa part. Le lendemain, les jours suivants, elle écrivit quelques lettres et se fit coiffer différemment. Elle se mit à sourire, aussi, d'une manière mécanique et inexpressive qui valait quand même mieux que les regards vagues et les mines absentes des dernières semaines. Peut-être était-elle en voie de guérison Peut-être restait-elle toujours aussi malheureuse mais elle apprenait, comme tant de femmes avant elle, l'inutilité de le montrer.

Une année s'écoula ainsi, puis la moitié d'une autre. Je débordais d'activité, je réussissais dans mon double rôle de maîtresse d'une grande et lourde maison et d'épouse d'un homme fantasque. Dans les limites autorisées par mon sexe et ma classe sociale, je jouissais pleinement de l'autorité et de l'indépendance dont j'avais tant besoin. Mon père et mon beau-père étaient contents de moi. Si ma mère avait été encore de ce monde, elle aurait pu me donner fièrement en exemple. Et c'est précisément au cours de cette longue période paisible, laborieuse mais somme toute sans histoires que, sans comprendre quand ni comment, je perdis Gervais.

11

Je voyais Blanche de moins en moins. Peu après le mariage de Venetia, elle était partie pour Londres afin de ne pas manquer les festivités prévues en l'honneur des membres de la famille impériale de Russie. Certes, on parlait de plus en plus d'une guerre avec cet empire, la sauvegarde de nos intérêts aux Indes l'exigerait tôt ou tard. Il n'en demeurait pas moins que le futur tsar serait le beau-frère de notre prochain roi. Aussi, jusqu'à l'improbable déclenchement des hostilités, Londres restait décidé à célébrer comme il convenait cette visite officielle.

Toujours à la pointe de la mode, la duchesse de South-Erin servit du caviar à ses dîners, découvrit un joueur de balalaïka capable de charmer ses hôtes et se procura des invitations au grand bal masqué du palais de Marlborough. Le décolleté de Blanche y éveilla l'attention de l'héritier du trône en personne, le galant Prince de Galles. Lorsqu'on se rendit compte que le prince acceptait plus volontiers des invitations à dîner quand Blanche y figurait, celle-ci se tailla une place de choix dans la société londonienne; elle y gagna surtout une position imprenable dans le cœur de sa belle-mère. À ses yeux, désormais, Blanche n'était plus la petite nièce roturière avec qui son noble fils avait commis une mésalliance, mais un véritable trésor. Il n'était donc plus question pour elle de s'abaisser aux tâches domestiques de Listonby, de jouer les rôles ingrats d'hôtesse ou de mère de famille, ils pouvaient avantageusement être tenus par d'autres. Un seul devoir lui incombait : attirer, en tout bien tout honneur, le volage mais prestigieux prétendant au trône dans les salons de la duchesse.

En octobre 1875, cependant, le prince dut s'embarquer pour les Indes, où ses obligations allaient le retenir six mois. Aussi, pour des mobiles divers, les Chard décidèrent-ils de mettre à profit ce hiatus dans leur vie mondaine en prolongeant leur séjour automnal à Listonby. Sir Dominique reprendrait en main la gestion de son domaine, la duchesse celle de la maison et Blanche pourrait mener à bien la conception d'un nouvel héritier, mâle de préférence, afin d'assurer la continuité de la dynastie

Leur retour fut le prétexte d'un grand bal, qui devait permettre aux invités d'admirer les nouvelles décorations effectuées au château, et de longues conversations au coin du feu, au cours desquelles Blanche m'informa des derniers potins de la Cour et de l'évolution de la mode parisienne. Sa « position intéressante » datait de trois mois, ce qui lui interdisait malheureusement le port des nouvelles jupes entravées, mais c'était fort commode par ailleurs; la naissance du jeune Chard devant intervenir en mars, sa mère disposerait de deux mois pour se remettre avant de regagner Londres en juin, à temps pour le début de la « Saison ».

Je savais ne pouvoir, moi non plus, profiter des lignes moulantes de la nouvelle mode. Depuis quelques semaines, en effet, je ressentais les symptômes d'une grossesse à laquelle je m'accoutumais non sans répugnance. Dans la société où je vivais, il était admis que les femmes étaient faites pour porter des enfants. Femme, je devrais donc concevoir aussi souvent qu'il plairait à mon mari. De fait, en cette troisième année de mon mariage, j'aurais dû me réjouir de dissiper ainsi le soupçon de stérilité qui pesait sur moi. Mais je commençais mes journées dans la nausée et mon malaise, mon angoisse ne cessaient de croître; aussi je ne voyais dans mon état rien qui justifiât la joie ou la fierté. En dépit de mes bonnes intentions, de ma certitude de me montrer une mère irréprochable, je cédais à une sorte de panique dont je me protégeais par une indifférence volontaire.

Trois fois je m'étais rendue à Elderleigh pour en parler à ma tante Julia, trois fois j'étais restée muette. Cent fois, la gorge nouée, j'avais tenté de l'annoncer à Gervais — plus que quiconque, il avait le droit d'être au courant. Cent fois, je me suis entendue lui déclarer platement qu'il faisait beau, que le dîner serait servi à l'heure ou en retard, que mon beau-père partait en voyage d'affaires. C'est ainsi que, le soir du bal de Listonby, Gervais ignorait encore tout de sa future paternité.

Dès le début, la soirée s'annonça sous de mauvais auspices. Gervais était rentré tard, d'une humeur bizarre et peu enclin à se montrer sociable :

— Faut-il vraiment y aller ? me dit-il en faisant la moue.

— Evidemment, voyons.

— Pourquoi ? Parce que la princesse Blanche compte sur nous ? J'ai une meilleure idée : ôte donc cette robe et viens au lit avec moi. Ensuite, nous fourrerons quelques affaires dans une valise et nous irons nous cacher à Grasmere jusqu'à lundi. Cela devrait te plaire, n'est-ce pas ?

— Oui, beaucoup. Mais tu sais bien que nous ne pouvons pas le faire, ce soir du moins.

— C'est *toi* qui prétends ne pas pouvoir, Grace, ce qui n'est pas du tout la même chose.

Quand je lui eus déclaré qu'il se montrait capricieux, qu'il aurait mieux fait de m'emmener à Grasmere lorsque je le lui avais demandé quinze jours auparavant et que, de toute façon, nous n'avions pas le droit d'en prendre ainsi à notre aise au risque de vexer tout le monde; quand il se fut enfin décidé en maugréant à endosser son habit, ce fut au tour de Venetia de nous retarder. Elle perdit une boucle d'oreille, puis un gant, se précipita dans l'escalier alors que la voiture attendait devant la porte, sous prétexte que sa coiffure se défaisait. Georges, dont la patience ne constituait pas la vertu dominante, en rougissait de colère :

— Nous sommes très en retard, Venetia.

— Je sais. Mais qu'importe ? L'exactitude est la politesse des rois et, Dieu merci, nous ne le sommes pas et tante Caroline n'est pas une reine.

— C'est possible, mais elle est ma mère et nous lui devons une certaine courtoisie.

— Je comprends ta hâte de partir pour Listonby, intervint Gervais avec impertinence. C'est là que tu te sens véritablement chez toi.

Georges nous décocha d'abord un regard furieux mais encore prudent. Puis, après avoir mesuré l'animosité de Gervais et soupesé les raisons qui l'alimentaient, il décida de relever le défi :

— C'est exact, j'y suis né. Il n'empêche qu'on est chez soi partout où l'on décide de se faire sa place.

— En prenant celle d'un autre, par exemple ?

— La tienne, sans doute ?

— Si tu veux.

— Serait-ce une proposition ou un don généreux ?

— Ni l'un ni l'autre. Je me borne à constater un fait.

— Sache, dans ce cas, que si je bénéficiais d'une place toute prête quelque part je ne permettrais à personne de s'y glisser.

— Tu ne risques rien. Je vois mal ce que des ambitieux feraient d'une position comme la tienne.

L'affrontement direct que je redoutais plus que tout se produisait sous mes yeux. Maintenant que j'avais besoin de mes forces pour tenter d'y mettre fin, mon estomac au bord de la nausée me rappelait, de la manière la plus importune, que j'en étais incapable. Rassemblant mon courage, je parvins toutefois à déclarer sèchement :

— Si vous tenez à vider cette querelle à l'épée ou au pistolet, ayez le bon goût d'attendre l'aube et de régler votre affaire dans une prairie, comme le veut l'usage. Il me semble inutile de faire des taches de sang sur le tapis.

— Veuillez m'excuser, dit Georges en s'inclinant avec raideur.

— Oui, cela choquerait ton sens de l'économie ! ajouta Gervais en ricanant.

Il m'avait bien souvent lancé de telles piques. Mais jamais encore je n'y avais perçu cette volonté de m'insulter, de prendre ses distances, de se démarquer de mes « valeurs bourgeoises ». J'eus du mal à réprimer un frisson.

Il ne m'adressa plus la parole en cours de route, ne me tendit pas la main à ma descente de voiture et me bouscula pour passer devant moi au moment d'entrer au château. Pourtant, un instant plus tard, il baisait la main de tante Caroline avec un enjouement manifeste, et il planta au coin des lèvres de Blanche un baiser moins destiné à l'embarrasser qu'à provoquer la jalousie du capitaine Noël Chard, son beau-frère, qui ne la quittait pas d'une semelle au cours de ses longues et nombreuses permissions.

Je me suis dirigée vers la salle de bal d'un pas rapide, sans regarder s'il me suivait. Nul, d'ailleurs, n'aurait exigé d'un homme marié depuis trois ans qu'il restât à côté de sa femme. Comme les autres, il disparaîtrait au premier prétexte en direction du billard ou du fumoir. Dans l'état d'esprit où je le savais ce soir, il allait sans doute boire avec excès, jouer trop gros jeu — et perdre. Cela n'arrangerait évidemment pas son humeur demain, quand nous devions précisément passer la journée à Galton, visite qui ne me souriait pas et n'en serait que plus pénible.

Je le vis enfin apparaître près de moi :

— Gervais... ai-je commencé.

— Je sais, tu m'intimes l'ordre de bien me tenir.

— Je te demande simplement, maintenant que nous sommes là, de ne pas envenimer les choses. Quant à ta dispute avec Georges, le moment était particulièrement mal choisi...

Déjà, il s'était éclipsé.

Tout autour de moi, je distinguais des visages connus. Si je n'étais pas censée danser, si aucun des messieurs ne trouvait avantage à m'y inviter, il y avait pourtant beaucoup à observer et je n'ai bientôt plus pensé qu'au plaisir de me retrouver en compagnie de mes semblables. J'eus une longue et agréable conversation avec tante Julia — tant que durait la brouille entre les frères Barforth, elle ne pouvait venir me voir à Maison Haute. Nous avons parlé de Blanche, image de la sérénité satisfaite, et de Venetia, qui nous paraissait redevenir elle-même et que nous regardions danser une polka endiablée avec quelque jeune Londonien à la mode.

— Elle retrouve son éclat et sa gaieté, me dit tante Julia. Regarde comme elle s'amuse ! J'ai bien peur que sa belle-mère ne vienne y mettre bon ordre.

L'événement ne manqua pas de se produire. Faute de distractions plus excitantes, Venetia se résigna à nous tenir compagnie et se répandit en propos ironiques sur les nouvelles ambitions politiques de Dominique, que sa mère voyait déjà dans le fauteuil de Premier Ministre.

Je ne m'attendais plus à voir Gervais dans la salle de bal. Aussi, lorsque mon oncle Blaise me fit danser une valse, je fus surprise de reconnaître sa silhouette réfléchie dans un miroir. Il était assis dans une pose abandonnée à côté d'une femme, qui n'était autre que Diana Flood.

Ce spectacle n'avait, en principe, rien qui pût me troubler. Ma rivale d'autrefois était mariée, depuis un an déjà, avec un cousin éloigné, d'âge canonique et militaire de son état. J'avais assisté au mariage sans éprouver de sentiments particuliers. Maigre, nerveuse, d'un physique ingrat, cette jeune fille avait pensé épouser Gervais il y a trois ans. Au lieu de cela, elle avait dû convoler avec le major Compton Flood. L'affaire ne méritait pas que l'on y réfléchît davantage et rien n'interdisait à Gervais de s'asseoir et de bavarder avec des amis que, seuls, les impératifs de la vie professionnelle et familiale condamnaient à passer au second plan. Le plus naturellement du monde, je saluai donc Mme Flood d'un signe de tête et d'un sourire, alors que je tournoyais à sa hauteur. Sa réaction de stupeur, son éclat de rire nerveux me firent alors comprendre que leur petit groupe parlait de moi, en mal sans aucun doute. Déconcertée, horrifiée, je les ai contemplés bouche bée un court instant avant de me ressaisir et d'exprimer, par toute mon attitude, dédain et indifférence. Je recevais ainsi ma première leçon dans un art que j'allais longtemps et douloureusement pratiquer, celui de se défendre en feignant d'être insensible à la douleur.

Pendant le souper, assise entre mon oncle Blaise et ma tante Julia, je m'astreignis à bavarder de choses et d'autres tout en mangeant du bout des lèvres. Je refusais absolument de voir, à l'autre bout de la pièce, mon mari en train de faire des frais à une autre; je me bouchais les oreilles contre leurs éclats de rire stridents, peut-être dirigés contre moi. Je me suis même accordé le luxe, à une ou deux reprises, de me tourner vers eux avec un sourire indulgent, afin qu'ils comprennent bien qu'ils m'indifféraient.

Orgueil ou simple vanité ? L'un et l'autre, peut-être. Mais une vraie détresse se dissimulait derrière cette façade, et le coup avait été si rude que je ne le sentais pas encore. Aussi, le retour de mes douleurs physiques, nausée, élancement au bas du dos, me parut un soulagement.

Quelques heures plus tôt, j'aurais simplement averti Gervais que je ne me sentais pas bien et je serais montée me coucher. Je ne le pouvais plus sans perdre la face : il me croirait jalouse. Je demeurai donc à ma place en affectant de bavarder et de sourire sans l'ombre d'un souci. Et ce n'est qu'une fois la salle de bal presque vide, et Sir Julian Flood parti en compagnie de sa nièce, que j'ai cédé aux instances de tante Julia et pris enfin congé. Peut-être avais-je eu tort, me suis-je dit en montant l'escalier; peut-être avais-je plus sûrement trahi ma jalousie en m'attardant de la sorte.

Mais il n'était plus temps de m'en inquiéter. À peine franchie la porte de ma chambre, mon malaise s'aggrava. J'eus tout juste le temps de sonner pour qu'on me vienne en aide et d'apercevoir deux femmes de chambre s'affairer autour de moi et me glisser dans mon lit.

Presque aussitôt, j'ai sombré dans un sommeil entrecoupé de réveils brusques et peuplé de cauchemars. L'absence de Gervais ne me surprenait même pas, et j'étais trop malade pour en concevoir de l'inquiétude. D'ailleurs, je n'y pouvais rien. Peut-être était-il assoupi au fumoir, un verre de cognac encore à la main. Peut-être se trouvait-il toujours attablé à une partie de whist et voyait-il ses pertes prendre des proportions alarmantes. Peut-être galopait-il dans la nuit en compagnie d'autres casse-cou de son espèce...

Un sursaut de frayeur me réveilla tout à fait. Je le vis étendu, sanglant, dans un fossé boueux. Je me suis levée d'un bond, un nouvel accès de nausée m'obligea à me soulager dans une bassine. Grelottante de peur et de froid, je me suis enveloppée d'un peignoir et traînée jusqu'à un fauteuil, près de la fenêtre, où je passai les dernières heures de la nuit. Seule dans ce château bondé, partagée entre la douleur physique et la souffrance morale, luttant de mon mieux contre un sommeil plus menaçant que l'épuisement, je revoyais se former devant moi l'image de Gervais et de Diana Flood et j'ai enfin laissé s'épancher un torrent de larmes brûlantes et amères.

Oui, ils pouvaient, ils *devaient* être ensemble; Gervais cherchait à me faire mal, il ne m'avait joué cette comédie que dans ce but. Une fois lancé, il ne pourrait s'empêcher d'aller trop loin, je le connaissais assez pour le prévoir. Mais que faire ? Dans mon état de faiblesse, j'étais incapable de réfléchir, encore moins de réagir.

À l'heure du petit déjeuner, j'étais suffisamment rétablie pour pénétrer dans la salle à manger le sourire aux lèvres. Au prix d'un effort héroïque, je parvins à avaler un toast et une tasse de thé en échangeant quelques banalités avec les inconnus assis près de moi. Blanche et tante Julia étaient encore au lit, Venetia Dieu sait où, les Chard et leurs invités masculins à la chasse depuis l'aube. Gervais se trouvait-il avec eux ? Je ne pouvais naturellement le demander à quiconque et la panique qui me submergea alors dut altérer mes traits au point qu'une dame compatissante s'affligea de ma mauvaise mine :

— J'ai besoin de prendre un peu l'air, suis-je parvenue à lui répondre.

Et c'est alors que je le vis. Il traversait la pelouse en compagnie d'une demi-douzaine d'autres jeunes fêtards encore en habit de soirée, avec la démarche hésitante et le regard incertain de ceux qui, au sortir d'une torpeur avinée, trouvent le monde extérieur trop bruyant et offensante la lumière du jour.

— Gervais...

— Bonjour, Grace.

Il aurait poursuivi son chemin du même pas si, d'une main impérieuse, je ne l'avais saisi par le bras.

— Plus tard, Grace...

— Non ! Je veux te parler.

— Pas maintenant, je ne suis pas en état...

Ma mine résolue, mes mâchoires crispées le firent changer d'avis. Avec un haussement d'épaules résigné, il se tourna vers ses compagnons, dont je ne connaissais aucun, et leur adressa une grimace mi-comique, mi-exaspérée, comme pour leur dire : « Ah ! les femmes... »

Je suis restée muette. Mes angoisses de la nuit, ma terreur de le découvrir mourant au pied d'une haie comme son oncle Perry Clevedon se transformaient, maintenant que je le voyais sain et sauf, en une furieuse colère. Frémissante, incapable de dominer mes nerfs, je l'ai entraîné en courant presque vers l'arrière de la maison. J'avais trop mal pour ne pas chercher un dérivatif, n'importe lequel. Alors, au lieu de la dignité glaciale que je voulais conserver pour lui assener mes reproches — je fus la première stupéfaite de mon geste —, j'ai stoppé net au coin d'un mur et l'ai giflé à toute volée.

Je m'attendais qu'il me frappe à son tour, et peut-être le souhaitais-je. Le déchaînement de sa rage aurait justifié la mienne en m'absolvant à mes propres yeux. Or, ma gifle parut au contraire désarmer sa colère. Paralysé de stupeur, il resta là, bouche bée, les bras ballants, trop déconcerté pour réagir.

— Grand dieu ! dit-il enfin. Que se passe-t-il dans ta tête, Grace ? J'ignore ce que tu imagines, mais ce n'est pas aussi épouvantable que tu crois...

Au point où j'en étais, rien de ce qu'il aurait pu me dire, excuses ou menaces, n'était capable de m'atteindre. J'étais hors d'état de l'écouter, je ne supportais même plus sa vue. Comme il restait planté devant moi, apparemment sans intention de bouger, c'est moi qui me suis éloignée à grands pas, les jambes tremblantes, prête à aller n'importe où pourvu que ce soit loin de lui, loin de tout ce qu'il représentait.

Je l'entendis me héler :

— Grace !

— Laisse-moi.

— Écoute-moi, bon dieu !...

— Laisse-moi, te dis-je ! Ne me suis pas. Va-t'en.

— Eh bien, soit ! Puisque tu ne veux plus me voir, rassure-toi, tu ne me verras plus !

Il n'est pas de bon ton d'importuner autrui avec ses problèmes personnels. Aussi affectai-je ma sérénité coutumière pendant le déjeuner. Il n'était pas non plus question de me décommander à Galton, la visite était prévue depuis trop longtemps et mes rapports avec ma belle-mère trop précaires pour risquer un malentendu. Je suis donc partie, comme prévu, au début de l'après-midi. Il faisait beau, un pâle soleil d'automne brillait sur la campagne. Mais l'aile de poulet et la cuillerée de crème anglaise péniblement ingurgitées pendant le repas pesaient lourdement sur mon estomac. Je faisais le trajet seule dans l'une des victorias de Listonby; Gervais était parti à cheval et me devançait nettement. Les cahots du chemin m'interdisaient d'admirer le paysage, tellement j'étais obsédée par mon malaise et les moyens de le dominer jusqu'à l'arrivée.

Ma belle-mère m'accueillit avec un sourire radieux et des commentaires enthousiastes sur la clémence du temps. Je vis d'autres chevaux attachés à côté de celui de Gervais; aussi ai-je fait l'effort de garder le sourire tandis que nous traversions le grand vestibule sombre jusqu'au petit salon aux tentures défraîchies. À mon arrivée, Diana Flood chassa le chat pelotonné sur ses genoux et se leva en me tendant la main. Son oncle, Sir Julian, avança d'un pas. Un autre homme, qui lui ressemblait de façon frappante, mais en plus jeune, s'inclina :

— Bonjour, chère madame, me dit Diana. Vous connaissez mon mari, le major Flood, n'est-ce pas ?

— Bien sûr. Bonjour, major. Ravie de vous revoir.

Il marmonna quelques paroles de politesse, qu'il conclut en observant qu'il serait criminel de rester enfermés par un si beau soleil. Je crus devoir abonder dans son sens.

— Madame Barforth est trop aimable ! s'écria Diana en riant. Sache, mon ami, qu'elle n'éprouve pas la même passion que toi pour les joies de la campagne. N'est-ce pas, chère madame ?

Je n'avais qu'une envie, m'asseoir avant que mes jambes me

110

trahissent. Aussi, pour toute réponse, ne lui ai-je fait qu'un sourire qu'elle a dû prendre pour une rebuffade.

Les messieurs s'esquivèrent à la vue de la théière, je suis restée avec Diana Flood et ma belle-mère qui, visiblement, mouraient d'envie d'en faire autant. Au bout d'une demi-heure de conversation languissante, je ne pus supporter leurs reproches muets et me suis déclarée impatiente, à mon tour, de profiter de ce grand air tant vanté.

— Une petite promenade jusqu'au pont ! s'écria Mme Barforth avec un sourire ravi. Cela vous fera le plus grand bien et vous redonnera des couleurs.

Le mépris de Diana Flood pour mes fines chaussures citadines qui juraient avec ses bottes boueuses, la manière dont mes deux compagnes s'astreignaient à un pas mesuré quand je les sentais prêtes à filer à grandes enjambées ne m'atteignaient même pas. Seuls comptaient mes efforts pour poser mes pieds l'un devant l'autre sans trébucher, pour garder droit mon dos endolori, pour maîtriser mon estomac prêt à se révolter à la moindre provocation. Enfin parvenues au pont de bois vermoulu qui enjambait la rivière, nous restâmes côte à côte en observant les exploits des trois cavaliers qui dévalaient la colline au grand galop et traversaient le gué en nous éclaboussant. Leur conversation ne franchissait même plus le mur de ma souffrance. De temps à autre, un geste convulsif m'échappait, qui pouvait être pris pour un mouvement d'humeur, j'avais trop mal pour m'en soucier.

La vue de Gervais mettant pied à terre n'éveilla en moi aucun sentiment. Je ne savais plus s'il fallait lui pardonner, s'il était même coupable de quelque offense. Sa mauvaise humeur évidente, son ressentiment hargneux à mon égard m'importaient moins que les griffes d'acier plantées au bas de mon dos et qui me déchiraient.

— Faut-il vraiment garder cette mine maussade ? me soufflat-il à l'oreille. Tes griefs envers moi ne concernent pas ma mère. Je te saurai gré de ne pas lui infliger tes sautes d'humeur.

Je fus incapable d'ouvrir la bouche pour lui répondre. Déjà, il rejoignait les autres, se lançait dans une discussion animée sur les mérites de sa jument. Je crus comprendre qu'un défi était lancé, que les Flood le relevaient. Il était question de faire un « temps de galop » dans une prairie appartenant aux Flood. Diana allait partir en courant chercher son cheval lorsqu'elle se ravisa :

— Venez donc avec nous, tante Georgiana ! s'écria-t-elle en sachant fort bien que ma seule présence l'empêcherait d'accepter.

— Allez-y, ma mère, me suis-je hâtée de dire. Si cela vous fait plaisir, ne vous en privez surtout pas pour moi. Je me sens un peu fatiguée, je me reposerai en vous attendant.

L'honneur des Clevedon lui interdisait d'abandonner une invitée, fût-elle une citadine bornée, incapable de goûter aux plaisirs exaltants d'une chevauchée à bride abattue. Elle refusa donc l'invite, sans y mettre trop de mauvaise grâce.

Gervais se pencha sur l'encolure pour embrasser sa mère. S'il espérait me vexer en m'ignorant ostensiblement, il le fit en pure perte. J'étais hors d'état d'éprouver le moindre sentiment, fût-il aussi violent que la jalousie. La douleur me tenaillait, quelque chose se brisait en moi. Je n'avais qu'une idée : trouver un endroit isolé et paisible où me cacher, où attendre peut-être la fin de mes souffrances.

Ils partirent tous quatre au galop. J'ai suivi ma belle-mère en marchant comme une somnambule, sans rien entendre de ce qu'elle faisait l'effort de me dire. Comme j'arrivais sur le seuil, la grande cheminée de pierre qui m'avait semblé si loin se rapprocha tout à coup avec tant de brusquerie que je tendis les mains pour éviter le choc — et mes doigts n'agrippèrent que le vide.

— Mon dieu ! s'écria ma belle-mère. Ma pauvre petite...

Elle me retint de ses fortes mains de cavalière. Je sentis un flot de sang s'échapper de moi et je compris enfin que je perdais mon enfant.

12

Inconsciemment, je crois, je comptais sur le sens pratique de ma belle-mère. Elle avait une longue habitude des juments qui mettent bas, des portées de chiots, bref, de tous ces événements ruraux qui affolent les citadins. Je savais aussi qu'elle ferait preuve de bonté et de compassion à mon égard; elle avait toujours fait de son mieux pour m'offrir une affection dictée, en fait, par son sens du devoir. Je ne m'attendais pas, en revanche, à croire moi-même à la réalité de sa sympathie au point de m'y raccrocher avec une sorte de désespoir, ni à trouver un tel réconfort dans le contact de ses mains fermes et habiles. À vrai dire, je ne m'attendais pas à éprouver une telle frayeur. Pendant la demi-heure qui s'écoula jusqu'à l'arrivée du médecin, j'étais terrifiée par l'image de la mort, par l'évocation de ces milliers de femmes qui, comme moi, perdaient chaque année leur vie avec leur sang. Hier encore, je me croyais immortelle et je me résignais mal à perdre cette dernière illusion. J'allais céder au découragement et m'abandonner à mon sort quand Mme Barforth me prit dans ses bras pour ne plus me lâcher. Elle me signifiait ainsi qu'elle refusait, pour sa part, la capitulation.

Lorsqu'il arriva enfin, le docteur ne pouvait plus rien faire. Accoutumé à une clientèle campagnarde, pour laquelle de tels incidents ne constituaient pas un drame, il me déclara sans ménagements que la nature, responsable de mon état, saurait réparer ses torts si on la laissait suivre son cours. Il me prodigua quelques soins, me recommanda de garder le lit plusieurs jours, sans préciser combien, et de manger des aliments reconstituants.

— Aucune raison de vous tracasser, ma petite, dit-il en guise de conclusion. Ces choses-là arrivent tous les jours. Soyez raisonnable et vous serez bientôt sur pied.

À dire vrai, je me suis sentie un peu mieux après cela.

Quelques instants plus tard, ma belle-mère m'apporta un bol de lait chaud et s'installa à mon chevet :

— Ma pauvre enfant, je n'avais pas idée...

— Je n'en étais pas sûre moi non plus.

— Gervais est-il au courant ?

— Non, je ne lui avais rien dit. Je préférerais, d'ailleurs, qu'il n'en sache rien.

— Cela me paraît très difficile, ma chérie.

— Peut-être... Où est-il ?

— À cette heure-ci, probablement chez les Flood. Ils l'auront retenu à dîner. Je l'ai fait prévenir là-bas.

Elle se doutait certainement, comme moi, qu'il ne se hâterait pas de revenir. Une heure plus tard, une voiture de Listonby amena Sally, ma femme de chambre, chargée de mon nécessaire de toilette et de linge propre. Elle me donna un billet de Blanche, qui m'exprimait ses regrets et m'informait que Venetia ne viendrait pas car elle était repartie pour Cullingford avec Georges aussitôt après le déjeuner. Je ne me rendais pas encore compte combien j'avais besoin de sa présence; savoir que je ne la verrais pas me fit à nouveau fondre en larmes. J'en eus honte; que m'arrivait-il pour justifier tant d'apitoiement sur mon propre sort ?

D'ailleurs, je n'avais plus mal. Je ne ressentais qu'une immense lassitude. L'effort de répéter « Non, merci » chaque fois que l'on me proposait un remontant me poussa à fermer les yeux, moins pour dormir que pour échapper à la réalité. Il devait être tard dans la nuit quand je fus réveillée par les sabots d'un cheval, le bruit furtif des pas de ma belle-mère qui descendait en hâte. Gervais arrivait enfin. Mais ce ne fut qu'au bout d'une longue, d'une très longue attente qu'il apparut sur le pas de la porte. Sa mine embarrassée, ses efforts pour ne pas me regarder en face me rappelèrent de pénibles souvenirs.

— Comment vas-tu ?

— Très bien.

— Tu aurais dû... tu aurais pu me prévenir.

— Je n'en étais pas absolument sûre. Entre donc.

Il avança prudemment, comme un chat qui explore un territoire inconnu. Je le sentais prêt à détourner les yeux au premier spectacle choquant ou déconcertant, à se replier sur une réserve moins provoquée par l'indifférence que par la peur. Et tandis qu'il me posait des questions insignifiantes auxquelles je n'avais pas conscience de répondre, je me suis souvenue de la dernière occasion où je l'avais vu ainsi. Ce jour-là, il était agenouillé près d'un cheval mourant, sous la fenêtre de la chambre où je reposais. Il s'était tenu pour responsable de ses blessures mortelles de même qu'il se blâmait, ce soir, pour ce que je subissais. Il souffrait, je le sentais. Mais je souffrais aussi et, dans la faiblesse où j'étais, ses angoisses ne me procuraient aucune consolation.

— Tu dois te reposer, m'a dit ma mère. Je te dérange ?

J'ai fait un signe de dénégation.

— Grace...

— Oui, Gervais ?

Il ne parvint pas à exprimer ce qu'il voulait me dire. Peut-être s'agissait-il d'un mot de tendresse, de remords, ces paroles qu'en de telles circonstances on attend de quelqu'un qui vous aime : « Je ne supporterais pas de te perdre » ou, plus simplement : « Je t'aime. » Voilà sans doute ce qu'il avait au bord des lèvres — et qui m'aurait amplement suffi. Incapable de cet effort minime, il déglutit à plusieurs reprises, fit nerveusement quelques pas dans la chambre. C'est avec soulagement, je crois, qu'il me vit fermer les yeux et faire semblant de dormir.

Gervais revint me voir le lendemain matin de bonne heure. Du seuil, comme la veille, il m'observa en hésitant :

— As-tu bien dormi ?

— Oui.

— Grace... Auras-tu besoin de moi ?

— Non.

— Alors... Écoute, je suis censé aller à l'usine.

— Dans ce cas, tu ferais bien de te dépêcher.

— Si tu préfères que je reste...

— Mais non, je vais mieux. Ta mère me soigne à merveille.

— Oui, c'est vrai...

Il s'avança d'un pas, aussi visiblement mécontent de son impatience à prendre la fuite que de l'effort qu'il dut faire pour m'effleurer la joue. Le souvenir du cheval blessé me revint avec une acuité si douloureuse que je sentis, une fois encore, les larmes me piquer les paupières. Je me suis forcée à dire sèchement :

— Ne fais pas attendre ton père.

Il s'en fut aussitôt.

Ma belle-mère vint peu après m'apporter mon petit déjeuner. Elle me persuada d'avaler un grand bol de chocolat fumant et parfumé puis, après avoir congédié la femme de chambre, s'assit à mon chevet :

— Gervais se sent terriblement coupable, vous vous en doutez, ma chérie.

— Oui, je sais.

— L'est-il vraiment ? Il m'a dit que vous vous étiez querellés à Listonby et qu'il s'était conduit... plutôt mal. Hier, il ne s'était cependant pas rendu compte, ni moi non plus à vrai dire, que vous étiez souffrante. Nous pensions...

— Que j'étais de mauvaise humeur, n'est-ce pas ?

— Si vous l'aviez vraiment été, ma pauvre enfant, je n'en aurais pas été surprise. Je sais combien Gervais peut se montrer désagréable, par moments. Il n'empêche... Vous avoir infligé cette course en voiture, cette promenade jusqu'au pont...

— Je me les suis infligées moi-même, ma mère.

— Je doute que vous parveniez à en convaincre Gervais.

— S'il m'en parle, je ferai de mon mieux.

La matinée s'écoula lentement. Je reçus un mot de Mme Agbrigg formulant ses regrets et m'annonçant sa visite pour l'après-midi, mon père se trouvant pour quelques jours à Manchester. Une seule personne me manquait vraiment : c'était Venetia.

Gervais aurait dû arriver à Cullingford vers huit heures, me disais-je. S'il était allé directement à l'usine, contrairement à ses habitudes, son père ou lui aurait pu faire parvenir la nouvelle à Venetia, Gervais savait combien je tenais à la voir. Pourquoi ne venait-elle pas ? J'étais trop absorbée par mes réflexions amères pour remarquer le changement du ciel. Aussi ai-je été surprise quand Mme Barforth, en regardant par la fenêtre, me dit :

— Quel temps ! Personne ne viendra de Cullingford sous cette pluie. Je crains même que nous n'ayons un gros orage.

Ma déception était telle que je m'écriai malgré moi :

— Elle aurait pu arriver avant ! Pourquoi tarde-t-elle à ce point ?

— Qui cela ? demanda-t-elle, surprise.

— Venetia.

Elle se leva d'un bond, vint me prendre la main :

— Oh ! ma pauvre chérie. Bien sûr, Venetia vous manque. Je m'en veux de n'avoir pas fait porter un message à Maison Haute.

— Gervais est parti tôt ce matin. Il a sûrement dû lui faire savoir...

— Gervais ?

— Bien sûr. Il m'a dit qu'il allait à l'usine de bonne heure. Il est peut-être passé par Maison Haute, à moins que son père, ou même Georges...

Les larmes me forcèrent à m'interrompre. Ma belle-mère paraissait, elle aussi, sur le point de pleurer.

— Gervais est parti pour l'usine ce matin, n'est-ce pas ? ai-je demandé sans conviction.

— S'il vous l'a dit, c'est sans doute vrai, ma chérie. Mais pleurez, laissez-vous aller, cela vous fera du bien. Je n'en dirai rien à personne, je vous le promets.

Je me suis endormie peu après pour ne me réveiller que vers la fin de l'après-midi. Le ciel était noir, la pluie faisait rage. Un vent froid venu de la lande hurlait dans les cheminées. Ma belle-mère n'était pas dans ma chambre; Sally, ma femme de chambre, me veillait à sa place. Longtemps, les yeux mi-clos, j'ai contemplé en silence les nuages d'encre et les branches dépouillées que je voyais s'agiter derrière les petits carreaux de ma fenêtre.

Je n'étais pas morte et je me rétablirais probablement très vite. Le danger disparu, il ne restait plus en moi de place que pour le désespoir. Je m'étais efforcée de le combattre, il m'assaillait avec une brutalité nouvelle en me rappelant qu'un être humain, unique, irremplaçable, avait été, par ma faute, privé du droit de vivre.

Gervais se reprochait peut-être d'avoir provoqué ma détresse, mais j'étais seule responsable de ce qui s'était produit. J'étais au courant de mon état, pas Gervais, et je n'en avais tenu aucun compte. En dépit de ma lassitude, j'avais voulu paraître au bal de Listonby; j'étais restée debout une partie de la nuit à seule fin de prouver à Gervais qu'il ne réussissait pas à me rendre jalouse. Le lendemain, j'avais affronté les cahots de la route dans le seul but de satisfaire, là encore, les exigences de ma vanité, au mépris d'un instinct élémentaire. Aveuglée par l'amour-propre, j'avais failli à mes devoirs maternels en ne protégeant pas la vie de mon enfant.

L'orage éclata avec une violence qui faisait écho à celle de mon désespoir. Au péril de sa vie, m'apprit ma femme de chambre, ma belle-mère était partie en voiture découverte chercher Venetia. Deux longues heures s'écoulèrent alors; mes alarmes, plus fortes que mes remords, firent redoubler mes sanglots. Et c'est au milieu de ce double déchaînement que j'entendis les roues d'une voiture, des rires, les éclats de voix faussement grondeurs du cocher soulagé de revoir sa maîtresse. Un instant plus tard, Venetia entra en coup de vent, débordante de vie et de gaieté comme je ne l'avais pas vue depuis des mois.

— Je suis bien trop mouillée pour t'embrasser, ma chérie ! Ce qui t'arrive est affreux. Mais je ne suis pas venue ajouter à ta tristesse, je ne suis là que pour te distraire et je resterai aussi longtemps qu'il le faudra.

Je m'abstins de lui demander quand elle avait vu Gervais pour la dernière fois; je connaissais d'avance la réponse.

Les visites se succédèrent au cours des jours suivants. Celles de mon père ne m'apportaient pas le plaisir que j'en escomptais. Ma mère avait fait nombre de fausses couches avant et après ma naissance : me voir dans cet état lui inspirait une détresse qu'il ne parvenait pas à dissimuler entièrement. Tante Julia vint souvent; oncle Blaise, qui répugnait je crois à franchir le seuil de Galton, me fit parvenir d'extravagants bouquets de fleurs tropicales. Ma grand-mère Elinor, toujours dans le Midi de la France, ne fut pas informée de l'accident; mais ma grand-mère Agbrigg m'écrivit de longues pages pleines de bons conseils, tandis que mon grand-père Agbrigg, l'ancien maire de Cullingford, se déplaça tout exprès de Scarborough afin de passer une journée à mon chevet. Blanche se montra aussi, accompagnée de Dominique et de Noël. M. Nicolas Barforth fit également quelques apparitions; du ton sans réplique qui faisait trembler ses employés, il me donna l'ordre de me soigner et de retrouver mes forces, car ma présence lui manquait. Entourée de tant d'affection, j'étais émue aux larmes de voir que mon sort importait à tellement de gens. J'avalais docilement les bouillons, le chocolat, les grillades et le vin vieux que m'administrait ma belle-mère en m'assurant que c'était pour mon bien. Je promettais à tous de recouvrer la santé.

Gervais venait souvent, bien entendu, mais s'arrangeait pour ne pas rester trop longtemps seul avec moi. Je n'ai jamais su où il était le jour de l'orage — ni à l'usine, ni chez les Flood, en tout cas, comme j'en eus la confirmation lorsque ces derniers vinrent me présenter leurs vœux de rétablissement. Il ne me donnait aucune explication, et je ne lui en demandais pas davantage, signe certain de la détérioration de nos relations. Ma confiance en lui s'était évanouie, je n'étais pas en état de supporter la vérité, encore moins de discuter. Pour le moment, mieux valait s'en tenir à une courtoisie impersonnelle.

Au bout de cinq jours, je fus capable de descendre au salon et de m'installer sur un canapé. Leur curiosité piquée au vif, les dames de Cullingford se succédèrent à mon chevet et m'exprimè- rent longuement leur sympathie. Heureusement, Liam Adair me distrayait fréquemment de leur ennuyeuse compagnie. Il répartissait scrupuleusement ses attentions entre Venetia et moi, de sorte que nul n'aurait pu y trouver à redire.

Son acquisition de *L'Étoile de Cullingford* ne l'avait évidem- ment pas enrichi, si elle rassasiait son goût de l'aventure et son appétit de notoriété. Le journal poursuivait cahin-caha son existence précaire, soutenu essentiellement par les subsides que lui allouait ma grand-mère Elinor. Liam était allé lui rendre visite dans la villa qu'elle partageait avec Lady Virginie Barforth, près de Cannes, afin de rallier ces dames à sa cause.

— Je sais comment m'y prendre avec elle, m'avoua-t-il en riant, et elle s'en amuse énormément. Autant que je bénéficie de ses largesses plutôt que le casino, ou ce violoniste aux yeux de braise qui lui faisait la cour la dernière fois que je l'ai vue. Quand j'ai publié cet article sur les taudis bâtis par son premier mari, votre grand-père Aycliffe, elle a ri aux larmes. Elle m'a même proposé de le signer pour ajouter du piquant à l'affaire. Je lui fais plaisir, vous dis-je.

Je le croyais d'autant plus volontiers que l'air qu'il faisait pénétrer dans ma chambre de malade, s'il restait un peu trop chargé de fumée de tabac et de relents de whisky pour mon goût, n'en était pas moins tonique. Il me stimulait davantage, en tout cas, que les comités de Mlle Fielding pour secourir les pauvres les plus respectables, les potins de Mme Rawnsley sur les manquements aux usages et aux mœurs commis par ses voisins, ou les plaidoyers de Mlle Tighe, la suffragette, en faveur du vote des femmes — à condition qu'elles possèdent quelque bien et observent une virginité aussi militante que la sienne.

Liam Adair s'intéressait moins aux faits et gestes du Prince de Galles qu'au grouillement de la vermine dans les venelles de Cullingford. Plutôt que les grands desseins de M. Disraeli, notre Premier Ministre, il préférait analyser les pratiques scandaleuses des industriels de l'alimentation. Il était de notoriété publique que l'on trouvait du sable dans le sucre, que la farine était trop souvent blanchie avec de la craie et la densité du cacao améliorée grâce à de la brique pilée. Le plomb, sous diverses formes, se retrouvait dans la bière, le thé ou même les bonbons, avec les conséquences dramatiques que l'on imagine. Quant au lait, tout le monde savait qu'il était coupé d'eau et nul ne s'attendait à ce que les vaches soient abritées dans des étables hygiéniques.

Et pourtant, depuis ses sordides locaux de Gower Street, *L'Étoile de Cullingford* prétendait l'exiger. Liam Adair lança sa campagne en faisant l'acquisition d'une miche de pain chez tous les boulangers de la région. Puis il s'assura les services d'un chimiste — payé, sans nul doute, de la poche de ma grand-mère Elinor — et publia les résultats des analyses, en spécifiant le nom et l'adresse de tous les commerçants dont le pain présentait des traces de craie, d'alun et autres ingrédients suspects.

La réaction ne se fit pas attendre. Le surlendemain, au siège du journal, les vitres furent pulvérisées à coups de brique. Pendant la nuit Liam se borna à boucher les fenêtres avec des planches car, dès la semaine suivante, il fit paraître un rapport sur la présence de feuilles de frêne séchées dans un stock de thé dont elles augmentaient le poids à bon compte. Il promettait également à ses lecteurs des révélations sur certains débits de boisson où on lui avait réservé un accueil fort peu amène; leurs tenanciers auraient-ils, eux aussi, quelque chose à cacher ?

Le tirage du journal augmentait et Liam s'amusait. Dépourvu, disait-il, de véritables convictions, il n'en possédait pas moins la compassion instinctive de tous les Irlandais pour les opprimés et se plaisait dans son rôle de redresseur de torts. Confortablement assis dans le salon de ma belle-mère, ses longues jambes étirées devant la cheminée, il ne se faisait pas prier pour nous raconter en riant comment certains épiciers préféraient fermer leurs volets plutôt que de lui vendre une livre de café, ou comment sa propriétaire, sœur d'un boulanger dénoncé dans les colonnes du journal, lui avait signifié son congé sans préavis.

— Et après, Liam ? demanda Venetia, captivée par ses récits. À quoi comptez-vous vous attaquer ?

— Oh ! je ne suis pas en peine. Je trouverai toujours quelque croisade à mener, les sujets ne manquent pas.

— Une croisade, Liam ? Non. Moi, je suis assez folle pour partir tête baissée délivrer les Lieux saints, sans réfléchir, sans même penser à me munir d'une carte. Mais pas vous.

— Si, Venetia, sauf que je prendrai la précaution d'emporter une carte. Où que l'on parte, il faut toujours prévoir le retour…

Elle l'interrompit d'un éclat de rire :

— Vous vous trompez, Liam ! Si l'on pense au retour, il ne s'agit pas d'une croisade mais d'une simple expédition, comprenez-vous ? Une vraie croisade exige que l'on abandonne tout, que l'on fasse ce que l'on doit sans s'inquiéter de ce qui surviendra ensuite. Voilà ce que j'appelle une croisade, moi ! Je regrette de n'avoir pas vécu au Moyen Âge. Je me serais sentie merveilleusement à l'aise en chevalier errant.

Ces paroles me troublèrent. Elles me faisaient l'effet d'un mauvais présage, que le rire de Venetia dissipa presque aussitôt. Depuis son mariage, je me désolais de la voir silencieuse et renfermée. Maintenant, dans le cadre familier de la maison de sa mère, elle retrouvait sa gaieté et sa vivacité. À quoi bon m'inquiéter d'une tirade qui, à tout prendre, n'était sans doute qu'un simple paradoxe ?

Je m'abstins de la questionner par la suite. Les faits demeuraient : elle avait passionnément cru à l'amour et à l'idéal, elle s'était mariée par convenance. Il ne fallait pas attendre de la vie ou du destin qu'il lui offre une compensation en lui faisant aimer son mari. Mais, si j'en jugeais par moi-même, la nature humaine savait procurer d'autres dédommagements, en enseignant la sagesse du compromis. Peut-être Venetia acceptait-elle enfin ses propres contradictions. Peut-être apprenait-elle à vivre en harmonie avec Georges. Je le souhaitais de tout mon cœur.

Quelques jours plus tard, il fit un temps splendide. Le soleil étincelait sur le givre, si bien que Venetia et sa mère coururent dehors de grand matin afin d'en profiter. J'étais seule lorsque Georges arriva. Sa présence me gêna au point de me rendre muette; j'étais incapable d'évoquer, même avec l'aide des euphémismes habituels, le mal trop intime qui m'avait frappée. Je ne voyais pas en lui un beau-frère, un cousin éloigné, mais un homme dont la présence envahissante me liait la langue et me faisait rougir. C'est avec soulagement que j'entendis enfin les joyeux jappements du chiot annoncer le retour de Venetia.

Elle avait erré au gré du vent, Dieu sait où, et revenait les bras chargés de bruyère, les cheveux embaumés des senteurs sauvages de la lande. L'ourlet de sa robe taché de boue, les joues rosies par le froid, les ongles terreux, elle avait l'allure d'une bohémienne — et son apparition était un enchantement.

— Qui donc est cette séduisante inconnue ? s'écria Georges.

Il avait l'air plaisamment surpris et prêt à succomber au charme, si Venetia lui permettait de le manifester à sa manière. Ce ne fut malheureusement pas le cas.

Elle ne l'avait pas vu depuis une dizaine de jours. Prise au dépourvu, elle le contempla avec effarement, comme si elle avait oublié jusqu'à son existence et le redécouvrait douloureusement. En un clin d'œil, sa joie de vivre l'abandonna; la gracieuse nymphe des bois disparut pour faire place à une jeune femme pleine de gaucherie, et qui ne savait plus que faire de sa brassée de bruyère.

Elle la posa sur la table, s'appliqua en silence à ramasser les brindilles tombées. Le jeune chien jappait, courait de l'un à l'autre en posant avec affection ses pattes boueuses sur nos vêtements, sautait sur les fauteuils. Georges, qui ne souriait plus, ne se contint pas davantage :

— Pourquoi cet animal a-t-il le droit de rentrer dans la maison ? demanda-t-il sèchement.

Aussi rougissante que je l'étais quelques instants plus tôt, elle resta les bras ballants. Georges empoigna le chien par la peau du cou et le jeta sans ménagements à la porte :

— Les chiens ne devraient pas entrer dans une maison tant qu'ils ne sont pas dressés, déclara-t-il. À Listonby, ils restaient dehors.

Venetia rougit, pâlit, baissa la tête. Elle reprenait son rôle d'épouse obéissante.

— Oui, c'est juste... Es-tu ici depuis longtemps, Georges ?

— Non, et je ne veux pas m'attarder. Tu peux sans doute revenir à la maison avec moi, puisque Grace rentre demain.

— Oui, bien sûr. Excellente idée. Je vais préparer mes affaires. De combien de temps disposons-nous ?

— Une heure.

— Bien.

Avec un sourire contraint, elle quitta la pièce. Son comportement me disait trop clairement qu'il n'y avait eu ni compromis, ni accommodement et que ces dix jours pleins de gaieté n'avaient été, pour elle, qu'un sursis qui venait de prendre fin.

13

Je ne me rappelle aucun fait, aucun moment précis à quoi rattacher mon changement d'état. De celui de femme heureuse, aimée, ou croyant pouvoir le redevenir, j'étais passée à celui d'épouse en plein désarroi. Comme tant d'autres, mon ménage ne représentait plus qu'un arrangement financier commode, un simulacre vide de substance mais indestructible. Ces deux états, semblait-il, avaient coexisté jusqu'à ce que l'un, celui de l'échec, étouffe l'autre et finisse par le supplanter.

Tant que je me sentais affaiblie, j'avais laissé le silence s'installer entre nous. Rétablie, je ne trouvais plus rien à dire. Gervais était venu me chercher à Galton en s'enquérant courtoisement de ma santé. Depuis, il s'asseyait fréquemment à ma table, partageait mon lit; nous reprenions même avec indifférence nos rapports conjugaux. Quand nos obligations sociales l'exigeaient, il m'accordait sa compagnie. En public, nous nous conduisions en couple marié. Seuls, nous nous en tenions aux règles élémentaires de la politesse.

Je ne me souviens pas davantage de l'instant où j'acquis la certitude de son infidélité. Si j'en souffrais, je ne m'en étonnais pas, tant je m'y attendais. Contrairement à ce que j'avais imaginé, il ne me trompait pas au début, ni avec Diana Flood, ni avec une autre. Maintenant, mes rivales se succédaient sans interruption. Je m'en rendais compte à son humeur, qui variait avec chacune de celles qui, pour un temps plus ou moins long, parvenaient à le distraire, à le tenter, à le consoler, voire à lui révéler un aspect inconnu de sa nature dont, à la lumière du jour, je savais qu'il aurait rougi.

Et pourtant, je ne faisais rien.

Je ne faisais rien par orgueil, certes, mais aussi par peur et parce que je ne savais que faire. J'étais une épouse trompée, ni plus ni moins cependant que des milliers d'autres. Par nature, par obligation, la femelle est vouée à la fidélité. Le mâle, non. Je croyais entendre vingt, cent voix féminines me souffler : « Voyons, ma chère, l'homme est ainsi fait, nous n'y pouvons rien. Il faut comprendre et pardonner. » Ces chuchotements m'étaient insoutenables.

J'aurais pu me rabattre sur l'échappatoire classique et courir me réfugier chez mon père. Je m'y refusais : mon bonheur, ou l'apparence de celui-ci, lui importait trop pour que je lui ôte ses illusions. Eussé-je été tentée de capituler, d'ailleurs, que je ne pouvais me résoudre à partager de nouveau le toit de Mme Agbrigg.

La plus faible lueur d'espoir aurait suffi, je crois, à me redonner confiance. Si j'avais cru possible de nous réconcilier, je me serais tournée vers n'importe qui, j'aurais entrepris n'importe quoi afin d'y parvenir. Mais je savais trop bien que l'indifférence de Gervais à mon égard et ses infidélités ne constituaient que les symptômes du mal. Le véritable drame plongeait ses racines dans une évidence toute simple : mon mari m'avait aimée, il ne m'aimait plus, n'éprouvait plus pour moi ni désir ni intérêt. Nul ne pouvait y remédier, moi-même moins que tout autre.

Tout se passait, d'ailleurs, dans la discrétion et personne ne m'aurait su gré de provoquer un esclandre. Notre amour était mort. A quoi bon m'humilier à vouloir le ressusciter de force ? Mieux valait fermer les yeux, à l'exemple de mes semblables, et feindre de m'absorber dans mes occupations de maîtresse de maison. Les racontars, qui ne manquaient jamais de me revenir aux oreilles, semblaient me donner raison : « Cette chère Grace est tellement débordée avec ses œuvres et ses réceptions qu'elle ne remarque rien ! » Ou encore : « Grace Barforth ? Bien sûr qu'elle est au courant ! Mais que lui importe, après tout ? Elle vit toujours dans son palais et dispose de la fortune de son mari ! » Je ne dérangeais personne et le monde m'approuvait. Que demander de plus ?

Naturellement, je souffrais — cruellement, je l'avoue. Ces sages décisions, je ne les avais pas prises de sang-froid ni sans violents conflits intérieurs. Par moments, les émotions que je m'efforçais de refouler bouillonnaient avec assez de fureur pour menacer de déborder. Je résistais, il le fallait; mais ces éruptions restées sans exutoire me brûlaient intérieurement et ne faisaient qu'aggraver mon amertume.

Ce processus évoluait toutefois avec lenteur et, à mon retour de Galton cet automne, les problèmes de Venetia me causaient infiniment plus d'inquiétude que les miens. Je l'avais vue passer par une succession d'humeurs contradictoires, de dépressions injustifiées et d'exaltations artificielles. De quoi souffrait-elle maintenant ? A mesure que l'hiver s'écoulait, son instabilité croissante et son refus quasi systématique des responsabilités la rendaient presque aussi invivable que son frère.

Un jour où je me débattais dans mes propres difficultés, blessée de la dernière incartade de Gervais, je n'eus pas la patience de supporter ses divagations et la rabrouai sèchement :

— Cesse tes jérémiades, pour l'amour du ciel ! Ne peux-tu faire l'effort de comprendre Georges, sinon de l'aimer ?

Elle interrompit brusquement ses allées et venues dans la pièce, comme si la seule mention de ce nom la paralysait :

— Je ne demanderais pas mieux, Grace. Sincèrement. Mais il ne suffit pas de vouloir, dans notre cas. Georges a bien voulu faire de moi sa femme, mais il refuse de m'aimer. Il ne veut même pas qu'on l'aime...

Elle fit taire ma protestation :

— Non, laisse-moi finir ! Regarde autour de toi. Dominique n'aurait que faire d'être aimé de Blanche, il n'y a sans doute jamais pensé. Du moment qu'elle se trouve dans son lit lorsqu'il en a envie et préside sa table quand cela lui convient ou le flatte, il n'en demande pas davantage. Georges n'attend rien d'autre de moi, ne le comprends-tu pas ? C'est précisément ce dont je dépéris. Cela ne me suffit pas, à moi. S'il exigeait autre chose, n'importe quoi, un engagement quelconque mais sérieux, je serais la première à désirer relever le défi. Je ferais tout pour le satisfaire. Ce serait merveilleux d'échapper ainsi aux circonstances de notre mariage, de nous donner le moyen de nous connaître et de nous respecter l'un l'autre. Simplement de devenir amis, amants... Songe aux sentiments que cela éveillerait et contribuerait à faire fructifier.

— Ces sentiments, Venetia, tu les possèdes. Tu es capable de les développer.

— Je sais — c'est la seule certitude que j'ai sur mon propre compte. Je sais que je suis capable de me dévouer, je serais sans doute admirable si mon mari était frappé par l'adversité. Je me réjouirais même de partager ses joies, ses peines... s'il daignait m'en informer. Ce dont je suis incapable, c'est de parader dans un décolleté à seule fin de rendre envieuses ses relations d'affaires, de me couvrir de bijoux dans le seul but d'afficher sa réussite. Je me passerais même volontiers de l'amour, du désir, si je pouvais compter sur son amitié, son estime. Mais peut-on bâtir une vie sur un rôle de mannequin ? D'autres y parviennent peut-être. Pas moi.

— Venetia...

— Pour Georges et ses semblables, poursuivit-elle en s'échauffant, les femmes n'ont de valeur qu'au salon ou au lit. Dans ces deux domaines, je ne vaux rien, je l'avoue. Les femmes comme Blanche, que je jugeais idiotes, ont raison, finalement. L'imbécile, c'est moi. Georges n'a pas tort de me mépriser.

Ces accès d'humilité faisaient parfois place à des explosions de révolte ou, plus simplement, à une apathie teintée de défi. Comme à dessein, Venetia se conduisait à l'opposé de ce que son mari et les convenances attendaient d'elle. Elle accumulait gaffes et impolitesses, invoquait la distraction quand elle oubliait des réceptions, traitait avec indifférence les clients étrangers que Georges courtisait et, s'il fallait recevoir, se déchargeait sur moi de ses obligations de maîtresse de maison.

Il serait trop simple de rejeter entièrement le blâme sur l'un ou l'autre. Georges était ambitieux, inflexible — qualités hautement prisées à Cullingford et dont, aux yeux de ses concitoyens, il pouvait à bon droit exiger que sa femme les partage ou les soutienne. Depuis son enfance, il avait vu sa mère se dépenser pour attirer les gens influents, afin de servir non pas ses propres intérêts mais ceux de son mari et de ses fils. Il avait vu tante Julia abandonner toutes ses occupations au vu d'un télégramme d'oncle Blaise lui demandant de le rejoindre à l'autre bout du monde. Il avait vu Mme Sheldon, l'épouse de notre député, combattre sa timidité afin de prendre la parole en public s'il fallait faire bonne impression sur les électeurs. Aucune de ces femmes ne prétendait se sacrifier : elles n'accomplissaient que leur devoir et se conformaient à leurs engagements matrimoniaux.

Venetia aurait-elle consenti le moindre effort pour se plier à ce modèle que Georges lui aurait passé sans discuter toutes ses fantaisies, ou presque. Mais si elle comprenait les ambitions de son mari, elle en souffrait et voyait là l'origine du sentiment qu'elle avait de ne plus s'appartenir. A quoi bon, se disait-elle, s'imposer tant de contraintes pour arrondir une fortune déjà considérable ? Le luxe lui importait moins que le bonheur personnel et la sincérité. Elle désirait par-dessus tout nouer des rapports solides, intenses, y trouver l'occasion de se surpasser, de s'investir de tout son être. Et elle ne voyait aucun point commun entre ses aspirations passionnées et la froide ambition de Georges. Elle n'admettait pas qu'il dédaigne l'aisance acquise par son mariage pour s'entêter à se tailler son propre empire.

Avait-elle tort ou raison ? Je ne m'arrogeais pas le droit de juger. Je me bornais à exécuter chaque jour les tâches qui se présentaient. Je m'appliquais à dresser et à consolider une façade derrière laquelle nous mettre tous à l'abri. A l'exception de mon beau-père, lorsqu'il voulait bien s'en aviser, Georges était le seul à apprécier mes efforts :

— Le dîner était parfaitement réussi, Grace.

— Merci, Georges.

— Au fait, vous êtes-vous bien entendue avec la femme de Frank Brewster ?

— A merveille. La pauvre est terrifiée à l'idée de partir pour New York la semaine prochaine.

126

— Ils feront donc le voyage ? Tiens, tiens... Je me demande bien pourquoi Brewster a oublié de m'en parler.

— C'est curieux, en effet. D'autant qu'ils comptent séjourner chez les Turnbull.

— Vraiment ? Merci, Grace. Merci infiniment.

Ainsi allaient les jours.

Cette année-là et la suivante, je m'absorbais totalement dans mon rôle de parfaite maîtresse de maison, sans négliger le moindre détail. Je m'attachais à tenir à jour la liste des notabilités de passage à Cullingford; si Georges manifestait le désir de les rencontrer, je savais comment prendre contact et faire bonne impression. Je finis par prendre plaisir à relever d'insignifiants défis : découvrir les préférences gastronomiques d'un inconnu, les fleurs pour lesquelles sa femme avait une prédilection. La réputation de mes dîners dépassa bientôt Londres et s'étendit jusqu'à l'étranger.

Mes objectifs, mes ambitions s'étaient rétrécis; mais ils s'accordaient à la position que j'étais censée occuper dans la société. Si je devenais jalouse de mes prérogatives dans les comités d'organisation de bals de charité, par exemple, ce n'était pas parce que j'éprouvais un quelconque intérêt pour ce genre de futilités. Elles constituaient simplement un domaine où, contrairement à ma vie conjugale, j'étais assurée de mon excellence et accumulais les réussites.

J'avais le sentiment d'accomplir un effort constructif, s'il restait dérisoire. D'autres n'y parvenaient pas. Il m'arrivait parfois d'éprouver un sursaut de révolte à l'idée de me diminuer de la sorte, de laisser mon intelligence en friche, de consacrer mes dons pour les mathématiques, les langues ou la philosophie à des activités indignes d'eux. La voix de la raison me rappelait à l'ordre. La sagesse voulait que j'adapte mes capacités et rabaisse mon intelligence au niveau de la réalité et que je me satisfasse de ma condition.

Un soir de l'automne qui suivit, ma femme de chambre Sally fut assaillie et violée par un inconnu en rentrant d'une noce à laquelle je lui avais donné permission de se rendre. La conspiration du silence qui se fit autour d'elle, l'hypocrisie unanime de mon entourage, l'attitude résignée de toutes les femmes me révoltèrent. Mais tous mes efforts pour tenter de retrouver le coupable et lui faire subir un châtiment mérité restèrent vains. Seul, Liam Adair fit preuve de compréhension. Il publia dans *L'Étoile*, sous la forme d'une interview de la mère de la victime, les conversations que j'avais eues avec elle et prit à son compte mon enquête écourtée et mon indignation.

— Vous m'avez rendu grand service, Grace, me dit-il après la parution du dernier article. Jamais ces femmes ne m'auraient parlé aussi librement si je les avais interrogées. Pourquoi ne viendriez-vous pas à nos bureaux un de ces jours, voir comment nous fabriquons le journal ?

Mon désir de me distraire, le besoin encore plus pressant de procurer à Venetia des ouvertures sur le monde me firent accepter.

Nous nous sommes lancées le lendemain matin dans cette expédition, car c'en était une. Le cocher commença par manifester sa réprobation en entendant l'adresse, moins par souci de notre sécurité que de celle de ses chevaux. Nous avons quitté les larges artères pavées pour les rives du canal, où croulaient de vieux entrepôts, puis pour un lacis de venelles boueuses bordées de bouges et de taudis. Le sentiment de l'aventure nous faisait frissonner lorsque nous sommes enfin arrivées dans Gower Street et devant les locaux de *L'Étoile*.

Les fenêtres étaient encore aveuglées par des planches, témoins des récents démêlés de Liam Adair avec la corporation des boulangers. Sans les presses, aperçues dans la pénombre du rez-de-chaussée, nous nous serions crues dans l'officine de quelque homme de loi besogneux. Au premier étage, des monceaux de dossiers éventrés et de papiers divers encombraient le parquet. Deux bureaux boiteux, aux tiroirs entrouverts débordants de paperasse, se disputaient la lumière chichement dispensée par une fenêtre étroite. L'atmosphère était lourde de fumée de cigare, des relents de bière et d'ordures montaient de la rue et on sentait le gaz qui s'échappait en crachotant d'une suspension rouillée.

— L'endroit est saisissant ! s'exclama Venetia.

— Le propriétaire ne demanderait pas mieux que de le saisir, en effet, répondit Liam en souriant. A chacune de ses visites, je suis obligé de faire la quête pour payer le loyer.

— Décidément, mon pauvre Liam, vous ne deviendrez jamais riche.

— Pourquoi le souhaiterait-il ? s'enquit une voix grave venue du coin de la pièce.

J'avais remarqué, à notre arrivée, une tête studieusement penchée sur une feuille de papier. Je voyais maintenant un visage émacié, au teint sombre, aux traits ingrats et à l'expression sévère.

Venetia sursauta. Elle avait pris l'inconnu pour quelque subalterne et restait stupéfaite d'entendre une diction aussi pure et aristocratique que celle de Georges.

— Et pourquoi pas, je vous prie ? répondit-elle.

— Parce que notre dessein n'est pas de nous enrichir, madame. Il consiste à donner des informations, de l'instruction,

128

de l'aide à ceux qui en ont besoin. *Donner*, pas vendre. L'on ne s'enrichit guère dans ces conditions.

Elle ne put retenir un fou rire :

— Seigneur, qui êtes-vous donc ? Un saint ?

— Robin Ashby, intervint Liam. Mon adjoint et la voix de ma conscience. Il n'éprouve que le plus grand mépris pour l'argent, inutile de le préciser.

Robin Ashby déplia alors un grand corps anguleux, au maintien plein de gaucherie. Nous nous sommes salués, nous avons échangé des « Enchanté ! » polis, bien que « la voix de la conscience » fût visiblement mécontente d'avoir été interrompue dans son travail.

— J'ai été condisciple de votre mari, madame, dit-il à Venetia avec froideur. Il ne se souvient vraisemblablement pas de moi, mais je crois qu'il connaît l'un de mes cousins, Lord Macclesworth.

Liam nous fit prudemment redescendre peu après et le reste de notre visite fut consacré à l'examen des presses.

— Le cousin des Macclesworth ! s'écria Venetia quand nous fûmes remontées en voiture. As-tu remarqué son veston élimé et l'état de son col de chemise ? Il n'a que la peau sur les os, comme s'il n'avait pas mangé depuis huit jours. Liam devrait le payer, même s'il méprise l'argent.

— Je ne serais pas surprise qu'il distribue aux pauvres jusqu'à son dernier sou.

— Ce serait son genre... Dieu, qu'il est laid, le pauvre garçon ! ajouta-t-elle en pouffant de rire.

Ce soir-là, au dîner, on interrogea Georges.

— Ashby, voyons... Ah, oui ! J'ai connu un Ashby, en effet, de la branche du Wiltshire. Excellente famille. Mais s'il s'agit de celui auquel je pense, je ne vous conseille pas de le fréquenter. Il s'est fait renvoyer de l'école et a été condamné plus tard à une peine de prison, il me semble. Une raison politique quelconque, diffamation ou incitation à l'émeute, je ne sais plus. Je n'ai vraiment aucune envie de renouer connaissance, lui non plus sans doute.

Après cela, nous avons repris nos visites à *L'Étoile*. J'y trouvais un dérivatif à mon ennui, autrement plus captivant que les pétitions édulcorées des Mlles Tighe et Mandelbaum pour accorder le droit de vote aux vieilles filles fortunées. Venetia y découvrait un nouveau jeu, qu'elle pratiquait parfois avec perversité mais dont elle ne se sortait pas toujours à son avantage : harceler Robin Ashby.

— Quel être insupportable ! s'écriait-elle avec dépit. Je me demande pourquoi je perds mon temps à lui parler.

Elle recommençait, pourtant, et lui parlait de la liberté,

qu'elle qualifiait de leurre; de l'égalité des chances, une risible utopie; de la justice sociale, un rêve imbécile. Et toutes ces discussions se déroulaient sous le regard attentif de Liam et de moi-même, qui ne discernais nulle menace dans ce révolutionnaire miteux. Venetia rêvait de croisades; je n'imaginais pas un croisé sous les traits de Robin Ashby, mais plutôt comme un personnage grand, fort et séduisant à l'exemple de Liam Adair.

— Il est vraiment trop bête ! répétait-elle. Un gamin monté en graine...

Lorsque je décidai de donner un grand bal au début de l'hiver et suggérai d'y inviter Robin Ashby, elle réagit avec violence. Non, prétendait-elle, qu'elle répugnât à le voir à Maison Haute mais il fallait lui éviter l'embarras de ne pouvoir accepter :

— Tu n'as aucun tact, Grace ! Ce pauvre garçon ne possède évidemment pas de tenue de soirée.

— Un Ashby, de la branche du Wiltshire, devrait savoir comment se procurer ce genre d'accessoire.

— Tiens-tu à l'humilier ? s'écria-t-elle avec une chaleur inattendue. Tu le connais mal. Robin n'est pas un hypocrite, il croit sincèrement à ses idées. Pourquoi lui étaler notre luxe sous le nez ? Ta comédie est de mauvais goût, je refuse de m'en rendre complice.

Sur le moment, sa sortie m'avait amusée et je n'y prêtai pas trop d'attention.

Ce bal, je l'organisais sans motifs impérieux, simplement parce que la salle de bal de Maison Haute était depuis trop longtemps inutilisée, que Blanche séjournait à Listonby et que je lui devais nombre d'invitations. Plusieurs clients étrangers étaient attendus à Cullingford et l'occasion s'offrait de les impressionner favorablement.

A peine l'avais-je formulée que mon idée rencontra l'approbation enthousiaste de Georges. Le lendemain, il me tendit une longue liste de noms :

— Je ne cherche pas à vous imposer ces gens-là, bien entendu. Mais si l'on se donne du mal, autant en tirer le meilleur parti, n'est-ce pas ?

Du coup, je compris que mon bal relativement intime devenait une réception fastueuse et que la maison, pour près d'une semaine, serait transformée en hôtel.

Je travaillai longtemps, durement, en abandonnant mes autres occupations. J'ai relevé cent défis, accompli des tours de force devant lesquels, sans me vanter, une autre se serait avouée vaincue. Lorsque enfin le grand soir arriva, lorsque je vis la maison étincelante de lumières et débordante de fleurs pillées dans toutes les serres avoisinantes; lorsque je constatai que les buffets ployaient sous les rôtis, les gibiers, les pâtisseries et les vins fins, que les musiciens accordaient leurs instruments, que les premiers invités commençaient à se répandre dans les salons en produisant un joyeux brouhaha; alors, les nerfs tendus comme des cordes de violon prêtes à se rompre, j'aurais volontiers tout envoyé au diable afin de me retirer dans la solitude de ma chambre.

Ce caprice m'était malheureusement interdit. Dès le début, la soirée s'annonçait comme une éclatante réussite. Aujourd'hui encore, je me rappelle la robe que je portais, un fourreau de soie abricot dépourvu de tournure, à la traîne tenue à hauteur des mollets par un savant nœud de dentelles. J'avais les épaules nues, les cheveux coiffés haut. J'arborais les perles et les diamants offerts par Gervais quatre ans auparavant, le saphir donné par mon père pour le Noël précédent. Si je n'avais pas la beauté radieuse de Blanche, l'allure suprêmement chic de Venetia, je me trouvais cependant assez élégante pour attirer l'attention et ne pas passer inaperçue dans la foule.

Plus clairement encore, je me souviens de Gervais et du moment précis où nos liens, déjà bien entamés, furent à jamais dissous comme un banc de brume par un coup de vent du nord.

Ce soir-là, à vrai dire, je ne pensais guère à lui. Il y avait trop de noms imprononçables à proférer sans anicroche, de visages inconnus à saluer comme de vieux amis, de présentations à faire, de conversations languissantes à ranimer d'un mot, de laiderons à qui amener un cavalier, de serviteurs à diriger d'un geste ou d'un regard. Pourtant, lorsque je vis Gervais dans un coin de la galerie, je fus surprise, moins parce qu'il était en compagnie de Diana Flood que parce que j'imaginais qu'il avait déjà pris le large.

Ils ne se touchaient pas, ils ne se tenaient même pas très près l'un de l'autre. Ils ne flirtaient pas non plus et se parlaient à peine. Ils ne bougeaient pas et leur immobilité même m'assena un coup violent tant elle était éloquente. Un inconnu aurait aussitôt compris qu'il fallait s'abstenir de leur parler, de les déranger, de les arracher à la mutuelle contemplation où ils s'absorbaient en s'abstrayant du monde.

Ils ne m'avaient pas remarquée, Dieu merci. J'eus à peine le temps d'enregistrer l'expression d'extase, les yeux baissés de la jeune femme, le regard bouleversé que Gervais posait sur elle. J'ai pris la fuite, je me suis précipitée dans l'escalier, j'ai ouvert la première porte qui se présentait et me suis assise dans le noir jusqu'à ce que cesse le tremblement dont j'étais saisie. Ce que j'avais eu sous les yeux n'était pas l'expression d'un caprice, le début de quelque aventure comme Gervais les accumulait sans vergogne depuis un an. Il s'agissait d'un sentiment durable et profond.

Depuis quand était-il amoureux d'elle, combien de temps le demeurerait-il ? Je l'ignorais. Ce dont j'étais certaine, en revanche, c'est qu'il l'aimait en ce moment. Ma souffrance, dont l'intensité me surprit d'abord, se mua en amertume. Jusqu'à présent, j'avais supporté ses infidélités parce qu'elles restaient superficielles, anonymes. Désormais, sa trahison avait un visage, celui de Diana Flood. Comment l'effacer de ma mémoire, comment m'y accoutumer ?

Mais l'on ne s'enferme pas dans le noir en tremblant quand tant d'obligations vous attendent, quand la maison est pleine de regards curieux et rarement bienveillants, de langues promptes à médire. Une femme digne de ce nom — et je l'étais, grâce à Dieu ! — ne s'apitoie pas sur son sort quand ses invités ont besoin d'elle. Elle se redresse, rajuste sa coiffure, descend l'escalier, un sourire aux lèvres, et répond : « Très bien, merci ! » si, d'aventure, l'on remarque sa pâleur et lui demande comment elle se porte. Tout cela, je le fis. Et lorsque, finalement, la foule se dispersa, les voitures s'éloignèrent dans l'allée et nos hôtes se préparèrent à regagner leurs chambres, je me suis dirigée vers la terrasse. J'étais seule, environnée de silence. Derrière moi, la salle de bal se vidait. Devant moi, le ciel blanchissait des premières lueurs de l'aube. Je suis restée là, incapable de me soulager d'une douleur trop longtemps contenue, incapable de verser une larme.

Le silence... Le silence dans lequel évoquer l'échec et la stérilité d'une vie; dans lequel méditer sur la futilité de ses efforts, l'insignifiance des tâches dont on s'était efforcé de remplir une existence. Le silence — ou plutôt le néant — dans lequel affronter la solitude. Je me rappelle que Venetia apparut soudain devant moi, me parla d'un scandale qu'elle s'était amusée à provoquer en fumant un cigare en public. Je me sentais trop lasse, trop abattue pour l'écouter, répondre, lui souhaiter bonne nuit quand elle me quitta. Je me rappelle avoir repris conscience de mes obligations. Il me fallait vérifier si les lampes étaient éteintes, si quelque invité ne s'était pas assoupi dans un coin. Il restait tant de choses à faire, des tâches pratiques, terre à terre, sans danger, derrière quoi m'abriter. En réprimant un soupir, j'ai abandonné la terrasse où le repos me fuyait, j'ai traversé la salle de bal. Et c'est à la porte du fumoir que j'ai vu Georges qui faisait mon travail à ma place.

Toute la soirée, il avait rempli avec discrétion le rôle de maître de maison. Il n'était pas chez lui et le savait, mais il avait toujours été là quand il le fallait, prêt à relancer une conversation, interrompre une discussion, danser avec les demoiselles qui faisaient tapisserie ou les accompagner au buffet. Il devinait, comme moi, mieux que moi parfois, l'humeur d'un groupe et le moment d'intervenir afin de séparer d'une dame un monsieur importun et les présenter à d'autres. Comme moi, mieux que moi, il avait su tout surveiller, intervenir à bon escient. Et maintenant, malgré le champagne et la fatigue, il ne relâchait pas sa vigilance et se rappelait, à l'exemple de sa mère, qu'il ne faut jamais remettre au lendemain ce qui doit être exécuté à l'instant même.

J'ai donné mes dernières instructions à la gouvernante; Georges s'assura auprès du maître d'hôtel que ce dernier savait qui réveiller à quelle heure. Puis, tout étant enfin réglé de façon satisfaisante, nous sommes entrés au fumoir. Il tira un fauteuil près du feu, m'y fit asseoir, versa du cognac dans deux verres et m'en tendit un :

— Cela vous détendra. Vous êtes visiblement trop fatiguée pour dormir.

— C'est vrai. Merci, Georges.

— Buvons à votre triomphe, Grace. La réussite de cette soirée était exemplaire.

— Merci, Georges.

— Cessez de me remercier ! C'est plutôt à moi de vous exprimer ma gratitude.

Personne n'avait pensé à le faire, nul autre que lui n'avait attaché le moindre prix à mes efforts. Ils étaient tous partis se coucher en me laissant seule avec les restes, le désordre — et Georges.

Je ne sus que répondre. Ce n'était pas pour lui, en effet, que je m'étais donné tout ce mal.

— Je suis ravie que cela vous ait fait plaisir, ai-je finalement réussi à dire.

Il leva son verre, me sourit — des dents de loup qui, ce soir, ne paraissaient pourtant guère menaçantes.

— J'y ai pris grand plaisir, en effet. Pas vous, j'en ai peur. Ma mère disait que l'hôtesse ne s'amuse jamais à ses propres réceptions. Quand tout était fini, comme ce soir, elle aimait boire un dernier verre avec mon père.

Je n'imaginais pas tante Caroline sujette à de telles faiblesses. Je me suis alors efforcée de la voir, de vingt ans plus jeune, ôter ses chaussures comme je mourais d'envie de le faire, tendre son verre à son mari en lui demandant avec un peu d'inquiétude : « Tout s'est-il bien passé, Matthew ? » Et lui de la rassurer, comme Georges venait de me complimenter : « Admirablement, Caroline. » Pour Georges, je le compris alors, c'était une image du bonheur conjugal.

Je ne l'aurais pas cru capable de rêver. Maintenant que je l'avais compris, que je me rendais compte combien ce rêve était proche du mien, je m'y laissai entraîner non sans délectation.

Puis, afin de rompre un silence d'autant plus périlleux qu'il nous rendait complices, je me suis hâtée de dire quelque chose :

— J'ai très peu connu votre père.

— À sa manière, il avait beaucoup de qualités. De nous trois, c'est Noël qui lui ressemble le plus. Mes parents ont bien réussi leur vie, tout compte fait...

Tante Caroline heureuse, amoureuse ?... A travers les vapeurs de la fatigue et du cognac, je la vis sourire à son Matthew tandis qu'il lui remplissait son verre : « Bois, ma chérie, tu l'as amplement mérité. » « Oh, Matthew ! As-tu vu la robe de Mme Unetelle ? As-tu remarqué l'allure de M. Untel ? J'ai cru mourir de rire quand les Untel... » Il hochait la tête, souriait : « Oui, Caroline, j'ai vu, j'ai remarqué, j'ai entendu. »

Le rêve se faisait trop convaincant et je l'ai repoussé de mon mieux. Afin de me donner du courage, j'ai avalé mon cognac jusqu'à la dernière goutte et reposé mon verre vide d'un geste résolu :

— Je tombe de sommeil, Georges.

— Cela ne m'étonne pas. Cependant, Grace, avant de monter, accepteriez-vous un cadeau ?

— Un cadeau, Georges ? Il n'y a vraiment pas de raison...

— Si, je tiens à vous témoigner ma reconnaissance pour tout ce que vous avez fait. Je vous ai vue travailler comme une esclave des semaines durant. Si ce n'était pas expressément à mon intention, j'en ai cependant largement bénéficié. Voilà pourquoi je serais heureux de vous offrir cette babiole...

C'était un ravissant bijou, un bracelet formé de plusieurs chaînes d'or, chacune d'une teinte différente, tressées et ponctuées çà et là de petites améthystes. S'il n'était pas assez coûteux pour provoquer les soupçons d'un mari — ce dont je ne courais guère le risque —, ce bracelet était assez beau, assez original surtout, pour justifier les exclamations admiratives des femmes qui ne manqueraient pas de le remarquer : « Quel merveilleux objet, ma chère ! Où donc l'avez-vous déniché ? » Si Georges avait été mon amant, j'aurais eu, à chaque fois, le plaisir de me souvenir de lui en inventant une réponse.

Certes, Georges n'était pas mon amant. Mais rien ne s'opposait à ce qu'il le fût. Dans cette immense demeure où tout conspirait à nous rapprocher, l'éventualité n'avait rien d'absurde. Y avait-il songé ? Avait-il compris, avais-je envisagé moi-même qu'il nous serait facile de franchir les minces obstacles nous séparant l'un de l'autre ? Le désirions-nous plus ou moins consciemment ? Cette série de questions m'atteignit comme une volée de flèches, m'immobilisa un bref moment, comme hypnotisée, avant de m'accabler. Enfin, Dieu merci, elle me parut souverainement ridicule. Ce n'était pas quelque personnage romanesque que j'avais devant moi, mais Georges Chard, l'ambitieux pragmatique, le coureur de dot auquel son sens pratique ne ferait jamais risquer de perdre sa part de la fortune Barforth pour une aventure aussi insensée.

— Merci, Georges, lui dis-je enfin. C'est une merveille.

— Je savais qu'il vous plairait.

Son père offrait-il un tel cadeau à sa mère dans les mêmes circonstances ? Dans mon rêve, il ne pouvait en être autrement.

Nous avons foulé côte à côte le moelleux tapis de l'escalier, nous nous sommes séparés sur le palier en nous souhaitant bonne nuit. Le jour pointait, une lueur grise filtrait déjà par l'interstice des rideaux. Ma chambre me parut plus que jamais sombre et froide. Gervais était couché sur le dos, les yeux clos, mais je sentais qu'il ne dormait pas. Je m'étendis près de lui avec précaution, en laissant un abîme nous séparer. Longtemps, je suis restée éveillée à écouter sa respiration haletante, à ressentir le tourment qui l'agitait. Que pouvais-je lui dire ? Rien. Comment me rapprocher de lui ? J'en étais incapable. Comment supporter cette situation ? Je saurais m'y contraindre. Raidie, douloureuse, je m'abandonnai un instant à ma détresse. Presque aussitôt, au prix d'un nouvel effort de volonté, ma respiration se fit plus ample, mes nerfs se détendirent. La vie — *ma* vie — continuait. Le travail, voilà le remède. Demain, tout à l'heure, mille tâches m'attendaient, une maison pleine, un déjeuner, un dîner, une visite des usines, des adieux par douzaines sur les quais de la gare. C'est ainsi que je réussirais à survivre.

14

Au printemps suivant, Georges entreprit une tournée qui le mena en Allemagne, en Autriche, en Italie, en Belgique et en France afin d'y promouvoir les intérêts Barforth et, plus encore je crois, d'y renouer de fructueux contacts personnels. Il y acquit une flatteuse réputation d'homme d'affaires avisé sous l'enveloppe d'un parfait gentilhomme, combinaison fort attrayante aux yeux de l'élite du commerce européen.

Venetia n'avait pas souhaité l'accompagner. De son côté, Georges ne désirait pas davantage l'emmener. Sur les instances de son père, elle finit par s'embarquer à contrecœur; elle revint pourvue d'une impressionnante quantité de toilettes neuves mais dans un état d'accablement qui n'augurait rien de bon.

De toutes les illustres cités visitées, Paris, Rome, Vienne et tant d'autres, elle n'avait rien vu, me dit-elle, que des salons surchargés de bibelots, des hôtels de luxe, des femmes identiquement parées à grands frais par des maris pompeux et suant l'ennui. Nulle part elle n'avait eu le loisir d'observer quoi que ce fût de réel ou de différent, car jamais Georges ne lui avait accordé le droit de sortir seule. Elle s'était ennuyée à périr. On ne la tolérait qu'en tant qu'épouse de Georges, de mauvaise grâce le plus souvent :

— Oh ! Georges, tout le monde l'adore, dit-elle en conclusion. Il n'a que l'embarras du choix auprès de toutes ces femmes et il ne s'en prive d'ailleurs pas, je le sais très bien. Bah ! Grand bien lui fasse. Cela n'a aucune importance.

Son indifférence n'était pas feinte. Naguère encore, elle vouait à Georges une certaine reconnaissance. Mais, avec le temps, ce sentiment s'estompait. Georges réussissait, menait une vie qui lui procurait toutes sortes de satisfactions. Elle restait une femme frustrée, sans but, délaissée à cause de deux nuits passées dans les bras de Charles Heron. Au point où elle en était, elle considérait éteinte sa dette envers Georges et ne se sentait plus tenue par aucun lien.

Les premiers jours suivant son retour, elle passa son temps à changer de coiffure et essayer ses robes. Quand elle se remit à sortir, ce ne fut pas pour des visites à *L'Étoile* mais, tout bonnement, à Fieldhead où elle prenait le thé avec Mme Agbrigg, à Elderleigh afin de bavarder avec tante Julia, ou chez Mlle Mandelbaum. Un jour, après avoir écouté dans un silence morose le rapport de Mlle Tighe sur les progrès de la cause féministe, elle déclara soudain d'un ton péremptoire :

— Vous n'obtiendrez jamais votre droit de vote, mademoiselle.

— Plaît-il, madame ?

— Vous n'aboutirez à rien et je vais vous dire pourquoi. Ces messieurs de Westminster se moquent comme d'une guigne de vos courtoises pétitions. Vous ne disposez d'aucun pouvoir réel qui les forcerait à vous prêter l'oreille. Qu'ont-ils à craindre, je vous prie, de quelques dames bien polies qui discutent comme aujourd'hui autour d'une tasse de thé ? De temps à autre, un jeune parlementaire prendra la parole moins pour défendre votre cause que pour se faire remarquer. Après cela, soyez certaine qu'il consacrera son énergie à des sujets plus conformes à ses intérêts. Vos pétitions finiront dans des tiroirs, voilà tout. Je ne suis pas aussi intelligente que vous, certes, mais je sais au moins une chose : quiconque possède un privilège n'est jamais disposé à le partager. En 1832, le duc de Wellington refusait le droit de vote à mon grand-père. Celui-ci ne voulait pas l'accorder à son contremaître lorsque son tour est venu en 1867. Aujourd'hui, les contremaîtres de l'industrie le dénient de la même manière aux ouvriers agricoles. Alors, croyez-vous qu'il existe, dans le monde entier, plus d'une poignée d'hommes sincèrement disposés à faire cadeau aux femmes de ce précieux droit de vote ? Et quand bien même vous l'obtiendriez, mademoiselle, le partageriez-vous avec moi ? Non. Il faudra qu'à mon tour je parade en portant une bannière exigeant le même droit pour les femmes mariées, encore considérées comme inférieures aux veuves ou aux vieilles filles. Et si je ne dispose d'aucune arme assez puissante pour soutenir mes prétentions, je suis sûre de ne rien conquérir.

— Oh ! soupira Mlle Mandelbaum.

Cette tirade laissa Mlle Tighe sans voix. Mais ni l'une ni l'autre, je crois, ne se doutait que Venetia n'avait fait que reprendre, mot à mot, le dernier article de Robin Ashby paru dans les colonnes de *L'Étoile*.

J'ignorais depuis quand elle le revoyait et s'ils se rencontraient fréquemment. Je savais simplement que leurs relations avaient repris car, lors de nos visites à *L'Étoile*, ils paraissaient presque toujours poursuivre une conversation déjà entamée. Je m'abstenais cependant d'en parler à Venetia, peut-être parce que je ne m'en inquiétais guère, surtout, je crois, parce que mon propre échec conjugal m'interdisait de lui prodiguer conseils ou remontrances.

Robin Ashby m'inspirait un certain respect; ses convictions étaient sincères, il restait lucide sur leurs chances de réussite. Intelligent mais détaché, il réservait sa sympathie aux masses, se montrant impatient vis-à-vis des individus et dur envers lui-même. L'attachement passionné dont rêvait Venetia lui aurait sans aucun doute paru importun, un fardeau dont se décharger au même titre que la fortune qui avait entravé sa jeunesse. Il était homme à tomber plus facilement amoureux d'une cause ou d'une idée que d'une femme. « Je n'impose rien à personne », disait-il parfois, ce qui sous-entendait : « Je ne permets à personne de s'imposer à moi. »

Venetia n'éprouvait pas pour lui l'admiration ravie qu'avait suscitée Charles Heron. Ce qui les liait, et dont je ne cherchais pas à approfondir la nature, ne paraissait en tout cas lui procurer aucun bonheur visible. Elle devenait, au contraire, plus acerbe dans ses reparties, au point de faire par moments preuve de méchanceté :

— Tu m'étonnes, Grace. Te contenteras-tu éternellement de te résigner en tout ? N'as-tu donc plus le courage de penser par toi-même ?

— Ne t'inquiète pas de mon sort, ai-je répliqué, piquée au vif. Je ne me plains de rien.

— Je sais, tu as ta dignité ! Elle suffit, sans doute, à te tenir chaud la nuit.

Cette année-là, les Chard arrivèrent à Listonby dès le mois d'août. Dominique et Georges s'enfermèrent ensemble de longues heures — peut-être projetaient-ils le cours de leurs carrières respectives, l'un dans l'industrie et l'autre dans la politique. Pendant ce temps, Noël ne quittait pas Blanche et l'escortait dans toutes ses visites. Plus fin, plus aimable que son jumeau, il paraissait transfiguré par la seule présence de Blanche, à qui il passait ses caprices avec une indulgence amusée. Il la couvait du regard, l'entourait de mille soins, semblait s'abreuver des moindres gestes de sa belle-sœur, qui paraissait lui inspirer moins de l'amour que de l'adoration. Nul n'en pouvait douter, tout le monde l'acceptait et s'en réjouissait, Dominique le premier qui considérait ces attentions comme un inestimable service rendu par son cadet, maintenant que ses nouvelles fonctions parlementaires l'accaparaient de plus en plus.

Vaste depuis les origines, la propriété de Listonby avait bénéficié des largesses de Sir Joël Barforth, le père de tante Caroline, grâce à qui elle s'était considérablement agrandie. Un domaine de cette importance exigeait à sa tête un homme aussi capable que consciencieux. Laissés sans surveillance, les fermiers ont tendance à négliger le paiement de leurs fermages, voire à se transformer en braconniers quand ils ne prêtent pas la main à ceux venus d'ailleurs. Un régisseur, comme chacun sait, se distingue surtout par son habileté à falsifier les comptes à son avantage. Dominique, dont les goûts dispendieux et les ambitions vidaient régulièrement les caisses, s'estimait grugé. Georges était trop affairé et, surtout, trop grand seigneur pour s'abaisser à une fonction jugée par lui subalterne. Aussi, cette année-là, la famille s'efforçait-elle de persuader Noël — dont la carrière militaire ne semblait pas promise à un avancement fulgurant — de quitter le métier des armes pour consacrer ses talents à la gestion du patrimoine. Ce projet, dès le début, avait emporté l'adhésion enthousiaste de Blanche.

— Noël est si attaché aux traditions ! nous disait-elle — et lui répétait-elle plus souvent encore. Et puis, les fermiers l'adorent. Il se montre avec eux infiniment plus patient et compréhensif que Dominique.

Un après-midi où nous étions là, Venetia et moi, Blanche, bouleversée, refusa d'écouter Noël lui annoncer le prochain départ de son régiment outre-mer et le congédia sous un prétexte quelconque. Venetia se pencha alors vers elle et lui déclara de but en blanc :

— Par moments, tu sais, je souhaiterais de tout mon cœur que Noël se décide à te violer.

Nullement démontée, Blanche répondit avec son plus bel accent de Mayfair :

— Je suis navrée de te décevoir, ma chérie, mais c'est précisément ce que Noël ne fera jamais.

— Évidemment, le pauvre garçon est beaucoup trop bien élevé ! Dans ces conditions, tu devrais faire preuve d'honnêteté et te donner à lui.

— A quoi bon, Venetia ? dit Blanche sans perdre son sourire. Ce serait parfaitement inutile.

Venetia nous quitta peu après. Avec la même sérénité, Blanche me versa une tasse de thé :

— Dis-moi, Grace, Venetia aurait-elle un amant ?

— A vrai dire, je n'en sais rien. Et toi ?

— Noël, veux-tu dire ? Bien sûr que non. Je te répète que cela n'a rien d'indispensable.

— Et si ça le devenait ?

— Alors, il faudrait peut-être l'envisager. Mais revenons-en à Venetia. J'espère qu'elle saura se conduire convenablement Elle n'a nul besoin de mettre le monde à feu et à sang pour se passer une fantaisie. Toi et moi heureusement, sommes capables de le comprendre.

Il le fallait, en effet, car les Chard vivaient la plupart du temps chacun de son côté, Blanche à Londres, Dominique en tournée chez ses électeurs. S'il allait à Newmarket, elle se rendait à Cowes. L'hiver, il passait des vacances de célibataire en Écosse, l'été à Baden. Ces longues et fréquentes séparations favorisaient les passades de Dominique tout en encourageant Blanche à se délecter de la dévotion de Noël. Leur mariage conservait, cependant, ses solides fondations sociales, légales et financières. Elle lui avait donné deux fils, il lui avait conféré son titre nobiliaire, ils avaient donc rempli leurs engagements mutuels. S'ils ne cohabitaient plus que par hasard, ils n'en demeuraient pas moins, et le plus résolument du monde, mari et femme.

Blanche ne comptait ni ne souhaitait que son mari fît preuve de fidélité; aussi n'éprouvait-elle aucune surprise devant la conduite du mien, dont elle n'ignorait pas les multiples aventures. Comme elle, j'avais naturellement choisi la voie de la sagesse, de la discrétion, de l'indifférence, prix dérisoire pour qui veut s'assurer l'inestimable trésor de l'harmonie domestique. Les compensations ne lui manquaient pas, elle était donc en droit de m'en attribuer de semblables. Comme elle, je faisais partie de ce cercle privilégié des femmes de « bon ton » et elle ne pouvait que s'en réjouir.

Certes, j'avais ma dignité — comme m'en avait presque accusé Venetia. J'avais Maison Haute. J'avais surtout une terrible appréhension devant l'avenir, que je parvenais le plus souvent à dominer de manière à la rendre supportable. Mais ce constant besoin de me maîtriser me faisait paraître froide et hautaine. Je terrorisais les jeunes femmes de chambre, je devenais acerbe et exigeante. M'étant une fois querellée avec Mlle Tighe, j'en avais tiré de telles satisfactions que je me mis, pour un oui ou pour un non, à provoquer des disputes avec à peu près tout le monde autour de moi — sauf Gervais.

En dehors des quelques banalités indispensables, nous ne nous adressions pratiquement plus la parole, car nous savions qu'un dialogue nous amènerait fatalement à évoquer Diana Flood. Qu'aurions-nous pu en dire, d'ailleurs ? Elle était pourvue d'un mari fort conventionnel, Gervais d'une épouse vertueuse. Le major Flood aurait peut-être fermé les yeux sur un flirt discret et inoffensif; il réagirait sans doute plus violemment à une liaison passionnée, à des regards assez indiscrets pour la trahir en public. Une fois convaincu de son infortune, il disposait de tous les droits pour punir sévèrement une épouse adultère. Il leur fallait donc prendre des précautions, et ces précautions étaient prises. Cet hiver-là, Gervais suivit avec une remarquable assiduité les chasses de Listonby; mais il revenait à la maison assez régulièrement pour mettre fin aux rumeurs éventuelles de mésentente entre nous. Étendu près de moi, il passait des nuits blanches, littéralement malade de douleur en imaginant sa maîtresse dans les bras de son mari, plus encore enragé à l'idée que, seule, son erreur de jugement, qui l'avait fait me préférer à elle, était responsable de cette situation.

Il souffrait le martyre et je le comprenais, tout en ne poussant pas l'altruisme jusqu'à l'en plaindre. Il aurait pu épouser Diana, si l'instabilité de ses sentiments ne l'avait pas aveuglé en lui faisant croire qu'il lui fallait une femme foncièrement différente. Et maintenant, échappé au désert affectif des aventures sans lendemain et de la sensualité, il était tombé amoureux d'elle avec la même fébrilité qu'il me vouait naguère; c'était maintenant en elle qu'il voyait une planche de salut. Mais Diana, aujourd'hui, appartenait à un autre. Torturé, incapable de dormir, de manger, de rester plus de cinq minutes en place, il tournait dans la maison comme une bête en cage et je ne me sentais soulagée qu'en le voyant s'en évader.

Il se rendait à l'usine plus souvent que je ne l'aurais d'abord cru, à la fois pour ne pas provoquer inutilement son père, et pour y être vu, afin que le major Flood ne décèle pas de changements révélateurs dans ses occupations. Il se contentait cependant d'arpenter la cour en attendant la première occasion de décamper. C'est finalement, je crois, l'indifférence de son père devant cette situation qui me fit définitivement perdre courage.

Une fois de plus, M. Nicolas Barforth se désintéressait de son fils. Il avait espéré que son mariage lui redonnerait le sens des responsabilités. Cet espoir se révélait vain. Mon beau-père admettait honnêtement m'avoir confié une tâche irréalisable et ne me reprochait pas cet échec. A titre de compensation, il faisait tout pour me faciliter la vie. J'aurais pu, il est vrai, empoisonner l'atmosphère par des crises de jalousie, tomber malade en excitant la commisération malveillante des gens, prendre un malin plaisir à laver en public le linge sale des Barforth. Mais je demeurais consciente de mes devoirs et de ma dignité — que reste-t-il d'autre à une femme dont la vie conjugale est anéantie ? C'est pourquoi, en signe de gratitude, M. Barforth dominait sa colère en présence de Gervais, s'abstenait de me demander où il était lorsqu'il avait disparu. Je représentais une bru idéale. Le scandale n'éclaterait pas. Quant au reste, eh bien ! nous n'avions qu'à voir venir et nous armer de patience.

J'ambitionnais une vie bien différente. Dix-huit mois, un an plus tôt, j'aurais peut-être été capable de m'en accommoder. Maintenant, je la supportais mal. Aussi ai-je éprouvé un immense soulagement quand son père, cet été-là, décida d'envoyer Gervais en voyage à l'étranger.

Le jour même de son départ, je suis allée — Dieu sait pourquoi ! — chercher refuge à Galton. J'y suis restée dix jours à manger le pain frais et les salades de ma belle-mère, à dormir au soleil ou dans le grand lit où j'avais perdu mon enfant. Je me sentais de nouveau l'invalide à laquelle seul le repos pouvait apporter la guérison. Jusqu'au retour de Gervais, j'éprouvais le besoin de me décharger du fardeau écrasant de mon personnage de femme insensible. Peu à peu, je sentais mes forces revenir. Je faisais avec ma belle-mère de longues promenades silencieuses; nous écoutions le ruisseau, les oiseaux, les mille menus bruits de la vie dans les haies et les arbres. Nous étions liées par notre commun échec dans cette grande carrière du mariage, la seule qui nous ait été ouverte; l'une et l'autre y restions enchaînées, sans autre choix que de nous soumettre et nous adapter, chacune à notre manière, au joug de cette captivité.

Elle aurait pu m'apprendre ce que je brûlais de savoir. Gervais comptait-il me contraindre, comme son mari l'avait fait avec elle, à passer le reste de ma vie dans l'observance des usages, des convenances; à préserver ma réputation et me comporter de telle sorte que nul ne pourrait jaser, non sur mon compte ou le sien, mais sur celui de Diana Flood ? Ou allait-il un jour perdre la tête et détruire notre honneur à toutes deux, en cherchant le bonheur à n'importe quel prix ? Je me suis cependant gardée de la questionner, car je me sentais trop lasse pour affronter les réponses. De son côté, soucieuse de ne pas troubler ma quiétude, elle ne me disait rien.

C'est à Galton, également, que j'appris le départ imminent de Robin Ashby. Liam Adair était venu me voir dans l'intention de m'en informer.

— Cullingford n'est décidément pas assez sinistre pour son goût, me dit-il en feignant l'insouciance. Il s'en va explorer les mines d'Écosse. On lui a dit que, là-bas, les femmes traînent encore les wagonnets à la place des poneys et il brûle d'impatience de mettre fin à cette situation.

— Part-il de son plein gré, Liam, ou l'avez-vous congédié ?

— Pourquoi diable me priverais-je d'un collaborateur tel que lui ? Il travaille jour et nuit, dimanches et jours fériés compris. Il est intelligent, il ne me coûtait pas cher. L'employé idéal, en un mot.

— Avez-vous prévenu Venetia ?

— Il s'en est certainement chargé lui-même... Écoutez, Grace, je regrette sincèrement de le voir partir. Mais cela vaut sans doute mieux. Vous me comprenez, n'est-ce pas ?

Je suis rentrée à la maison un jour plus tôt que prévu, mais Venetia paraissait parfaitement calme.

— Ah ! Tu as entendu dire que Robin Ashby s'en allait ? me dit-elle avec désinvolture. Je m'y attendais. Cullingford était trop confortable, il n'en pouvait plus. Il part pour l'Écosse, je crois, voir combien de temps il peut passer dans une mine de charbon avant de suffoquer. Il en tirera de longs articles, j'imagine. Et après cela, Dieu sait où il ira traîner. Je le vois très bien s'embarquer pour les Indes, essayer de dormir sur un lit de clous.

Le lendemain, nous sommes allées à *L'Étoile* lui faire nos adieux et boire à sa santé le champagne de Liam Adair. Pour l'occasion, Venetia avait mis le plus extravagant de ses chapeaux à plumes; elle brandissait une ombrelle surchargée de volants et arborait assez de bijoux et de pierres précieuses pour affoler une compagnie de pies.

— Adieu donc, Robin, lui dit-elle avec brusquerie, et bonne chance. À moins, bien entendu, que vous ne périssiez écrasé dans un éboulement, suffoqué par le grisou — ou que vous ne décidiez tout bonnement de mourir de faim.

— Je puis aussi mourir pendu.

— Oui, c'est vrai. Mais j'avais jugé plus aimable de ne pas en parler.

Un seul de leurs regards avait suffi à me faire comprendre qu'ils étaient amants — et depuis longtemps.

Une heure plus tard, Robin Ashby prit le train de Leeds. Venetia rentra avec moi changer de toilette pour un dîner que son mari m'avait prié d'organiser. Le lendemain, c'est encore à moi que Georges apprit son départ pour Londres, dont il comptait revenir quarante-huit heures plus tard, sans doute accompagné de deux messieurs importants. Aurais-je la bonté de déployer pour eux mes talents d'hôtesse ? J'eus la bonté. Les messieurs me baisèrent la main et se déclarèrent enchantés de mon hospitalité. Au déjeuner du lendemain, Venetia m'observait avec une expression dépourvue d'aménité. Dans son regard moqueur, je discernais pour la première fois de la malveillance.

Georges interrompit soudain la lecture de son courrier :

— Quel ennui ! Je dois prendre le premier train pour Sheffield... Au fait, ma chère Grace, je vais sans doute devoir avancer d'une semaine mon départ pour New York. Pourriez-vous faire préparer mes affaires ? Venetia m'accompagnera. Si j'en crois leur lettre que voici, les Ricardo comptent sur sa présence.

— Oui, Georges, dit Venetia en se levant.

Elle quitta la pièce. Nous ne devions plus la revoir.

Il ne s'agissait plus, cette fois, d'une fugue romanesque,

décidée sur un coup de tête. Il n'y eut pas de billet dissimulé dans les plis d'une robe de bal, de battements de cœur, de folles espérances. Tandis que je me plongeais dans les préparatifs de son prochain départ pour l'Amérique, Venetia monta calmement l'escalier, fourra quelques effets dans un petit sac de voyage et se fit conduire à la gare, où elle prit le train sans se cacher. Plusieurs personnes la virent sur le quai de la gare de Cullingford, d'autres la reconnurent au guichet des billets de Leeds. Certains se demandèrent pourquoi Mme Georges Chard voyageait seule, sans même une femme de chambre, mais leur curiosité n'alla pas plus loin. Elle avait la réputation d'une femme fantasque et sujette aux lubies. Pressé de questions, l'employé du guichet parvint à se rappeler lui avoir vendu un billet à destination de Glasgow.

— Je la rejoindrai par le prochain train, proposa aussitôt Liam Adair.

Je l'avais fait prévenir avant même d'avoir pleinement mesuré les causes et les conséquences de cette disparition. Mais mon beau-père s'y opposa tout net :

— Non, Liam. Ni vous, ni moi ne partirons à sa recherche. Cette prérogative appartient à son mari, c'est à lui seul de décider s'il veut s'en prévaloir. Grace, je serai dans mon cabinet de travail. Aussitôt que Georges reviendra de Sheffield, ayez la bonté de me l'envoyer.

Je suis restée seule au grand salon, accablée. J'avais laissé les portes ouvertes, afin de ne pas manquer le retour de Georges et lui épargner les bavardages des domestiques. Après le beau temps du matin, une pluie d'été, froide et hostile, crépitait contre les vitres et me donnait le frisson. Je pensais aux averses glaciales du nord de l'Écosse, au visage de Venetia, que le mépris assombrissait ces derniers temps, à la peine que me causait son changement d'attitude à mon égard. Elle était partie parce que plus rien, dans sa vie ni dans cette maison, ne la retenait. Elle nous avait rejetés tous en bloc et sa désertion me faisait cruellement souffrir.

Georges arriva enfin et rejoignit son beau-père. Il resta longtemps enfermé avec lui avant que j'entende ses pas dans le vestibule, sa voix ordonner sèchement au maître d'hôtel de faire avancer la voiture :

— Monsieur rentrera-t-il dîner ?

— Je ne crois pas.

Une fois Georges parti, j'ai laissé à mon beau-père le temps de reprendre contenance, puis je suis allée frapper à sa porte. Il était assis à son bureau, le cigare à la main, devant un cendrier débordant, deux verres et un carafon largement entamé posés sur un plateau. Dans des circonstances difficiles, les hommes se tournent généralement vers ce genre de réconfort.

— Je vous attendais, Grace. Asseyez-vous.

Avec des gestes plus lents qu'à l'accoutumée, il écrasa son cigare presque intact, en alluma un autre, se versa à boire et but une longue gorgée, la mine pensive.

— Vous avez le droit d'être au courant, Grace. Que voulez-vous savoir ?

— Georges est-il parti la chercher ?

— Non.

— Mais il a au moins l'intention d'y aller ?

— Non plus.

— Alors, c'est à vous qu'il en laisse le soin ?

— Pas davantage.

Il fit taire mon cri de protestation :

— A quoi bon, Grace ? Dans quel but... ?

— Pour s'assurer qu'elle est saine et sauve !

— Vous connaissez Venetia, elle n'acceptera pas de bonne grâce notre intrusion dans sa vie privée. Et puis, il existe beaucoup de mines, en Écosse. Où la chercherions-nous ?

— Vous la retrouveriez facilement, si vous le vouliez.

Il poussa un profond soupir et contempla la fumée de son cigare. Le silence s'apesantissait lorsqu'il hocha la tête :

— Vous pensez encore à sa fugue avec Charles Heron, n'est-ce pas ? A l'époque, j'étais son tuteur légal. Ce rôle est désormais dévolu à son mari. Je me conformerai à sa décision, comme vous la respecterez vous-même, Grace. Considérez ce que je viens de dire comme un ordre, ma chère belle-fille. C'est également le meilleur des services à lui rendre.

— A qui ? A Georges ?

— Oui, à Georges...

Il s'échauffa soudain et donna du poing sur la table :

— Quelle excuse peut-elle invoquer cette fois-ci, bon dieu ? Aucune, à mes yeux ! Georges a parfaitement le droit de la traiter de dépravée ou, mieux encore, de folle. Aucun homme de bon sens n'accepterait de continuer à vivre avec une femme dévergondée et sans cervelle. Elle essaiera probablement de revenir un jour ou l'autre, car elle s'est enfuie avec un imbécile qui ne vaut pas mieux qu'elle. Il sera incapable de s'occuper d'elle et nous savons qu'elle n'a pas non plus le moindre sens pratique. A ce moment-là, j'envisagerai peut-être — je dis bien : peut-être ! — de trouver quelques centaines de livres par an pour l'entretenir. Mais je refuse catégoriquement de demander à son mari de reprendre la vie commune. A sa place, je ne l'admettrais pas. Je tiens enfin à préciser ceci, Grace : tant que Georges séjournera dans cette maison — et je ne vois aucune raison pour qu'il la quitte — j'entends qu'il soit traité avec déférence par tout le monde, y compris vous-même. Est-ce clair ? Maintenant, vous voudrez bien m'excuser, je dois aller rendre visite à ma femme.

Pour rien au monde, je ne serais restée seule dans cette maison déserte. J'étais même prête à marcher jusqu'à Gower Street si la victoria avait été indisponible. Heureusement, je n'eus pas à faire cet effort et, quand je suis arrivée, Liam Adair m'attendait, le chapeau à la main, un sac de voyage posé près de la porte.

— Vous partiez pour Glasgow ? lui ai-je demandé sans préambule.

— Bien sûr. Je ne travaille plus pour Nick Barforth et s'il me plaît d'aller faire un voyage dans le Nord, cela ne le regarde pas.

— Ils ne veulent plus d'elle, Liam.

— Espériez-vous autre chose de leur part ?

J'ai hésité avant de répondre :

— Oui. Je me disais que Georges aurait encore besoin d'elle. en un sens.

— Pour quelle raison ? Pour ne pas perdre sa place ? Je ne vous croyais pas si naïve, Grace !

Il se laissa tomber sur son siège et, avec les mêmes gestes que mon beau-père, alluma soigneusement un cigare :

— Il n'a désormais plus besoin de rien faire, de rien accepter dont il n'ait pas envie. Georges a su mener le vieux Nick exactement là où il voulait, c'est-à-dire le dos au mur. Voyez combien ils se ressemblent ! Jusqu'à présent, nul n'avait encore pu se vanter de marquer des points contre Nicolas Barforth. Quant à Venetia — que Dieu la protège, la pauvre innocente ! —, elle a, par son étourderie, joué précisément le jeu de Georges. Il ne risque plus rien, croyez-moi. Comment son cher beau-père oserait-il écarter de ses affaires la victime d'un préjudice aussi grave ? Pour peu que Georges continue à bien jouer ses cartes — et Georges est un joueur de première force, croyez-moi ! — il se verra offrir des compensations de plus en plus substantielles. Vous feriez d'ailleurs bien d'en prévenir votre père car, si Georges se montre aussi gourmand que je le prévois, il faudra qu'il entame la part de Gervais, donc la vôtre.

— De quelles compensations parlez-vous, Liam ?

— A sa place, je demanderais, par exemple, la création d'une société anonyme, comme cela devient la mode. Son beau-père en conserverait évidemment la présidence et une majorité des actions, mais Georges Chard obtiendrait quelques parts avec, ce qui compte davantage, le titre de directeur général. Quant à Gervais il devrait se contenter d'un siège au conseil d'administration, quel que soit le montant de sa participation au capital. Or, je vois mal Gervais subir longtemps sans se rebiffer une telle situation. Vous le connaissez, il finirait par tout plaquer et chercher refuge à Galton — et cela ne vous conviendrait guère, ma chère Grace. Si Georges a réellement l'intention de se faire désigner comme le dauphin, c'est dès maintenant qu'il va préparer son offensive. Si je l'ai déjà compris, dites-vous bien que Georges n'a pas l'entendement plus lent que le mien, au contraire.

L'estomac noué, j'avais écouté les explications de Liam. Dans tous les cas, me suis-je dit avec angoisse, Gervais sera tenté de fuir vers Galton — et j'étais menacée de tout perdre alors que je ne possédais déjà presque rien. Je me suis néanmoins forcée à faire taire mes préoccupations : je n'étais pas venue parler de moi et de mes problèmes :

— Et elle, Liam ? Et Venetia ? Comment s'en sortira-t-elle ?

— Avec Robin, très mal, j'en ai peur. Cela dépendra aussi de ce qu'elle attend de lui.

— Lui a-t-il vraiment demandé de le suivre ?

Il esquissa un sourire :

— Cela m'étonnerait de la part de Robin. Il croit trop à la liberté individuelle pour imposer quoi que ce soit à quiconque. Je crois plutôt qu'elle l'a surpris en train de faire ses valises, qu'il lui a parlé des mines d'Écosse en lui suggérant, sans insister, d'aller se rendre compte par elle-même si cela l'intéressait. Et en précisant que, dans le cas contraire, ils n'en resteraient pas moins bons amis.

— Grand dieu !... L'aime-t-il, au moins ?

— A sa manière, il l'aime sans doute éperdument.

— Ainsi, vous étiez au courant ?

— Bien entendu. Si j'avais trouvé le moyen de m'interposer, je l'aurais fait, croyez-moi. J'avais même envisagé de prévenir son mari. J'espérais, malgré tout, qu'ils finiraient par se lasser l'un de l'autre... Mon erreur, voyez-vous, est de n'avoir pas compris qu'elle était au bout de son rouleau. Maintenant, la voilà embarquée dans une croisade, sa dernière lubie...

— Soyez franc, Liam. A-t-elle la moindre chance d'être vraiment heureuse ?

Il jeta un coup d'œil à sa montre, décrocha son manteau d'une patère. Je le voyais réfléchir, comme s'il cherchait à perdre l'espoir de la voir revenir désabusée, prête à accepter le compromis de se laisser aimer par lui, puisque personne d'autre ne voulait d'elle. Il ne pouvait s'abuser plus longtemps; et l'amour qu'il vouait à Venetia le contraignit à se montrer honnête avec lui-même :

— Que laisse-t-elle derrière elle, Grace ? Cela peut paraître considérable à bien des gens. Pour elle, ce n'est rien — parce qu'elle n'en voulait pas. Bien avant de rencontrer Robin, elle était lasse de sa vie jusqu'à l'écœurement et ne pouvait plus souffrir son mari. Elle ne regrettera donc rien de ce qu'elle abandonne. Robin l'aime, je le crois. Il est sincère dans tout ce qu'il entreprend. S'il retournait demain dans sa famille, on ne tuerait sans doute pas le veau gras en son honneur, mais on lui accorderait des ressources décentes, de quoi remplacer ses vêtements râpés et subsister sans faire honte aux autres. Mais — car il y a un mais : Robin refuserait cet argent, j'en suis sûr. Il croit n'en avoir pas besoin et ne le prendrait pas davantage si Venetia criait misère. Il ne s'apercevrait sans doute même pas qu'elle aurait le ventre creux. A ses yeux, l'argent constitue un fardeau inutile, sinon nuisible, un écran de fumée qui empêche de regarder la vérité en face. Il a beau proclamer son mépris pour la religion, il reste persuadé qu'il est plus facile à un chameau de passer par le chas d'une aiguille qu'à un riche d'accéder au royaume des cieux... Je me demande ce que deviennent les idéalistes dans son genre lorsqu'ils vieillissent. Peut-être ne vivent-ils jamais assez longtemps pour que la question se pose.

— Savez-vous où il est ?

— Non. Il ne me l'a pas dit et je ne lui ai pas demandé. Je vais explorer la région en disant autour de moi que je suis à sa recherche. Un couple comme le leur ne passera pas inaperçu et les langues se délieront si je mets la main à la poche quand il faut... Votre voiture est devant la porte ? Alors, vous ne refuserez pas de me conduire à la gare.

Nous avons descendu l'escalier côte à côte. La chaleur de sa main sur mon bras me réconfortait. Le trajet s'effectua en silence. Dans la cour de la gare, Liam ouvrit la portière :

— Quand vous la verrez, ai-je dit en le retenant, dites-lui que je n'ai pas changé, qu'elle peut toujours compter sur moi.

— Bien sûr, *si* je la vois.

Son expression de doute me fit une peine si visible qu'il voulut m'en consoler. Un bras sur mes épaules, il me serra contre lui et m'entraîna à travers la cour de la gare.

— Autant envisager le pire, Grace. Or, le pire serait de ne pas la retrouver, n'est-ce pas ?

— Oui.

— Et le mieux ? Que serait-ce, à votre avis ?

— Eh bien... Qu'elle mène la vie d'une femme de mineur, et qu'elle y trouve le bonheur. Êtes-vous capable d'imaginer ce qu'une telle vie représente, Liam ?

— Et vous, Grace ?

— Moi ? Franchement, non.

Et ce n'est pas le froid qui me fit alors frissonner.

15

Le lendemain, mon père se présenta à Maison Haute et fut immédiatement introduit auprès de M. Barforth. Ils furent rejoints ensuite par Georges, les hommes de loi des familles Barforth et Agbrigg, Sir Dominique et même le duc de South-Erin. Ainsi, les hommes du clan siégeaient solennellement afin de juger une des leurs, de condamner ses errements et se partager ses dépouilles.

Gervais venait de rentrer de voyage. Enragé, mortifié, dévoré par l'envie de chercher querelle au premier venu, il était bouleversé d'avoir ainsi perdu sa sœur mais secrètement ravi de voir Georges dans le rôle ridicule du mari trompé. L'affrontement direct auquel il aspirait lui fut cependant interdit par l'intervention de son père, la présence des juristes et la dignité avec laquelle Georges semblait décidé à se comporter. Frustré de ne pouvoir donner libre cours à ses instincts belliqueux, Gervais affecta alors le plus profond mépris pour ces conciliabules et ceux qui s'abaissaient à y prendre part :

— Au diable cette mascarade ! s'écria-t-il en claquant la porte et en me bousculant alors que je tentais de m'interposer. Ils ne pensent qu'à se partager le gâteau. Mais rassure-toi, Grace, ton père veille à ce qu'ils ne te découpent pas en morceaux, toi aussi. Décidément, Venetia est mieux là où elle est !

Je suis allée au salon rejoindre les dames, qui manifestaient un vif intérêt pour ces tractations dont elles étaient exclues. Tante Caroline proclamait bien haut qu'il devenait urgent de clarifier une fois pour toutes la situation de Georges. Mme Agbrigg s'inquiétait ouvertement de voir les Barforth réussir, par quelque tour de passe-passe, à s'approprier indûment Fieldhead. Blanche était la seule à se soucier du sort de Venetia et à en éprouver du chagrin. Mme Barforth, ma belle-mère, que l'on ne voyait pour ainsi dire jamais dans cette maison, était venue monter la garde dans l'espoir de profiter des circonstances pour libérer Galton et sa propre personne du joug pesant des Barforth. Tante Caroline et elle s'observaient comme deux chats sauvages, prêts à se bondir dessus toutes griffes dehors. Au bout de plusieurs heures d'escarmouches feutrées, la duchesse ne put se maîtriser davantage et ouvrit les hostilités :

— Mon fils est quand même la victime de cette sordide affaire, Georgiana ! C'est votre fille, par son inconduite, qui l'a honteusement trahi !

— C'est une manière de voir les choses, Caroline. Il se pourrait aussi que votre fils l'ait poussée à bout par son égoïsme.

Elles ne tombaient d'accord que pour reconnaître qu'il importait de « prendre des mesures ». Selon tante Caroline, son frère Nicolas ne ferait qu'obéir à l'équité en substituant purement et simplement le nom de Georges à celui de Venetia dans toutes ses dispositions testamentaires présentes et à venir. Une telle prétention suscita l'indignation de Mme Barforth. Elle ne briguait rien pour elle-même que sa quote-part de veuve, dût-elle survivre à son mari. Mais elle entendait défendre les intérêts de sa fille par tous les moyens :

— Et s'ils se réconciliaient un jour, quand bien même cela vous déplairait ? Plutôt que de vouer ma fille aux gémonies, faites preuve d'un peu de charité chrétienne, je vous prie ! A quoi sert de vous agenouiller dévotement dans l'église de Listonby ? Il est beau de prêcher la morale et la bienséance comme vous le faites si volontiers, Caroline. Mais il est regrettable de persister à tout ignorer de la charité !

— Il vous va bien, Georgiana, de défendre le dévergondage ! riposta la duchesse en écumant d'une sainte fureur. Je n'ai jamais eu pour vous plus d'estime que d'affection, sachez-le !

Ma belle-mère accueillit ces propos avec un mépris tout aristocratique :

— Que m'importent vos opinions, ma pauvre Caroline ! Quand vous avez réussi à vous faire épouser par mon cousin Matthew, vous étiez si empruntée, vous aviez l'esprit si étroitement petit-bourgeois que nous en faisions des gorges chaudes dans tout le comté. Maintenant que vous vous efforcez de jouer les duchesses, je gagerais que vos manières provinciales apparaissent aussi risibles et incongrues aux gens de Londres.

Elles en seraient venues aux mains sans l'intervention de Mme Agbrigg, qui sut jouer avec persuasion des inflexions de sa voix de velours. Blanche se gardait bien de s'en mêler, tant la perspective de les voir se crêper le chignon la réjouissait. Pour ma part, je l'avoue, je m'en souciais comme d'une guigne.

Une trêve malaisée s'instaura entre les antagonistes. Je fis renouveler, pour la vingtième fois, la théière et les assiettes de petits fours. Alors, nous vîmes s'ouvrir la porte du saint des saints et ces messieurs, dignes et la mine sévère, vinrent en procession nous informer du sort qu'ils nous avaient réservé.

Accoutumé aux pressions les plus rudes, M. Barforth n'avait

rien cédé aux Chard qu'il n'eût depuis longtemps décidé d'accorder. Aussi avait-il consenti à former une société anonyme qui, sous la raison sociale « Nicolas Barforth & Company, Ltd. », regroupait les usines de Lawcroft Fold, Low Cross et Nethercoats. Il présiderait aux destinées de la firme, dont il conservait 80 pour 100 du capital, tandis que Gervais et Georges se partageaient le reste et disposaient chacun d'un siège au conseil d'administration — concession minime en apparence, mais qui les dotait cependant d'une fortune respectable. Jusqu'à nouvel ordre, et sans qu'il en précisât l'échéance, M. Barforth se réservait la propriété de ses autres entreprises. Les Chard étaient un peu déçus par ces mesures qui ne représentaient à leurs yeux qu'un petit pas dans la bonne direction. On en vint ensuite à l'examen du problème soulevé par la fugue de Venetia.

A ce stade, mon beau-père ne souhaitait pas, je crois, modifier son testament. Les hommes de loi convoqués par les Chard se virent donc obligés d'agiter devant lui l'épouvantail des réformes qui, dans un avenir prévisible, ne manqueraient pas d'accorder aux femmes mariées la libre disposition de leurs biens, qu'elles partagent ou non la couche de leur seigneur et maître. Une telle menace eut raison de sa résistance et, en la présence ostensiblement désintéressée de Georges, M. Barforth donna son accord aux changements proposés. Désormais, Venetia cessait légalement d'exister. Déduction faite de la réserve légale au profit de son épouse, M. Barforth léguait sa fortune en parts égales à son fils et à son gendre. Si, d'aventure, il daignait se souvenir de l'existence de sa fille, elle serait mentionnée dans un codicille, au même titre que les fidèles serviteurs.

En écoutant ces paroles, tante Caroline jubilait sans vergogne. Mme Barforth attendit la fin du discours, demanda son chapeau et s'en fut sans mot dire, le chagrin que lui causait la disgrâce de Venetia était atténué par l'indépendance financière dont jouirait désormais Gervais.

— Je vous ai fait part de mes décisions, conclut mon beau-père. Personne n'aura intérêt à m'en reparler.

Sur ces propos sans réplique, il sortit dîner avec Georges à l'hôtel Terminus, afin de discuter, dans une atmosphère plus détendue, du voyage que ce dernier devait prochainement entreprendre à New York.

Cette triste cérémonie marqua le début d'une année interminable dont je conserve un souvenir sinistre. Comme prévu, les langues allèrent bon train mais, faute d'aliment, les ragots s'éteignirent et Cullingford dut se contenter de savoir que, pour des causes et dans des circonstances inconnues, Mme Georges Chard, née Venetia Barforth, ne résidait plus à Maison Haute. Où vivait-elle, avec qui ? Autant de questions sans réponse. Si l'on envisageait une fugue amoureuse, il restait plausible qu'elle avait fini par perdre une raison déjà chancelante et avait été enfermée dans quelque maison de santé coûteuse et discrète. « Le pauvre homme ! » disait-on de Georges. Mais celui-ci dissipa très vite, par sa froideur hautaine, les dernières manifestations de sympathie. Il suivit point par point son programme de voyages, parcourut l'Amérique, l'Allemagne, la France et l'Italie. Quand il revenait, il passait ses journées à l'usine et s'octroyait, deux ou trois fois la semaine, les distractions que justifiait sa vie de célibataire. Bientôt, on n'en parla plus.

Les jours se succédaient, gris et insipides. Je jouais mon rôle de maîtresse de maison en attendant, sans trop y croire, de sortir de l'engourdissement qui me paralysait le cœur. J'espérais qu'un événement, n'importe lequel, viendrait mettre fin au néant où je vivais en me rapprochant de Gervais, ou en brisant les derniers liens qui me rattachaient à lui. Je souhaitais passionnément recevoir des nouvelles de Venetia, apprendre qu'elle était heureuse, se félicitait de sa décision et ne s'était pas trompée sur le compte de Robin Ashby.

J'appris que Liam Adair était du dernier bien avec une riche veuve, disposée à investir ses économies dans *L'Étoile* — sauf si elle s'apercevait des rapports intimes noués par le même Liam Adair avec sa nièce, veuve elle aussi mais de dix ans plus jeune. Je sus que le colonel Compton Flood était parti pour les Indes avec son régiment et qu'il y avait emmené son épouse. Quelques mois plus tard, on me rapporta que ladite Mme Flood, à qui le climat ne convenait pas, était revenue au château de Cullingford, où son mari la rejoindrait à l'occasion de sa prochaine permission — dans six mois, peut-être, ou dans un an. A l'évidence, elle n'était rentrée en Angleterre que pour se rapprocher de Gervais; pourtant, cette nouvelle me laissa parfaitement indifférente.

Je fus brutalement tirée de ma léthargie à l'automne suivant. Par un jour de grand vent, Liam Adair vint me rendre visite. Il descendait du train, me dit-il, mourait de faim et de soif et accepterait sans se faire prier le thé, les toasts et le pain d'épice que je ne manquerais pas de lui offrir, ce que je fis aussitôt. Malgré ses traits tirés et ses yeux rougis par le manque de sommeil, sa démarche n'avait rien perdu de sa vigueur.

— Avez-vous une heure à me consacrer, Grace ?

— Naturellement, Liam.

— Alors, faites répondre que vous êtes sortie. Georges ou son cher beau-père ne risquent pas de nous tomber dessus à l'improviste, j'espère ?

— Non, ils sont tous deux en voyage. S'agit-il de Venetia ?

— Oui.

Je ne pus réprimer un frisson. Je l'avais souhaitée heureuse; au ton de Liam, je compris qu'elle ne l'était pas.

Après s'être précipité sur le thé et les friandises, il me dit avoir passé la nuit dans le train et commencer seulement à ressentir la fatigue.

— Pourriez-vous vous absenter un jour ou deux sans dire où vous allez ? me demanda-t-il entre deux bouchées.

— Je puis donner pour excuse une visite à ma grand-mère, à Scarborough. Où devrai-je aller, en réalité ?

— A Glasgow. Quoi qu'il arrive, Grace, faites en sorte de la ramener ici, je compte sur vous.

Pendant que nous allions à la gare, Liam me raconta la pitoyable histoire, en y mêlant ses impressions et ses déductions.

Une dizaine de mois auparavant, il avait une première fois retrouvé Venetia sur le seuil d'une chaumière de mineur. Pâle, émaciée, elle paraissait cependant habitée par la résolution mystique des jeunes chevaliers soumis aux épreuves de l'initiation. Elle avait accueilli Liam courtoisement, sans manifester ni plaisir, ni mécontentement, mais en pensant manifestement à autre chose. Elle vivait dans un autre monde, à cent lieues de la réalité que son visiteur incarnait. Liam avait eu nettement l'impression qu'elle ne se souciait nullement de sa présence, n'en ferait pas même état auprès de Robin et s'empresserait sans doute de l'oublier dès qu'il aurait le dos tourné. A l'insistance de Liam l'exhortant à lui faire signe en cas de besoin, elle avait répondu par un sourire absent, une promesse donnée du bout des lèvres. Elle se montrait si distante qu'il n'avait pas osé lui offrir les vingt guinées dont il s'était muni et les lui avait fait parvenir peu après, sans jamais apprendre à quel usage elle les avait réservées.

Sans paraître heureuse au sens ordinaire du terme, elle semblait en proie à une sorte d'exaltation mystique. Liam lui avait écrit à plusieurs reprises au cours des mois suivants. Son silence exprimait, croyait-il, son mépris pour tout ce qu'il aurait été en mesure de lui offrir. La situation avait cependant dû évoluer car, moins d'une semaine plus tôt, Venetia avait finalement lancé un appel à l'aide. Liam s'était aussitôt rendu à l'adresse qu'elle lui indiquait à Glasgow.

— Vous constaterez par vous-même, Grace. L'endroit est effroyable, préparez-vous au pire. J'avoue, d'ailleurs, que je m'y attendais.

Patiemment, prudemment, Liam était parvenu à reconstituer les faits dans leurs grandes lignes. Au moment de sa fuite, Venetia avait rejoint Robin Ashby dans sa chaumière près de la mine. Ils y étaient restés jusqu'au jour où le patron, découvrant les activités et les intentions de son employé, le congédia séance tenante et fit en sorte qu'il ne trouve plus aucun travail dans la région. Ils étaient donc partis pour Glasgow, puis pour Newcastle, de là pour Liverpool avant de revenir à Glasgow en vivant des « piges » que Robin obtenait de petits journaux subversifs, c'est-à-dire de presque rien. Peu après leur retour en Écosse, il avait rencontré un exalté de son espèce; ce dernier lui relata son expérience de l'East End londonien, lui décrivit ces ateliers de confection où les immigrants sans ressources se laissaient entasser comme du bétail, menaient à quinze ou vingt dans une atmosphère pestilentielle une vie de forçats contraints de travailler douze, quatorze heures par jour. Jamais, ou presque, ces bagnes des temps modernes n'ouvraient leurs portes aux inspecteurs du travail et les réformes y restaient lettre morte. Il n'en fallait pas davantage pour enflammer la sainte indignation de Robin Ashby et l'envoyer combattre en première ligne dans cette nouvelle croisade.

Dès le lendemain, il avait donc informé Venetia de son intention d'aller à Londres, en s'attendant vraisemblablement à ce qu'elle l'y accompagnât. Mais comme il restait persuadé qu'une femme est un être libre de ses actes et de ses opinions, que rien n'oblige à suivre son mari ou maître, il lui avait demandé si elle se sentait prête à s'embarquer dans cette nouvelle aventure. Peut-être surestimait-il sa force de caractère, ou préférait-il ignorer les impératifs physiologiques et sociaux responsables de sa faiblesse ? Quoi qu'il en soit, Venetia répondit qu'elle avait décidé de retourner vers son mari et sa famille. Lorsque Robin se mit en route quelques jours plus tard, il ignorait que Venetia attendait un enfant de lui.

Sans avoir jamais mis le pied dans un taudis, mon imagination m'avait préparée au choc de la puanteur, au grouillement de la vermine, aux murs lépreux, à l'escalier aux marches couvertes d'immondices où des gens ne disposant même pas de l'argent nécessaire pour payer un lit dans ce lieu fétide venaient, les nuits d'hiver, chercher refuge contre le gel. C'est seulement lorsque je me fus frayé un chemin entre les ordures et engagée dans un corridor sentant le moisi que Liam me prévint :

— Vous la trouverez changée, Grace. La grossesse épanouit certaines femmes mais produit l'effet inverse sur d'autres. Dans son cas... enfin, vous verrez.

Il nous laissa seules au bout d'un instant. Venetia était assise sur le bat-flanc qui lui tenait lieu de lit, je pris place sur l'unique chaise de bois. L'on ne trouvait dans cette cellule qu'une table boiteuse, une fenêtre dépourvue de rideau à l'allure de soupirail, une cruche ébréchée, un ballot de hardes posé dans un coin. Je suis restée muette de stupeur devant la sérénité de Venetia. Elle était livide et d'une maigreur squelettique. Sous sa robe, dénuée d'ornements mais couverte de taches, on voyait pointer les os. Elle se tenait là, insensible à la réalité, à peine consciente d'un monde dont elle ne faisait déjà plus partie, trop engourdie pour éprouver de la douleur mais encore capable de s'en rappeler l'existence. En fait, elle me donnait l'impression de se regarder mourir avec un étonnement indifférent où se mêlait un peu de pitié.

Je l'interrogeai. Avait-elle rendu sa liberté à Robin par esprit de sacrifice ? Elle haussa ses maigres épaules et sourit sans gaieté. Peut-être avait-elle d'abord cru à la noblesse de son geste, mais en fait elle n'avait pas le choix. S'il avait été au courant de son état, il aurait pris soin d'elle — comme de tous ceux dont il se proclamait le « camarade ». Voilà justement ce dont elle ne voulait pas. Si elle lui écrivait en lui avouant la vérité, il lui reviendrait sûrement. S'il le fallait, il irait même jusqu'à demander de l'aide à sa famille et accepterait ses conditions. Mais Venetia refusait de lui infliger cette humiliation et d'être la cause de sa capitulation.

Ils n'avaient jamais envisagé d'avoir un enfant. Ni Charles Heron, en effet, ni Georges n'avaient réussi à la féconder — même si Georges avait fait de son mieux, me précisa-t-elle du même ton monocorde, dans l'espoir que la maternité l'assagirait. Elle s'était crue stérile : l'erreur lui incombait et, seule, elle devait en subir les conséquences. Cet accident de la nature ne justifiait pas qu'elle exerçât un chantage auprès de Robin, ni qu'elle voulût l'attirer dans le piège où elle s'était elle-même laissé enfermer. Au début, elle avait cherché à parer la réalité des couleurs de l'héroïsme. Très vite, elle avait compris qu'il ne s'agissait pas plus de courage que d'esprit de sacrifice : elle n'avait tout simplement pas le choix. La décision qu'elle avait prise était la seule logique. Esclave toute sa vie, à l'instar des autres femmes, elle ne pouvait en profiter pour priver un homme de sa liberté. D'ailleurs, un homme tel que Robin Ashby serait incapable d'assurer l'avenir d'un enfant. Aussi, après avoir échoué en tout, elle ne réclamait que la permission de mettre, pour une fois, une chance de succès de son côté. Elle ne voulait que préparer au mieux la vie de son enfant.

Elle avait côtoyé la misère de trop près pour consentir à lui offrir une victime innocente. Mieux valait, tout compte fait, condamner cet enfant, s'il devait s'agir d'une fille, à une vie inutile mais matériellement facile, comme la sienne, qu'au martyre quotidien de l'exploitation et de la brutalité des hommes. Je disposais d'une fortune personnelle, Gervais ne se souciait pas de mes dépenses : accepterais-je de me charger de cet enfant et de faire le nécessaire ? J'avais les moyens de le faire éduquer dans un établissement où il recevrait de quoi affronter la vie dans des conditions honorables, Venetia n'en demandait pas davantage. Elle avait cru pouvoir défier l'ordre établi; vaincue, elle reconnaissait son erreur et acceptait sa défaite. Alors, si cet enfant devait être une fille, elle souhaitait au moins l'armer pour le combat, lui éviter le châtiment réservé aux révoltées. En un mot, Venetia me demandait de préparer sa fille à suivre l'exemple de Blanche.

Il ne me vint pas à l'esprit de repousser sa prière, encore moins de la sermonner. J'ai soulevé son léger ballot, Liam régla à la propriétaire ce qui restait dû et nous nous sommes dirigés vers la gare en la soutenant chacun par un bras. Nous étions bouleversés de la trouver à ce point immatérielle, passive, insaisissable. Incapable de former d'autres projets, je ne voulais que lui trouver au plus tôt un lit bien chaud, un repas substantiel et le secours d'un médecin.

— Où l'emmènerons-nous ? me demanda Liam dans le wagon.

— Je ne sais pas encore.

Ce n'est qu'en approchant du terme de notre voyage que la solution m'apparut : il fallait la confier à sa mère.

Tandis qu'elle suivait docilement Liam sur le chemin de Galton, j'ai regagné Maison Haute. Tout en me rafraîchissant et en changeant de vêtements, j'ai tenté de prévoir — ce que Venetia avait négligé de faire — ce qui surviendrait après la naissance de cet enfant, quand Venetia aurait repris goût à la vie. Pour le moment, elle se trouvait en état de choc, comme au retour de son escapade avec Charles Heron. Mais ensuite, comme alors, elle surmonterait l'épreuve. Son enfant auprès d'elle, son corps et son esprit libérés de leurs contraintes, il lui faudrait affronter l'avenir, avec ses peines, certes, mais aussi ses joies et ses espoirs. Je devais en tenir compte dans les projets qu'elle m'abandonnait le soin de formuler à sa place. A aucun prix, je ne pouvais permettre qu'elle accouchât clandestinement, dans la honte et l'indifférence, avant de repartir vers un nouveau désastre. Il fallait m'assurer qu'elle mettrait son enfant au monde dans la paix et le confort matériel; il fallait surtout faire en sorte que l'enfant ne se voie pas immédiatement imposer quelque adoption de hasard qui le priverait à jamais de l'amour maternel, que Venetia ne manquerait pas un jour ou l'autre de vouloir lui donner. Aussi, et sans savoir comment j'y parviendrais, ai-je résolu de les faire vivre ensemble, dans la dignité et à l'abri des harcèlements.

M. Barforth ne s'opposerait vraisemblablement pas aux dispositions que je prendrais en faveur de Venetia. Mon père me soutiendrait de son côté. Tante Julia participerait certainement de grand cœur à mes efforts. Tante Caroline, en revanche, allait évidemment s'insurger contre le retour importun de sa belle-fille. Sir Dominique n'y trouverait pas son intérêt; Georges encore moins, qui venait de prouver avec quelle aisance il se passait de sa femme. Que penserait-il, d'ailleurs, de ce retour inattendu ? Je ne pouvais imaginer ses sentiments. Tuteur légal de Venetia, c'était à lui de décider souverainement de son sort. Mon premier devoir était donc de l'en informer.

L'arrivée de ma victoria à l'usine de Nethercoats ne provoqua aucun commentaire. L'employé qui m'introduisit dans le bureau de Georges s'intéressait bien plus aux détails de ma toilette, dont il ferait la description à sa femme, qu'à l'objet de ma visite : j'étais la femme du « jeune maître », j'avais le droit de me trouver ici si bon me semblait. C'est donc d'un pas décidé que j'ai pénétré dans la vaste pièce aux boiseries de chêne. La stupeur de Georges à ma vue me redonna toute ma confiance. Nous observions, en effet, une grande réserve l'un envers l'autre depuis le départ de Venetia et je n'augurais rien de bon de cet entretien.

Il me fit asseoir avec une politesse un peu exagérée, me demanda si mon voyage s'était agréablement déroulé. Je dus réprimer un fou rire : comment lui répondre que j'arrivais d'Écosse en lui ramenant sa femme, enceinte des œuvres d'un autre ? Je ne pouvais cependant plus reculer : ma seule présence impliquait un motif sérieux. Aussi lui exposai-je brièvement la situation. Puis, les yeux fixés sur sa chevalière étincelante, je lui fis part de mes conclusions et des mesures pratiques que j'envisageais de prendre.

Pour la première fois, je vis sa main se crisper :

— Comment avez-vous l'audace de venir me dire des choses pareilles ?

— J'ai préféré venir avant que quelqu'un d'autre vous en parle à ma place.

— Chercheriez-vous à me protéger des curieux malintentionnés ?

— Je ne fais que ce que j'estime nécessaire — et juste.

Il fit claquer le couvercle de son coffret à cigares en argent, pianota nerveusement sur le chêne ciré de son bureau.

— Je vois... Alors, que dois-je faire, à votre avis ? Qu'y a-t-il de « juste », dans tout cela ? Me demandez-vous d'agir en bon chrétien, en « gentleman », de fermer les yeux et de reprendre ma femme comme si de rien n'était ?

— Je ne m'en arrogerais pas le droit, Georges.

Je vis ses mâchoires se serrer, ses yeux étinceler sous les paupières mi-closes, ses traits se déformer sous l'effet d'une fureur mal contenue :

— Non, vous ne le feriez pas en effet — du moins, pas ouvertement. Mais vous ne vous privez pas de le suggérer par votre attitude, par vos sous-entendus ! Alors, Grace, je vous pose la question pour la deuxième fois : comment avez-vous l'audace de venir me parler de la sorte ?

Sans attendre ma réponse, il se leva en repoussant brutalement son fauteuil et alla se planter devant la fenêtre. Il contempla la cour de l'usine — de l'usine Barforth où il se trouvait grâce à son mariage avec la fille de Nicolas Barforth — en pianotant avec rage sur l'entablement. Peu à peu, cependant, son dos raidi se détendit, ses épaules s'affaissèrent, ses doigts ralentirent leur rythme. Il se retourna enfin et me fit face :

— Fort bien, Grace, je crois vous comprendre. Vous me dites, en fait, qu'après m'être marié afin de donner mon nom à un enfant qui n'a jamais vu le jour et de m'approprier la fortune de ma femme je devrais, maintenant qu'un autre enfant s'apprête à naître et que j'ai réussi à mettre la main sur le magot, avoir l'élégance de remplir mon contrat jusqu'au bout. C'est bien cela, n'est-ce pas ? Alors, dites-le. En toutes lettres.

C'était bien cela et je le lui dis, en reprenant mot à mot ses propres termes et, cette fois, en le regardant dans les yeux.

— Je suis très sincèrement navrée de tout cela, Georges, ai-je conclu. Je sais combien votre position est délicate et je comprends, croyez-moi, que mes suggestions vous paraissent désagréables. Cependant...

— Cependant quoi ? Je dois à ma « position délicate » des avantages substantiels et je n'ai donc pas le droit de me plaindre ? Est-ce là, encore une fois, ce que vous sous-entendez ?

— Je le déplore, Georges, comme je viens de vous le dire. Mais je n'abandonnerai jamais Venetia, quelle que soit votre décision. Si personne d'autre que moi ne consent à s'occuper d'elle, je le ferai.

— Cela ne m'étonne pas de vous, Grace.

Il regagna son siège à pas lents, moins en colère que préoccupé. Il se ressaisissait.

— A-t-elle exprimé le désir de me revoir ?

— L'idée de reprendre la vie commune ne l'a sans doute pas plus effleurée que l'éventualité de votre pardon. Elle n'est revenue que parce que je l'ai ramenée ici, comme elle serait allée n'importe où si le premier venu lui en avait donné l'ordre. Elle est profondément blessée, Georges, au moral comme au physique. Elle ne veut qu'une chose : donner le jour à son enfant en sécurité. Elle n'a pas même réfléchi à ce qui adviendrait par la suite.

— Naturellement. Venetia n'a jamais su penser au lendemain… En avez-vous déjà parlé à son père ?

— Pas encore. Mais il acceptera votre décision, comme il l'a déjà fait, j'en suis sûre.

— Sur quoi appuyez-vous cette certitude ? Sur le simple fait qu'il ait enfin constitué une société anonyme, solution de sagesse que je préconisais depuis longtemps ? Non, Grace, nul ne peut préjuger des réactions de Nicolas Barforth. Il garde tous ses atouts en main et j'ignore ce qu'il compte en faire. De fait, il ne m'a jeté qu'un os à grignoter, et j'ai tout lieu de me demander si ma décision de laisser Venetia aller au diable lui a plu, comme vous semblez le croire. Peut-être n'est-il pas aussi dur, aussi insensible qu'on l'imagine trop volontiers. Peut-être est-ce là son talon d'Achille. Je n'en sais rien, ni vous non plus.

Je ne pouvais rien ajouter. Que dire à un homme abandonné par une épouse qui ne l'aime pas, quand on lui demande de la reprendre une fois enceinte d'un autre ? Il fallait lui laisser prendre sa décision. Mon rôle se bornait à lui soumettre les données du problème et, pour le moment du moins, je n'y pouvais plus rien. D'un seul coup, dans le silence qui s'installait entre nous, je me sentis écrasée par la fatigue, la faim qui me tirait l'estomac. Le crépuscule assombrissait la fenêtre. La cour de l'usine, vidée de ses silhouettes en châle, se remplissait de nouveau à l'arrivée de l'équipe de nuit. On entendit le ululement de la sirène, le fracas des grilles qui se refermaient, le ferraillement des roues de charrettes chargées de ballots de laine. Immobile, Georges fixait son encrier, se concentrait, combinait ses pensées, ses projets, préparait un plan d'action.

Le son de sa voix me fit sursauter :

— Merci, Grace. Votre démarche était dictée par la bienveillance..

— Je n'irai certes pas jusqu'à la qualifier ainsi, Georges !

— Peu importe. Permettez-moi de vous raccompagner à votre voiture.

Il me prit le bras dans l'escalier et pour la traversée de la cour. Malgré l'attention qu'il me portait, je voyais son œil vif observer le moindre détail, noter si tout était en place, signifiant ainsi, à ceux qui nous croisaient, qu'il était bien le maître.

— Je ne rentrerai sans doute pas pour dîner, me dit-il quand je fus installée.

— Iriez-vous à Galton ?

Dans la lumière diffuse du crépuscule, son sourire me surprit. J'avais devant moi un homme sûr de lui, capable d'affronter des problèmes autrement sérieux que de ridicules histoires de femme volage :

— Peut-être, nous verrons. Dans l'immédiat, il serait bon, je

161

crois, d'avoir un entretien avec notre cher beau-père Ne feriez-vous pas de même, à ma place ?

Enfin de retour à Maison Haute, je me suis plongée avec délices dans un bain chaud où je sentais se fondre mon épuisement, s'adoucir les meurtrissures de mon âme. Aussi n'étais-je nullement préparée à subir l'arrivée de Gervais qui, moins d'une heure plus tard, surgit en faisant claquer la porte. L'on venait de m'apporter sur un plateau un dîner frugal, que je comptais manger au coin du feu, sans bouger de mon fauteuil. Cette entrée fracassante et l'humeur exécrable de Gervais tombaient fort mal.

— Ma parole, tu débordes d'activité ! me lança-t-il méchamment. J'apprends que tu vas en Écosse avec Liam Adair et que tu en reviens avec ma sœur, si mystérieusement disparue. J'étais à Galton cet après-midi, ce que tu aurais pu prévoir si tu avais réfléchi une minute. T'es-tu seulement inquiétée de ce que je pourrais ressentir en la voyant débarquer ainsi sans prévenir, et dans les bras de Liam Adair par-dessus le marché ?

— J'ose espérer que tu n'en as pas profité pour faire un drame. Elle est assez bouleversée comme cela.

Il devint blanc de rage et je sentis ma propre colère flamber aussitôt. Nous avions enfin l'occasion de nous quereller sans qu'il soit question de Diana Flood.

— C'est de ma sœur qu'il s'agit, pas de la tienne ! cria-t-il d'une voix tremblante. Plus que tout autre, j'ai le droit de savoir ce qui lui arrive et de m'intéresser à son sort. Qui te permet de me tenir à l'écart ?

Je me suis levée d'un bond en renversant le plateau, qui s'écrasa par terre avec fracas. Une fraction de seconde, peut-être, la maîtresse de maison en moi déplora la mare de café sur le tapis brodé, la flaque de soupe sur le parquet ciré, les miettes, les éclats de verre...

— Ta sœur ? ai-je hurlé plus fort que lui. Et moi, je suis ta femme ! Qu'est-ce que cela veut dire ? Rien. Des mots creux ! Que signifie être administrateur, quand tu n'as jamais rien administré. Être mon mari, quand je ne te vois pas deux fois par semaine. Être le frère de Venetia, quand tu es totalement incapable de lever le petit doigt pour l'aider. Être le fils...

— Assez, Grace !

— Un fils, ai-je poursuivi un ton plus haut, qui vit en parasite sur l'argent de son père et ne fait que mentir à sa mère, oui, lui mentir sans vergogne pour pouvoir emmener ses putains batifoler dans le cloître !

— J'ai dit : assez !

— C'est à moi de décider quand je m'arrêterai !

— Je n'ai que faire de tes décisions, Grace ! Et quant à mes

« putains », je te ferai remarquer que tu t'en moquais éperdument tant que je te laissais tranquille, toi !

Je n'en pouvais supporter davantage. Serais-je restée une minute de plus que j'aurais sans doute essayé de le tuer — et il devait, je crois, éprouver les mêmes sentiments. Sans ajouter une parole, je suis sortie sur le palier, j'ai descendu l'escalier. La gouvernante me vit arriver au bas des marches en écarquillant les yeux d'horreur :

— Madame ! Votre robe...

— Le plateau du dîner, un accident. Faites le nécessaire, je vous prie.

Le maître d'hôtel m'ouvrait déjà la porte. Sans me soucier des commentaires, je suis enfin sortie dans la fraîcheur de cette soirée d'automne, en quête d'une solitude bienfaisante.

16

Venetia, ou plutôt son ombre, était de retour parmi nous. Mais je faisais trop confiance au temps et à la nature, les meilleurs guérisseurs, pour me désespérer.

Les messieurs de la famille avaient pris la situation en main et ne m'informèrent que de l'essentiel de leurs décisions. Le soir de mon entretien avec Georges, celui-ci avait parlé à son beau-père et ce dernier s'était rendu à Galton. Le lendemain, Georges et Gervais avaient été convoqués dans son cabinet de travail pour de longs conciliabules. Une fois Gervais parti Dieu sait où, et Georges pour Listonby, où il lui fallait affronter sa mère, mon beau-père me fit appeler :

— Ayez la bonté de vous occuper des questions pratiques, ma chère Grace. Pour le moment, nous installerons Venetia dans la chambre contiguë à celle de Georges. Faites savoir discrètement aux domestiques qu'une réconciliation est intervenue entre eux il y a trois mois et qu'ils se sont revus plusieurs fois depuis afin d'en discuter. Nous serons sûrs, de la sorte, que la nouvelle se répandra dans toute la ville. Je n'insisterai pas sur l'importance de ces « rencontres », je vous sais capable de présenter à la perfection notre version des faits, car elle est essentielle. Venetia s'était retirée chez ma mère, dans le Midi de la France. Personne ne le croira; mais si je l'affirme, si ma mère et vous le confirmez, les gens n'oseront pas nous contredire et seront bien obligés de s'en contenter.

Venetia arriva avec sa mère après le dîner. Nous avons pris le café au salon et elle monta se coucher quelques minutes plus tard. Ses bagages, malencontreusement « retardés » par l'incompétence des chemins de fer, nous parviendraient un jour ou l'autre.

Il ne fallut pas quarante-huit heures pour que Mme Rawnsley et Mlle Mandelbaum, alertées par leurs femmes de chambre, se précipitent aux nouvelles. Elles eurent le tact de ne pas évoquer le fait que les époux faisaient chambre à part. De mon côté, je laissai entendre que le retour de Venetia était celui de l'enfant prodigue. Certes, elle avait fait une fugue. Mais son mari s'était incontinent lancé à sa poursuite — l'on n'attendait pas de lui une conduite moins chevaleresque — et il aurait réussi à la persuader de revenir. Chacun savait, d'ailleurs, qu'un enfant constitue le meilleur des liens entre des époux. Aussi cette version romanesque connut-elle un vif succès et tout le monde, à Cullingford, s'empressa de s'y rallier. S'il restait des sceptiques, ils imaginaient quelque amant désespéré abandonné sur les rivages enchanteurs de la Riviera et non, Dieu merci, dans la crasse et les brumes d'une mine écossaise.

Au moins Venetia était-elle de retour au foyer, et je n'en demandais pas davantage. Aussi, lorsque, un mois plus tard, M. Barforth démissionna de son poste de directeur général et y nomma Georges à sa place, j'ai préféré n'en tirer aucune conclusion.

— Eh bien, tu vois, j'ai encore été vendue, me dit Venetia avec un calme stupéfiant. La somme doit être considérable, cette fois.

Elle en parlait sans rancœur, sans humilité non plus. Je ne retrouvais pas dans son comportement la docilité du début de son mariage, la gratitude éperdue manifestée après sa première fugue. Elle paraissait comme neutralisée, insensible à tout, résignée. Elle s'accommodait de cet état au point de s'amuser de celles qui, à mon exemple, cherchaient à y remédier.

Depuis son retour, Georges ne s'était pas donné la peine de lui dire trois mots — à quoi bon ? Ils avaient obtenu tous deux ce qu'ils souhaitaient, lui sa direction générale, elle un nom et un avenir pour son enfant, et n'en demandaient pas davantage. Cet hiver-là, il n'y eut aucune réception à Maison Haute. Georges invitait ses relations au restaurant, mon beau-père dînait le plus souvent seul dans son cabinet de travail. La fin de l'année arriva dans un froid glacial et la maison resta vide. Seule, ou presque, Blanche vint nous rendre visite. Elle s'inquiétait du sort de Noël, son beau-frère, parti avec son régiment pour l'Afrique du Sud où les Boers, les Zoulous, ou les deux à la fois, rêvaient d'en découdre entre eux et avec les Anglais. La mine de Venetia lui fit cependant oublier ses propres soucis. Elle était curieuse de connaître l'identité du père de l'enfant — un mystère que Sir Dominique lui-même n'était pas parvenu à éclaircir en interrogeant Georges.

Lorsque je la raccompagnai à sa voiture, hors de portée des oreilles de Venetia, elle me dit :

— Elle a une tête à faire peur, la pauvre chérie ! Dominique et Georges sont des brutes, ils n'ont parlé que de l'argent extorqué aux Barforth ! Quant à tante Caroline, elle passe son temps à souhaiter que ce soit une fille, parce qu'elle n'aurait pas droit à un sou du patrimoine. Quand je vois Venetia, la pauvre, je suis horrifiée ! Jamais Noël n'aurait agi de la sorte... Je vais de

166

ce pas lui écrire et tenter, pour la centième fois, de le convaincre de démissionner de l'armée.

L'état de Venetia empirait de jour en jour. Dès le début, elle avait les chevilles enflées, les doigts boursouflés au point de ne plus pouvoir porter de bagues. Elle souffrait de vertiges et de constants bourdonnements d'oreilles, qui ajoutaient à ses absences et à sa distraction habituelles.

Au début de janvier, elle tenait à peine debout et ne pouvait plus descendre l'escalier sans assistance. Elle dut garder le lit pendant tout le mois de février. Elle somnolait continuellement et n'émergeait de sa torpeur que pour sourire au berceau orné de dentelles et à la layette dont j'avais fait l'acquisition à Leeds.

— Je n'ai jamais vu personne dans un tel état de faiblesse, me dit un jour sa mère avec angoisse. Elle me rappelle ces oiseaux en cage, qui se laissent mourir plutôt que d'accepter la captivité... Que lui a donc fait subir cet individu ? Savez-vous pourquoi elle est dans un tel état, Grace ?

— Je ne crois pas qu'il l'ait sciemment torturée. Au contraire, il devait la traiter comme l'épouse qu'elle souhaitait être pour lui plaire. C'est lorsqu'elle a compris son incapacité à tenir ce rôle qu'elle a perdu courage et s'est laissée aller. Son mal vient de là, il est plus moral que physique.

Elle redevenait parfois volubile mais c'était pour évoquer un passé lointain, sa jeunesse insouciante, quand tout lui paraissait encore possible. Elle ne faisait jamais allusion à Charles Heron ni à Robin Ashby, mais se complaisait à évoquer ses souvenirs de Galton, ses longues promenades dans les bois et la lande. Elle se remémorait ses espoirs et ses certitudes d'alors, sans toutefois manifester d'amertume.

A la fin de février, elle fut capable de descendre au salon. Son corps était tellement déformé que l'on ne pouvait croire qu'il lui restait à endurer deux mois de ce supplice. J'avais déjà pris l'initiative d'engager une nurse et une nourrice quand, le 14 mars, les douleurs la saisirent.

Avec l'aide de la nurse, nous l'avons aussitôt portée dans son lit. Je fis prévenir sa mère et le médecin. Aux cuisines, je fis garder en permanence de l'eau bouillante sur les fourneaux. Je me sentais partagée entre la joie et les larmes.

Je ne comptais plus avoir d'enfant et, d'ailleurs, pendant longtemps je n'en avais pas désiré. Mais voilà qu'au moment le plus inopportun j'étais soudain dévorée de l'envie de serrer mon propre enfant contre ma poitrine et de me savoir indispensable à un être humain. Ma seule consolation, dans les circonstances présentes, consistait à me dire que Venetia avait effectivement le plus urgent besoin de moi.

Le travail se prolongea toute la nuit, la journée du lendemain et la nuit suivante. Le médecin déclara que cela n'avait rien d'exceptionnel lors d'un premier accouchement, tout en admettant que les contractions paraissaient en effet particulièrement douloureuses. Mais nous ne pouvions que nous armer de patience et faire semblant de croire aux paroles rassurantes du Dr Blackwood.

Au matin du 16 mars, les douleurs se rapprochèrent et devinrent si fortes que Venetia pouvait à peine respirer. Ses joues se creusaient, les cernes de ses yeux lui mangeaient le visage et son état d'épuisement la rendait à demi inconsciente. Le médecin se décida enfin à appeler en consultation un collègue plus jeune et, apparemment, plus sensible à la souffrance de ses patients.

— Laissez-nous seuls un moment, je vous prie, me déclara le nouveau venu.

Je suis donc descendue au salon où tous les visages, y compris celui de Georges, trahissaient le manque de sommeil, l'angoisse et même le remords que les hommes ressentent souvent en de telles occasions.

— Les choses se passent mal, n'est-ce pas ? me jeta M. Barforth comme s'il me tenait pour personnellement responsable.

— Ils vont lui donner un calmant, je crois...

— Un calmant ? s'écria-t-il. J'espère qu'ils ne s'en tiendront pas là, ces ânes bâtés ! Si cela doit continuer de la sorte, vous me ferez le plaisir de m'envoyer cet abruti de Blackwood, je lui administrerai un calmant de ma façon !

— Blackwood n'est pas le seul médecin de la ville, intervint Georges. Ma mère connaît sûrement l'adresse des meilleurs. Je vais aller à Listonby...

— Non, j'y vais ! l'interrompit Gervais en se levant d'un bond, livide et agité de tics. Occupe-toi plutôt de tes usines, Georges, et laisse-moi me charger de ma sœur.

Venetia parvint à s'assoupir une heure ou deux ce matin-là, d'un mauvais sommeil provoqué par les drogues et entrecoupé de gémissements. Lorsque les douleurs reprirent vers midi, sans que l'enfant se décide à naître, le jeune médecin déclara que le supplice avait assez duré et qu'il fallait envisager un accouchement aux forceps, tandis que son aîné rétorquait qu'il valait mieux laisser la nature suivre son cours, méthode plus lente mais moins aventureuse. Pour ma part, j'étais près de céder à la panique.

Debout dans le couloir, adossée au mur près de la porte, j'entendais les deux hommes de l'art exposer leurs théories contradictoires à ma belle-mère :

— Prolonger le processus naturel présente un danger sérieux

pour le cœur, disait le plus jeune. N'a-t-elle pas assez souffert ?

— Certes, mon cher collègue, répliquait avec son onction coutumière le Dr Blackwood. Mais vos instruments ont trop souvent provoqué la déformation du crâne de l'enfant, vous ne pouvez pas le nier. Nous n'avons pas le droit de dissimuler ce risque à la famille.

— Opérez ! ordonna ma belle-mère.

Le médecin de famille ne se considérait cependant pas pour battu. Armé de son sourire le plus indulgent, il s'efforça de convaincre sa cliente :

—Je comprends votre angoisse, chère madame, mais votre fille est assez jeune pour surmonter cette épreuve que la nature lui impose. Croyez-en ma longue expérience, ni son mari ni elle ne se réjouiraient par la suite d'une malformation, sinon pire, provoquée par une intervention inconsidérée. Nous devons avant tout penser à l'enfant, madame...

— Faites ce que je vous dis ! lui cria Mme Barforth.

— Avez-vous autorité pour prendre cette décision ?

D'un pas mécanique, elle disparut dans le couloir et revint, quelques instants plus tard, en compagnie de son mari :

— Vous, là-bas ! gronda M. Barforth en désignant le jeune médecin d'un mouvement du menton. Rentrez dans cette chambre et faites le nécessaire. Quant à vous, Blackwood, suivez-le et aidez-le — si vous en êtes capable et s'il a besoin de vous.

— C'est au père de décider...

— Le père fera ce que je lui dirai et vous aussi ! répliqua mon beau-père d'une voix tonnante.

Ils firent respirer à Venetia quelques gouttes de chloroforme. Agenouillée au chevet de sa fille, Mme Barforth lui prit la main en murmurant des paroles apaisantes. Avant que la nurse me pousse sans ménagements vers la porte, j'eus le temps d'entrevoir le visage de Venetia, de graver dans ma mémoire le spectacle de ses traits déformés par la douleur, de ses cheveux collés par la sueur, de ses lèvres mordues à vif où perlaient des gouttes de sang.

Adossée au mur, les yeux clos, je prêtai l'oreille aux bruits qui filtraient à travers la porte, aux pas, aux murmures, aux cris. Puis, alors que je ne l'espérais plus, j'entendis le vagissement hésitant du nouveau-né et les larmes que je retenais se mirent à couler. J'avais perdu toute notion du temps pour ne plus penser qu'à une chose : le martyre avait pris fin ! Désormais, Venetia allait connaître le repos, son enfant couché près d'elle. Elle allait pouvoir se laisser dorloter, soigner, submerger sous les fleurs et les cadeaux, comme toute jeune mère. Mon propre épuisement et ma terreur s'évanouirent d'un coup pour faire place à une joyeuse impatience. J'avais hâte de la serrer dans mes bras, de lui dire : « Comme tu as été brave ! Que ton enfant est beau ! Tu peux être fière — et heureuse... »

Mme Barforth apparut sur le seuil en titubant, voûtée, les traits crispés :

— C'est une fille. Allez le leur dire.

Je me suis élancée vers la chambre où je voulais entrer un instant, afin de voir, de toucher ce miracle. Mais elle me barra le passage en répétant :

— Allez, Grace, allez leur dire !...

Puis elle rentra et me claqua la porte au nez.

Son désir de m'épargner avait été inutile. J'avais compris et rien au monde n'aurait pu me faire pénétrer dans cette pièce. Je ne voulais plus que fuir.

J'en étais pourtant incapable. Paralysée par l'horreur, je suis retombée le dos au mur. Derrière la porte, j'entendais des sanglots, ceux de la nurse, ceux de ma belle-mère qui, soudain, se transformèrent en un hurlement de douleur et de rage : « Allez le leur dire, vous, que vous avez sauvé l'enfant pour mieux tuer sa mère ! Allez leur dire que vous êtes fiers de vous, misérables ! Allez chercher les félicitations auxquelles vous croyez avoir droit ! »

Le Dr Blackwood obéit le premier; je le vis passer en courant et dévaler l'escalier. Son jeune collègue le suivit quelques instants plus tard, encore en chemise. Il y eut ensuite des allées et venues, la nurse, les infirmières, les médecins. Mme Barforth sortit finalement à son tour. Elle portait un minuscule ballot enveloppé de dentelles, sur quoi j'ai refusé de jeter les yeux. La nourrice apparut peu après, en poussant le berceau vers une autre chambre. Celle-ci, désormais, resterait vide, puisque Venetia était morte. Morte depuis quand ? Une heure, une minute ? Je n'avais plus conscience du temps.

Brisée, les jambes flageolantes, je me suis traînée jusqu'au palier, je me suis accoudée à la rampe. Dans le hall, les servantes s'étaient regroupées et chuchotaient entre elles; le maître d'hôtel les dispersa d'un geste. La porte du salon était entrouverte et je savais que derrière se tenaient M. Barforth, Georges, Gervais peut-être. J'aurais dû les rejoindre et je m'y refusais. Mon devoir était pourtant clair : je me trouvais seule en mesure de prendre les décisions qui s'imposaient, de donner des ordres aux serviteurs, d'offrir aux hommes le réconfort dont eux aussi avaient besoin. Et cependant, pour la première fois de ma vie, je reculais devant mes obligations. Car si, en les remplissant, je détectais chez Georges la plus légère lueur de soulagement — l'enfant, à la naissance tant redoutée, n'était qu'une fille, sa mère était morte et la fortune, par conséquent, lui appartenait irrévocablement, à lui, le veuf — je ne pourrais sans doute pas résister à l'envie de le tuer. Je ne me sentais pas davantage le courage ni l'envie de m'interposer entre Gervais et lui. Plus encore, je crois, me retenait la crainte d'avoir à faire face à la douleur d'un homme tel que Nicolas Barforth, qui n'avait pas l'habitude de souffrir et que j'étais incapable de voir céder quand je me sentais moi-même brisée.

Aussi suis-je restée accoudée à la rampe, mon esprit en déroute obnubilé par des détails insignifiants : le gémissement du vent dans une fenêtre mal fermée, le cadran de l'horloge du vestibule qui indiquait que l'après-midi touchait à sa fin. L'après-midi du 16 mars... Nous avions vingt-quatre ans, Venetia et moi. Bientôt, j'en aurais vingt-cinq. Quelle importance, me répétais-je, quelle fierté pouvais-je en tirer ? Machinalement, parce que l'immobilité finissait par me peser, je me suis lentement engagée dans l'escalier. Et c'est alors, par un mystère que je ne parvins jamais à élucider — quel serviteur zélé avait prévenu sa femme de chambre ou intercepté son cocher ? —, que je vis tante Julia apparaître dans le hall.

Elle n'avait pas franchi le seuil de Maison Haute depuis près de vingt ans et, pendant quelques secondes, je me suis demandé si le besoin inconscient que j'avais de sa présence et mes yeux encore brouillés de larmes ne suscitaient pas quelque hallucination.

Je me trouvais encore sur l'avant-dernière marche quand elle m'interpella :

— Grace ! Est-ce vrai ?

— Oui. Oh, oui !...

Je me suis jetée dans ses bras. Presque aussitôt, le bruit de la porte du salon me fit sursauter. Je connaissais trop la brouille entre les frères Barforth pour ne pas redouter la réaction de mon beau-père. Allait-il la chasser de chez lui ? Ma tante consentirait-elle à rester sous son toit, ne fût-ce qu'un instant ?

Il se tenait sur le pas de la porte, le visage aussi gris, les traits aussi figés que s'ils avaient été sculptés dans un bloc de granit. Elle se tourna aussitôt vers lui, une question muette dans le regard.

— Julia !

Il la dévisagea longuement, comme s'il ne pouvait croire à sa présence. Sa stupeur céda graduellement devant le désespoir :

— Oh, Julia ! Grand dieu...

En deux enjambées, elle le rejoignit, l'enveloppa de tendresse. D'instinct, elle le soustrayait à l'embarras de laisser couler en public des larmes qu'il avait toute sa vie su retenir. Je les vis entrer ensemble au salon et refermer la porte derrière eux.

Ils me laissaient seule dans le hall en compagnie de Georges. Pétrifiée d'abord, je me suis assise sur une chaise, au pied du grand cerf de bronze. Je n'avais rien à lui dire — je ne *pouvais* rien lui dire. Demain, les bonnes âmes lui prodigueraient des paroles consolatrices : « Courage, mon vieux, il vous reste votre fille. Vous n'avez pas tout perdu. » Or, cet enfant n'était pas sa fille. Elle ne lui apporterait nul réconfort. Elle ne le gênerait guère non plus. Désormais, il était libre, libre de reprendre une femme, de la choisir riche, d'en avoir des fils à qui léguer la fortune de Venetia. Et parce que le destin, une fois encore, lui avait souri, parce qu'il est plus facile de haïr que de souffrir ou de compatir, je me suis appliquée à aiguillonner ma haine envers lui, à l'accuser de tout et à le condamner sans appel. Je le voyais tel qu'il était, un coureur de dot sans scrupule ayant, naguère, hésité entre ma fortune et celle de Venetia; un arriviste sachant profiter des circonstances à son avantage exclusif; un débauché, prompt à trouver ailleurs les satisfactions sensuelles que sa femme ne savait pas lui offrir. Maintenant, il se glissait dans son personnage de veuf avec une habileté qui ne me trompait pas. Sa tristesse apparente n'était qu'une mascarade et j'en étais si sûre que je le dévisageais inconsciemment avec rage et mépris. Il dut finir par le remarquer car ses sourcils se rapprochèrent de façon menaçante et il vint se planter devant moi :

— Alors, Grace, de quoi suis-je encore coupable ?

— Je ne vois pas de quoi vous parlez.

— Vous le savez fort bien. D'habitude, vous n'y mettez pas tant de formes quand vous voulez me traiter de vaurien. Parlez donc, Grace, dites franchement ce que vous pensez de moi.

— Je pense à tout sauf à vous, Georges.

— Pas de faux-fuyants, je vous prie ! Si, comme je le crois, vous imaginez le pire, dites-moi donc en quoi ma conduite diffère de celle de votre père. Oui, c'est vrai, la Delaney était déjà mûre et avait elle-même pris la peine de voler le magot...

Tante Julia surgit soudain entre nous et m'épargna la scène pénible qui s'annonçait. Sa bonté naturelle lui permit de jeter autour du cou raide de Georges ses bras compatissants et de lui dire avec douceur :

— Personne ne vous reprocherait d'aller à Listonby chercher le réconfort auprès de votre mère.

— Dois-je comprendre que ma présence gêne, ma tante ?

— Pas du tout, mon cher Georges ! Je crois simplement que vous avez du chagrin et ne savez pas comment le manifester, de même que Nicolas d'ailleurs. Je vous suggère simplement de vous abriter des regards indiscrets.

Du chagrin ! me suis-je dit avec amertume. Il n'a jamais su ce que c'était. Tante Julia, toujours trop bonne, lui offre plutôt une chance de s'éclipser honorablement et d'aller prévenir les autres qu'il est enfin libre, afin que tante Caroline puisse vanter sa marchandise sur le marché matrimonial ! Plus que jamais, je sentais mon cœur se durcir et peser comme une pierre.

— Grace, accompagne-moi un instant, me dit tante Julia.

Elle me prit par la main, m'entraîna dans l'escalier, les joues baignées de larmes. J'ai d'abord craint qu'elle ne veuille m'emmener revoir Venetia et je dus faire un effort pour me dégager :

— Non, ma chérie, murmura-t-elle.

C'est en la voyant prendre le chemin de l'étage supérieur que je compris. Nous nous dirigions vers la nursery.

La nurse se leva à notre vue et esquissa une révérence, visiblement soulagée par l'arrivée d'une personne responsable car la nourrice se révélait idiote, l'enfant d'une fragilité extrême et la grand-mère avait été mise au lit, sur ordre du médecin, avec une dose de laudanum à assommer une mule.

— Elle ne se réveillera sans doute pas d'ici demain, madame, conclut-elle.

— Tant mieux, la pauvre en a grand besoin, répondit tante Julia. D'ici là, nous nous en sortirons très bien, je crois. Grace, ma chérie, viens donc voir cet adorable petit lutin.

Il me fallut longtemps et un effort presque surhumain pour traverser la pièce. Parvenue auprès du berceau, je n'arrivai pas à baisser les yeux.

— Regarde, ma chérie, murmura tante Julia.

Ses larmes qui redoublaient, la pression affectueuse de sa main sur mon épaule eurent finalement raison de ma répugnance. Je vis d'abord une tête minuscule couverte d'un duvet noir, de longs cils sur des paupières déjà closes, je devinai une respiration égale et paisible. Un petit poing fermé agrippait le drap brodé. J'ouvris les yeux plus grands.

Lorsque j'ai quitté la pièce, mes larmes coulaient aussi abondamment que celles de tante Julia. J'avais l'esprit assez clair pour pouvoir penser de nouveau à Gervais et sentir s'éveiller en moi des instincts que je croyais évanouis. Il avait besoin d'aide; si je lui tendais la main, accepterait-il de la prendre ? Désirais-je sincèrement qu'il ait besoin de moi ? Une dernière chance s'offrait-elle à nous ? Arrivée en haut des marches, j'ai entendu sa voix dans le hall et je me suis hâtée de descendre.

Georges et lui se tenaient face à face. L'affrontement que je redoutais depuis des années était visiblement sur le point d'éclater. Longtemps, je m'étais préparée à intervenir. Ce jour-là, par malheur, je suis restée paralysée sur la dernière marche, en témoin impuissant.

— Que faut-il te présenter, Georges, des condoléances ou, plutôt, des félicitations ?

— Va-t'en au diable, Gervais !

— Toujours aussi aimable... Et toi, où vas-tu ? A Listonby, sans doute, annoncer la bonne nouvelle à ta tribu ?

— Laisse-moi passer...

— Craindrais-tu qu'on te barre la route ? Je te croyais capable de briser les obstacles au lieu de les franchir.

— J'en suis fort capable, en effet.

Alors, avec une bordée de jurons parfaitement obscènes, il appliqua son poing sur la poitrine de Gervais et le repoussa rudement en arrière.

Soudain réveillée de ma torpeur, je me suis précipitée entre eux. Je ne comptais pas sur ma force pour les séparer mais sur leur éducation qui leur interdisait, depuis l'enfance, de porter la main sur une femme. Ils n'en continuèrent pas moins à se colleter, sans s'occuper de ma présence qui ne faisait que les gêner un peu dans leurs mouvements. Ce qui n'aurait été que grotesque en d'autres circonstances devenait parfaitement scandaleux et inadmissible en un jour comme celui-là.

— Arrêtez ! leur ai-je crié.

Alors, je me suis à mon tour couverte de ridicule en hurlant d'une voix hystérique, et en brandissant mes poings dans toutes les directions. Ce déchaînement de violence inattendu les aurait fait rire s'ils avaient conservé un peu de sang-froid. Il n'eut pour effet que de les exciter davantage.

— Tu n'as jamais été digne d'elle ! dit Gervais d'une voix sifflante. Quand on parle de jeter des perles aux pourceaux... Le porc, c'est toi, Chard !

— Je n'ai pas à me justifier envers un propre-à-rien, un parasite tel que toi, un débauché, un coureur de...

— Justifie-toi plutôt devant ta conscience, si tu en as une !

— Pour la dernière fois, Gervais, laisse-moi passer ! Épargne-moi ta présence et va-t'en au diable ! Je ne veux plus te voir ici !

— Me chasserais-tu de *chez toi* ? Avoue, Georges ! Te crois-tu vraiment chez toi, ici ?

Comme son adversaire ne répliquait pas, Gervais poursuivit de plus belle :

— Écoute-moi, Chard, et écoute-moi bien : je vais te dire ce que tu peux faire de cette maison, des usines et de tout ce qui va avec...

Il le lui expliqua avec force détails, et je ne songeai même pas à rougir tant sa voix était chargée de mépris. Puis, content sans doute d'avoir ainsi avili et piétiné tout ce qui le rattachait aux Barforth, il tourna les talons et sortit. Un instant plus tard, je suis parvenue à le rattraper dans l'allée menant aux écuries :

— Attends-moi, Gervais ! Ne pars pas de cette manière, pas en un tel moment !

Je n'avais pas compris que ses nerfs craquaient, qu'il ne se contrôlait plus et qu'il était au bord des larmes. Il repoussa ma main comme si son contact le brûlait ou le souillait :

— Laisse-moi ! Va-t'en !

J'ai voulu insister. Alors, il m'agrippa aux épaules et me secoua si rudement que je faillis tomber :

— Tu as entendu ce que je disais à cet individu, Grace ? Tu as entendu ce que je lui conseillais de faire avec la maison des Barforth et tout ce qui va avec ? Eh bien, sache une bonne fois que tu fais partie de l'ensemble, comprends-tu ? Et maintenant, laisse-moi tranquille.

Je l'ai regardé disparaître derrière le bâtiment et j'ai repris lentement le chemin de la maison. J'éprouvais l'impression de lutter contre un courant puissant, comme dans ces cauchemars où des mains invisibles vous retiennent, où l'on marche des heures sans progresser d'un centimètre.

Georges m'attendait sur le seuil. La lumière du hall découpait sa silhouette imposante, sa large carrure où s'affirmait son autorité. Pour la première fois, je ne voyais plus en lui l'aventurier mais le chef de clan dont personne, ni l'homme vieillissant resté à l'intérieur, ni le plus jeune qui venait de prendre la fuite, ne cherchait ni ne pouvait disputer la place et les prérogatives.

— Il a raison, Grace, laissez-le donc, me dit-il avec l'assurance d'être écouté. Qu'il aille chercher refuge dans son terrier, cela ne lui fera pas de mal. Et vous, rentrez et reprenez votre place.

17

De toutes les erreurs de sa courte vie, la dernière lui avait été fatale. A la place de Venetia, je n'aurais pas été abusée par Charles Heron, et je me serais accommodée des contraintes d'un mariage de convenance. A sa place, je n'aurais pas pris la fuite avec Robin Ashby et, l'eussé-je fait, je ne me serais pas si complètement laissé abattre. J'aurais plus vite remonté la pente grâce à mon instinct de survie. Venetia, elle, en était dépourvue. Moins encline à l'espoir, j'étais moins sujette aux désillusions. Moins entière, moins exigeante, j'acceptais mieux le compromis. Aussi je ne m'attendais pas, lorsque mon tour viendrait, à ce que l'on me pleurât avec une douleur aussi profonde que celle qu'éprouvèrent tant de gens; à ce que tout le monde ressentît, comme moi-même, l'impression d'une perte irréparable.

Incapable, au début, de me faire à l'idée de sa disparition, j'en avais été distraite par les exigences terre à terre du deuil. Cela seul me permit, en cette venteuse matinée de mars, de me tenir avec les autres au bord de la tombe, et d'oublier ce que contenait le cercueil. J'avais refusé de la revoir sur son lit de mort, d'écouter les pieux mensonges qu'on me prodiguait : « Elle est si belle, si sereine, on dirait qu'elle dort... » Elle ne dormait pas, je le savais : elle était morte. Et je ne trouvais rien de beau ni de paisible dans la mort. Je supportai aussi avec une irritation croissante l'homélie bêtifiante du pasteur, qui semblait se réjouir du fait que « cet être trop bon pour notre vallée de larmes » fût parti vers « la béatitude d'un monde meilleur ».

Les obsèques constituèrent naturellement un événement considérable. Les usines Barforth fermèrent pour l'occasion, de sorte que six rangées de curieux se pressaient le long de Kirkgate jusqu'au parvis de l'église paroissiale afin de profiter du spectacle. L'élite de Cullingford arborait ses toilettes de deuil, les femmes de la famille disparaissaient sous leurs voiles. Attelées de chevaux noirs, les voitures étaient tendues de crêpe et la foule prenait un vif plaisir à les identifier au fur et à mesure de leur arrivée. Celle de tante Caroline, dont les portières armoriées s'ornaient d'une couronne ducale, obtint le plus franc succès.

L'on était venu de fort loin rendre un dernier hommage moins à Venetia, que nul ne connaissait ou presque, qu'à son mari, à son père et à son grand-père, Sir Joël Barforth, dont le souvenir restait vivace. Sa veuve, Lady Virginie, était présente ce jour-là et, pour la première fois depuis près d'un quart de siècle, se tenait entre ses deux fils. Tante Julia s'accrochait à l'autre bras de Sir Blaise; ma belle-mère, droite et pleine de dignité, se laissa subitement aller — spectacle dont je n'avais pas l'habitude — à un bref accès de faiblesse et s'appuya contre Nicolas, son mari. Le veuf affichait une affliction distinguée. Il était entouré de sa famille, tante Caroline qui ne savait trop quelle tête faire, Blanche qui pleurait sans fausse pudeur et Sir Dominique, qui paraissait s'ennuyer affreusement.

Pour ma part, je me retenais au bras de mon père, d'un côté, et, de l'autre, à Liam Adair, trop maître de lui pour être tout à fait à jeun. Je me félicitais, pour une fois, de l'imposante présence de Mme Agbrigg qui m'abritait de Gervais. Je ne l'avais pas revu depuis la mort de Venetia et lorsqu'il fit son apparition, le visage livide et figé comme un masque de cire, je préférai ne pas le regarder.

Ensuite, nous nous sommes tous éloignés dans la même direction, sauf Gervais qui, après être resté quelques instants au bord de la tombe, est parti seul de son côté, tant pour éviter sa famille que pour me fuir. De retour à Maison Haute, j'ai servi le thé aux dames, des boissons fortes aux messieurs; j'ai donné des instructions pour qu'un repas soit offert à ceux qui, venus de loin, devaient reprendre la route. Bref, je suis redevenue l'automate dont, depuis si longtemps, j'assumais le rôle.

L'animosité qui régnait habituellement entre les membres de la famille s'était dissipée ce jour-là. Sir Blaise Barforth avait longuement serré les mains de son frère au cimetière et, depuis, ne le quittait plus. Tante Caroline n'avait pas le cœur à poursuivre de sa hargne une belle-sœur qui venait de perdre sa seule fille. Une fois les invités partis, ils restèrent tous ensemble au salon. Pour la première fois, les trois enfants de Sir Joël, Blaise, Nicolas et Caroline, faisaient taire leurs différends et se réunissaient autour de leur mère.

Lorsque tante Caroline demanda, avec une feinte innocence, ce que nous comptions faire de « cette pauvre petite », mon beau-père se borna à répondre que Grace s'en occuperait à merveille. Cette déclaration fut saluée par un concert de louanges, sans que nul ait songé à me demander mon avis. Il s'agissait d'une tâche féminine, il était donc naturel qu'on me la confiât. « Grace est si dévouée, si capable ! » répétait-on à l'envi. S'était-on demandé si je souhaitais endosser une telle responsabilité ? N'aurais-je pas préféré former pour moi d'autres projets, m'accorder un semblant de liberté, alors que je prenais plus que jamais conscience du temps qui me coulait entre les doigts ? Non : « Grace est si dévouée ! » J'en fus trop accablée pour protester.

Le baptême eut lieu quelques jours plus tard. Encore sous nos voiles de deuil, Blanche et moi étions les marraines. Georges paraissait mal à l'aise dans cette église paroissiale où il avait épousé la mère d'un enfant qui n'était pas le sien. Gervais, à qui incombait la fonction de parrain, n'avait pas daigné se montrer. La cérémonie ne s'en déroula pas moins. Nous étions arrivés avec un petit être anonyme, nous sommes repartis avec Mlle Claire Chard dans la victoria où la tenait sa tante Blanche, en compagnie de ses cousins Mathieu et Francis. Celui qui avait accepté de se déclarer son père chevauchait en avant, à côté de son frère Dominique, qui voulait bien passer pour un oncle. Derrière eux, seul dans son tilbury, venait un homme à la chevelure noire parsemée de fils gris et qui, sans aucun doute possible, était son grand-père.

Ce soir-là, mon beau-père et moi avons dîné seuls dans l'immense salle à manger scintillante de cristaux et d'argenterie, où l'on nous a servis avec le cérémonial d'un banquet de cent couverts. L'enfant reposait dans la nursery, sous la surveillance attentive des servantes attachées à sa personne. Georges avait déjà pris le train pour Londres, d'où il ne reviendrait que le surlendemain. Gervais restait invisible.

Le repas terminé, j'ai laissé M. Barforth avec son cognac et ses cigares et je suis allée au salon prendre le café, en jetant un regard résigné à l'amas de lettres de condoléances auxquelles il me faudrait répondre. Voilà à quoi se limitait ma vie. Dès son retour, Georges compterait sur moi, entre ses nombreuses absences, pour que ses chemises soient repassées et empesées à la perfection; il ne tarderait guère à reprendre la série de ses réceptions et me demanderait d'organiser des dîners au menu raffiné afin d'éblouir ses invités. Le dimanche, j'irais rendre visite à mon père, sous le regard glacial de sa femme. De temps en temps, je m'octroierais quelques jours à Londres, chez Blanche. Je serais forcée de subir les discussions oiseuses de Mlle Mandelbaum qui, entre deux tasses de thé, parlerait sans conviction des droits de la femme. Pendant ce temps, l'enfant grandirait. Gervais serait toujours absent, insaisissable. Georges se remarierait, choisirait une épouse dont la fortune et les alliances feraient une puissance avec qui compter à Maison Haute. Mon beau-père ne vivrait pas éternellement. Et je me retrouverais seule au monde — car personne ne pouvait savoir où se serait envolé Gervais à ce moment-là ?

— Qu'avez-vous, Grace ? Vous ne vous sentez pas bien ?

L'arrivée subite de mon beau-père me fit sursauter. Il s'assit en face de moi, dans son fauteuil près de la cheminée, et me dévisagea d'un air qui, chez lui, équivalait à de la sympathie.

— Merci, je vais fort bien, je vous assure.

— Vous me répondriez de même si vous étiez à l'agonie. Enfin... Il faut que je vous dise quelque chose, Grace. Au sujet de Galton.

Je me sentais tout à coup si lasse, les paupières si lourdes, que je ne parvins pas à m'intéresser à ce qui allait suivre.

— J'ai récemment fait don du Prieuré à ma femme, poursuivit-il. Elle est désormais libre d'en disposer à sa guise, sans plus me demander mon avis.

— Vous lui avez donc rendu sa liberté.

— Elle le prend peut-être ainsi, dit-il en souriant. Mais la situation est un peu plus compliquée...

— Je sais. Cela veut dire aussi qu'elle peut léguer Galton à Gervais qui, avec le revenu de ses 10 pour 100 du capital, aura loisir d'y vivre à la manière de son oncle Perry Clevedon.

— C'est exact. M'en voulez-vous, Grace ?

— Pourquoi vous soucieriez-vous de mes sentiments ?

— Ne parlez donc pas aussi sottement ! répliqua-t-il en bougonnant. En signant l'acte, je savais fort bien que vous ne pouviez pas voir d'un bon œil Galton tomber entre les mains de Gervais. Je devais choisir entre ma femme et ma bru et, pour une fois, j'ai préféré ma femme. Je lui devais bien cela et davantage, comme vous le savez. Si notre mariage a été un échec, j'en porte ma part de responsabilité. Au fond, je suis mauvais perdant, je suis plus doué pour les affaires que pour les rapports humains — je n'en ai pas honte, c'est ainsi. Bien sûr, j'aurais pu, j'aurais dû m'occuper mieux de mon fils et le dresser pour en faire un homme. Je m'en suis désintéressé trop vite, je l'ai tenu à l'écart, c'est vrai et vous auriez parfaitement le droit de me le reprocher. Je ne vous en voudrais pas non plus, Grace, si vous me traitiez d'imbécile ou pire encore. J'ai eu des torts plus graves vis-à-vis de Venetia, j'en souffre assez aujourd'hui pour l'avouer. Je me suis volontairement et stupidement privé de tout ce qu'elle aurait pu m'apporter, de tout ce qu'elle était prête à m'offrir... Tout cela me rend sa perte encore plus cruelle, croyez-moi.

Un silence douloureux tomba entre nous. La gorge nouée, je me sentais incapable de parler. Ce fut lui, un long moment plus tard, qui reprit d'une voix étouffée :

— Que vouliez-vous que je fasse après sa première fugue ? Je ne l'ai quand même pas torturée pour la forcer à épouser Georges ! Je m'attendais même à ce qu'elle se batte, j'espérais qu'elle refuserait. Mais non, elle disait oui à tout... Alors, j'ai cru qu'il ne lui déplaisait pas — Georges est bel homme, après tout. Il a la tête sur les épaules, il était capable de prendre soin d'elle, de la rendre heureuse. Du moins je l'avais cru... Alors, que vouliez-vous que je fasse, Grace ?

— Je ne sais pas, père.

— Eh bien, je vais vous le dire, moi ! s'écria-t-il avec une sorte de rage. J'aurais pu, j'aurais dû commencer par faire un effort et me rapprocher de ma femme. Si j'avais mené mes affaires comme ma vie privée, je serais aujourd'hui réduit à la mendicité, Grace. Je ne me fais aucune illusion sur ce point.

Le silence retomba, plus lourd encore que la première fois. Je sentais de manière tangible la gêne, la colère même de cet homme qui ne savait comment extérioriser des sentiments trop longtemps et trop soigneusement contenus. C'est presque avec brutalité qu'il se pencha vers moi pour me dire :

— Enfin, bon dieu, Grace, vous devriez savoir le prix que nous attachons tous à votre présence ici ! En êtes-vous au moins consciente ?

— Je le sais...

— Allons, tant mieux. Et ne l'oubliez pas, surtout. Nous avons besoin de vous, Grace. J'irai même plus loin : je ne sais pas ce que nous ferions sans vous. Cette maison vous appartient, sachez-le. Elle n'existerait pas si vous la quittiez et je ne permettrai à personne, entendez-vous ? personne, de s'en mêler ou de vous compliquer la vie. Bonsoir.

Quelques jours plus tard, une fois apaisés les remous qui accompagnaient régulièrement les retours de Georges, je suis partie pour Galton par une belle matinée ensoleillée. J'y ai trouvé Mme Barforth qui se promenait le long du ruisseau, entourée de jeunes chiens qui gambadaient dans l'eau et éclaboussaient joyeusement leur maîtresse. A mon grand soulagement, je ne vis pas trace de la présence de Gervais.

— Grace ! Que je suis heureuse de vous voir, s'écria-t-elle. Vous êtes au courant, n'est-ce pas ?

— Oui. Quelle impression cela vous fait de vous sentir véritablement chez vous, maintenant ?

Elle sourit pensivement, appela les chiens qui jouaient dans les feuilles mortes sur l'autre rive :

— C'est étrange, voyez-vous. J'attendais ce moment depuis des années, j'ai tout fait pour y parvenir et, maintenant, rien ne me semble changé. Au plus profond de moi-même, je n'ai sans doute jamais pris au sérieux les menaces de mon mari. En un sens, et c'est un sentiment bien agréable, je crois lui avoir toujours fait confiance.

Elle me prit par le bras et nous avons franchi le pont aux planches vermoulues, tout en écartant les chiens qui sautaient sur nous et posaient leurs pattes boueuses sur nos robes

— Qu'allez-vous faire désormais, ma mère ?

— Faut-il absolument *faire* quelque chose ? Je pourrais prendre enfin mon envol, mais je n'en ai plus envie. Il y a vingt ans, mon mari croyait que je brûlais du désir de partir avec Julian Flood et c'est pourquoi il m'a coupé les ailes — non pas par jalousie, je tiens à le dire, mais parce qu'il était persuadé que Julian me ferait plus de mal que de bien.

— L'auriez-vous vraiment fait ?

Elle sourit rêveusement à l'évocation de souvenirs heureux :

— Sans doute, si mon mari m'en avait laissé la possibilité. J'aurais même réussi à être heureuse. Je suis douée pour le bonheur, mais un bonheur paisible, fondé sur l'amitié et non les grandes passions orageuses — elles ne conviennent pas du tout à mon tempérament, je l'avoue. Avec mon frère Perry, Julian était mon meilleur ami, à l'époque. Quand Perry est mort, il ne m'est resté que Julian. L'amitié, voilà ce qui a toujours manqué à mes rapports avec mon mari...

Elle s'interrompit un instant pour séparer les chiens qui se battaient puis, en se redressant, elle hésita avant de dire très vite, comme si elle se jetait à l'eau :

— Vous m'avez demandé ce que je comptais faire, Grace. Et vous ? Gervais n'a pas l'intention de revenir à Maison Haute, pour le moment du moins.

— Où ira-t-il ? Le savez-vous ?

La froideur, l'âpreté de ma voix me surprirent, comme si elles venaient d'une étrangère.

— Je ne sais pas, ma chère petite... Que pourrais-je vous dire ?...

Son affection embarrassée, le contact de sa main posée sur mon bras me furent soudain intolérables et je fis un geste brusque pour m'en débarrasser :

— Vous ne pouvez rien me dire dont je ne me doute déjà et je vous saurai même gré de ne plus m'en parler ! C'est Gervais qui devrait se trouver ici devant moi et s'exprimer à votre place. J'en sais déjà bien assez. Il m'a épousée sur un coup de tête, comme votre mari vous avait demandée en mariage, et le feu de paille s'est vite éteint. Au début, il m'aimait, encore une fois comme votre mari vous aimait, et j'ai eu le tort de compter sur son amour. Maintenant, je me sens trahie, comme vous vous êtes sentie vous-même trahie. Me le reprocheriez-vous ?

— Non, Grace, je ne vous fais aucun reproche. Mais je ne peux pas non plus lui attribuer tout le blâme...

— Bien entendu !

— Croyez-vous que je prenne toujours sa défense simplement parce que je suis sa mère ? Non, je ne suis pas aveugle. Je connais les défauts de Gervais, je m'en sais responsable en grande partie. C'est moi qui l'ai élevé comme un Clevedon en oubliant qu'il s'appelait Barforth, moi qui l'ai encouragé à détester les usines, qui l'ai soustrait à la discipline la plus élémentaire. C'est moi qui mentais à sa place quand il fuyait l'école et qui ai voulu en faire un « gentilhomme », à l'image de mon frère et de mes amis. Quand son père et moi nous sommes séparés, il a pris mon parti. Ma seule excuse, et elle n'est pas bonne, est d'avoir cru que son cœur restait tout entier ici, à Galton, avec moi.

— N'est-ce pas le cas ?

— Ouvrez les yeux, Grace ! Il ne vous aurait pas épousée s'il n'avait eu aucun doute sur sa véritable personnalité. Le jour de son mariage, la fortune de son père était à portée de sa main. Mon mari aurait su brider les ambitions de Georges, si Gervais s'était montré à la hauteur de ses espérances. Mais Gervais n'a pas eu le courage de persévérer. Il a laissé les usines lui échapper. Maintenant, il peut avoir Galton — à condition qu'il le veuille réellement, ce dont je ne suis pas même sûre. Écoutez, Grace... S'il exprimait le besoin de prendre du recul, de voyager par exemple, le temps de remettre ses idées en ordre, de mûrir sa décision, le lui accorderiez-vous ?

Je la voyais rougir, hésiter, en proie au plus vif embarras.

— Si je comprends bien, mère, il a déjà décidé de partir et vous me demandez de ne pas faire d'esclandre. Il me fuit comme il fuyait l'école, dans son enfance. C'est bien cela, n'est-ce pas ?

— Eh bien, oui, en un sens... Il est facile, je le sais, de ne voir en lui qu'un enfant gâté, un inutile. Vous aviez pourtant reconnu autre chose en lui et vous ne vous étiez pas trompée. Son père et moi avons exigé de sa part des choses trop différentes, qu'il n'était pas en mesure de comprendre. Aujourd'hui, il a besoin de calme afin de voir clair en lui, de trouver une solution à ce conflit intérieur qui le déchire. Il ne cherche pas à vous fuir, Grace, mais plutôt à se trouver lui-même. Lui refuseriez-vous cette chance ?

Elle semblait de plus en plus gênée, à court de mots pour s'exprimer. Et je compris alors que, si elle ne mentait pas, elle me cachait tout de même une bonne partie de la vérité. Mon désarroi n'en était que plus grand.

— Je suis donc censée l'attendre — combien de temps, six mois, deux ans ? — sans l'importuner. Patienter calmement jusqu'à ce qu'il soit capable de prendre une décision. Vous ai-je bien comprise, mère ?

Je me suis remise à marcher d'un pas que la colère rendait plus vif. De fait, Gervais m'avait délaissée depuis longtemps et, en acceptant ce compromis, je ne ferais que me conformer à la

« bienséance », à l'instar de Blanche, de mes propres parents et de tant d'autres dont l'exemple me revenait en mémoire. Je n'avais d'autre choix que de me soumettre aux usages — des usages si bien inculqués par toute mon éducation qu'ils faisaient partie intégrante de ma nature. J'étais une femme comme il faut — et une telle femme se sacrifie, accepte les décisions de son mari et ne fait pas de scandale. Mon père lui-même n'y trouverait rien à redire et ne comprendrait pas une révolte de ma part. Venetia elle-même, un jour, me l'avait dit : « Toi, au moins, tu auras toujours ta dignité »...

La colère me quitta peu à peu. J'en voyais trop bien l'inutilité. Il ne me restait qu'une grande lassitude. Les chiens avaient repris leurs gambades, réjouis sans doute par les senteurs exaltantes du printemps en train de naître mais qui me laissait insensible. Je suivis distraitement ma belle-mère dans la maison où elle m'accabla de friandises, de thé trop sucré, de propos insignifiants que je n'écoutais pas mais où je distinguais toujours le même embarras. Finalement, alors que je m'apprêtais à prendre congé, je résolus d'en avoir le cœur net :

— Gervais daignera-t-il quand même me voir ? Il voudra, je pense, me dire lui-même ce que vous essayez en vain de me cacher ?

Sa réaction m'étonna. Je la vis rougir, se mordre les lèvres, ouvrir et fermer la bouche. Des larmes apparurent dans ses yeux :

— Pourquoi faut-il que vous soyez si perspicace ? me dit-elle enfin d'une voix tremblante. Je ne devrais rien vous dire, Grace. Je manquerais à ma parole...

— Peu importe, ai-je répliqué plus sèchement que je ne l'aurais voulu. Je saurai le découvrir par moi-même.

— Il est inutile de vous mettre au courant, Grace, de vous faire de la peine pour rien...

— Je ne suis plus une gamine à qui l'on cache des secrets honteux ! La peine, je sais déjà ce que c'est. S'il s'agit de quelque chose d'important, j'ai le droit d'en être informée afin de décider en connaissance de cause.

— Eh bien... Diana Flood attend un enfant. Son mari et elle sont séparés depuis un an, comme vous le savez, puisqu'il est aux Indes avec son régiment...

— C'est donc Gervais le père. Tant mieux, j'en suis ravie pour lui. Il est au moins capable de procréer, quand je ne le suis pas et dois me contenter des orphelins et des laissés-pour-compte... Ne faites pas attention à ce que je dis.

Je me ressaisis avant de demander :

— Quelles mesures comptent-ils prendre ?

— Celles que l'on prend en pareil cas, ma pauvre petite.

Julian se chargera d'envoyer sa nièce dans un endroit discret jusqu'à l'accouchement. Ce ne sera pas la première fois qu'un tel événement se produit dans sa famille, ni dans la mienne je dois dire. Il le faut, voyez-vous. Le mari doit devenir Lord Sternmore à la mort de son oncle et ne peut avoir de doutes quant à la filiation de son aîné...

— Et Gervais ?

— Il prendra les frais à sa charge, bien entendu. Par la suite, Diana retournera aux Indes affronter le climat et les reproches de son mari. D'ici quelques années, je serai peut-être amenée à recueillir un jeune garçon, ou une fillette, que de lointains cousins auront laissé orphelin. A moins que Diana elle-même le recueille si, entre-temps, elle a donné des héritiers au colonel. Ces situations-là se dénouent habituellement sans problèmes insurmontables...

— Je les juge révoltantes ! Diana accepte-elle de se prêter à cette mascarade ?

— Bien entendu, ma chère enfant.

— Comment le peut-elle ? Gervais prendra les frais à sa charge, m'avez-vous dit. N'a-t-il rien proposé de mieux ? S'il veut voyager à l'étranger, ne lui a-t-il pas offert de partir avec lui ? Dites-moi toute la vérité, cette fois !

— Eh bien... Il le lui a proposé, en effet, mais Diana a dû refuser après avoir consulté sa famille. L'enjeu était trop important. Le titre des Sternmore est très ancien, si les terres sont lourdement hypothéquées, et la future Lady Sternmore ne peut se permettre une conduite prêtant à la critique, celle du monde bien sûr... Et puis, un amant n'est pas plus fidèle qu'un mari, Gervais moins que tout autre. S'il en est amoureux en ce moment, qui sait s'il le sera encore dans six mois... Vous m'avez demandé d'être franche, Grace. Pardonnez-moi si je me suis montrée brutale.

— Je vous en sais gré, mère. Qui d'autre est au courant de cette... affaire ?

— Mon mari. Votre père aussi. Il était de notre devoir de le lui dire.

— Et personne n'a jugé bon de m'en parler ? C'est inadmissible !

— Je viens de le faire, Grace, et vous ne m'en avez aucune reconnaissance.

Que changeait cette révélation ? J'étais depuis longtemps informée de leur liaison, sans rien faire pour la contrecarrer. Je m'étais accoutumée à l'existence stérile d'une femme délaissée. Notre séparation n'était connue que de deux ou trois personnes : mon beau-père, dont je m'expliquais mieux les protestations de sympathie; mon père, qui éviterait d'y faire allusion afin d'épargner ma sensibilité — comme je m'étais toujours efforcée de ne pas blesser la sienne. Alors, qu'y avait-il de changé ? Rien, sinon le durcissement de ma décision, repoussée de mois en mois, de me battre pour affirmer mon identité, mettre fin à cette perpétuelle enfance légale de la femme mariée qui n'existe qu'à travers un homme, même si ce dernier ne s'occupe pas d'elle.

Ajouté à cela, le souvenir de Venetia m'interdisait la résignation. Elle, si frêle, si vulnérable, avait été de celles qui, ne se laissant pas ballotter par les événements, agissent de leur propre initiative. Je revoyais son regard, mi-ironique, mi-affligé, qui semblait me dire : « Pauvre Grace ! Tu es comme les autres. Tu subiras toutes les avanies, toutes les humiliations pourvu que les apparences soient sauves. » Se méprenait-elle sur mon compte ? Me sous-estimait-elle ? J'espérais fermement que oui.

Depuis quelque temps, je sentais se former en moi une décision de nature scandaleuse, d'autant plus impossible à envisager que personne, avant moi, n'en avait eu l'audace. Cette décision, je résolus cependant de la prendre et je n'en fus pas bouleversée, comme l'aurait exigé la bienséance. Les modalités se précisèrent tout naturellement pendant mon retour solitaire à Maison Haute et j'en éprouvai une sérénité que je n'avais plus connue depuis longtemps. A l'exemple de Venetia rendant sa liberté à Robin Ashby, je m'engageais dans la seule voie ouverte devant moi. Je n'avais plus de choix, plus d'autre issue. Tout devenait simple : il suffisait d'agir.

Le maître d'hôtel m'accueillit à la porte, me remit des cartes de visite, un mot de Georges demandant je ne sais quel service. J'y jetai à peine un regard. Il m'avisa également d'un problème à la nursery; arrivée devant la porte, je m'abstins d'entrer. Je craignais que la petite Claire n'ait hérité la clairvoyance de sa mère et, malgré son jeune âge, ne devine mes intentions et m'accuse de trahison.

Une fois seule dans ma chambre, j'ai préparé un sac de voyage. J'ai convoqué la gouvernante en lui laissant mes instructions pour les repas de la semaine, je lui ai fourni de mon départ de fallacieuses explications, auxquelles elle voulut bien faire semblant de croire. Puis, tout étant réglé, je me suis fait conduire à Fieldhead. Et là, du ton flegmatique qui convient à la famille Agbrigg, j'ai demandé à mon père comment il me conseillait de m'y prendre pour obtenir le divorce.

18

En dépit de sa brillante intelligence, de son aptitude à tout envisager sans s'émouvoir et de son habileté à débrouiller les situations juridiques les plus complexes, mon père réagit à ma déclaration avec stupeur et incrédulité :

— Tu es mal remise du choc, tu n'es pas en état de raisonner. Je suis au courant de la fâcheuse posture où s'est mis ton mari. Elle est regrettable, certes, mais n'a rien d'exceptionnel, hélas ! Pour le moment, je ne puis que te conseiller de rester ici quelques jours, jusqu'à ce que tu aies retrouvé ton sang-froid. Les choses t'apparaîtront sans doute sous un jour différent.

Je lui répondis que j'avais mûrement réfléchi et que j'étais fort bien remise du choc initial. Demain comme dans six mois, la situation m'apparaîtrait toujours aussi scandaleuse et rien ne modifierait mon point de vue.

— Crois-tu donc que je l'approuve ? s'écria-t-il avec une chaleur inhabituelle. Je n'ai pas caché mon déplaisir — pour ne pas dire plus — lorsque Nicolas Barforth est venu m'en entretenir. Malheureusement, comme tu devrais le savoir, ce sont des choses qui arrivent fréquemment. Il me semble inutile, voire nuisible, d'en faire une montagne. Franchement, je serais plus enclin à plaindre les Flood. Ou bien cette femme devra se résoudre à se séparer de son enfant, ou bien le mari sera contraint d'élever un bâtard et de lui donner son nom. Dans un cas comme dans l'autre, leur situation est extrêmement déplaisante.

— Ainsi, je devrais selon vous oublier et pardonner ?

Je vis s'allumer dans ses yeux froids une lueur amusée :

— Voyons, Grace, tu es une femme ! N'est-ce pas là le propre de la nature féminine ?

Deux jours s'écoulèrent sans qu'il m'en reparlât. Le troisième, il me pria de le suivre dans son cabinet de travail aux boiseries sombres où, plusieurs années auparavant, il m'avait expliqué les termes de mon contrat de mariage et fait don des bijoux de ma mère.

Pendant quelques instants, il resta plongé dans d'épais volumes à la reliure de cuir étalés sur son bureau. Il avait retrouvé son attitude impersonnelle et efficace d'homme de loi.

— Tu m'as présenté, l'autre soir, une certaine requête. J'aimerais savoir si, au bout de quarante-huit heures de réflexion, tu as changé d'avis.

— Nullement.

— Soit. Je ne doute pas, cependant, que tu sois amenée à le faire après avoir entendu ce que je vais t'exposer.

Il me fit alors une relation fort complète de l'évolution des lois sur le divorce au cours des quatre siècles écoulés. Dans les deux cents dernières années, m'apprit-il, quatre femmes seulement avaient obtenu le divorce aux torts de leurs maris. Jamais, en effet, la loi n'accordait à l'adultère du mari le caractère quasi criminel que pouvait prendre celui de la femme. Par ailleurs, le coût prohibitif de la procédure engagée devant le Parlement la mettait hors de portée des gens du commun et seuls les plus puissants et les plus fortunés pouvaient s'offrir ce luxe. En 1875, toutefois, l'on avait apporté certaines modifications à une législation largement périmée. Désormais, le divorce échappait aux tribunaux ecclésiastiques et au Parlement pour être du ressort d'un tribunal civil. La procédure, considérablement simplifiée, devenait moins coûteuse. Les nouvelles dispositions offraient également l'avantage décisif, d'un point de vue féminin, de rendre à la femme divorcée son statut de célibataire. Elles lui permettaient de reprendre la propriété de ses biens, restauraient sa liberté de contracter par-devant notaire, en un mot lui restituaient ses capacités d'individu majeur et l'affranchissaient de toute tutelle.

— Fort bien, dis-je avec soulagement. Alors, que faut-il faire pour obtenir ce miraculeux affranchissement ?

— J'y arrive dans un instant. Pour un homme, les choses sont extrêmement simples. Il lui suffit d'apporter la preuve de l'adultère de sa femme et le jugement est automatiquement rendu en sa faveur. Dans le cas d'une femme, en revanche, l'affaire se complique car elle doit, en plus de l'adultère de son mari, prouver l'existence d'un autre délit.

— Lequel ? ai-je demandé en sentant s'évanouir mon bel optimisme.

Il entreprit alors d'énumérer un certain nombre de crimes, plus odieux les uns que les autres, dont les moindres avaient pour noms inceste, bigamie, sodomie, viol ou bestialité.

— Tout cela te choque, à ce que je constate, me dit-il.

— J'en suis révoltée !

— Je te comprends, le sujet en lui-même est parfaitement révoltant Mais si tu es décidée à poursuivre, il faut te préparer à subir bien des avanies et mon devoir est de t'y préparer. Je ne te parle pas en père mais en conseiller juridique. Je dois interpréter la loi telle qu'elle est et envisager, par conséquent, toutes ses dispositions. Reprenons...

Quelques instants plus tard, il en arriva au délit que constitue l'abandon du domicile conjugal :

— Voilà ! me suis-je écriée. C'est le motif qui convient. Sa mère m'a informée que Gervais n'avait pas l'intention de revenir à Maison Haute et il ne m'a jamais demandé de le rejoindre où il se trouve.

— Tu ne m'as pas laissé finir, Grace. Cet abandon doit durer depuis au moins deux ans.

— Deux ans ! Pourquoi si longtemps ?

— C'est ainsi.

Il me laissa quelques minutes remâcher ma déception avant de reprendre la parole en esquissant un sourire ·

— Néanmoins...

— Ah ! J'étais sûre qu'il existait un moyen !

— C'est malheureusement exact. Considérons tout d'abord que la preuve de l'adultère n'est plus à faire, je ne prévois aucune difficulté de ce côté-là. Il me resterait par conséquent à obtenir du tribunal un commandement enjoignant à ton mari de réintégrer le domicile conjugal. Faute de s'y soumettre dans les six mois, il confirmerait ses torts envers toi et nous pourrions alors intenter contre lui la procédure de divorce proprement dite.

— Cela poserait-il un problème ?

— Aucun, sauf — et je dois t'en prévenir — si ton mari s'avisait d'obéir au commandement. Qu'il revienne à Maison Haute ou te propose de le rejoindre à quelque domicile de son choix et tu ne pourrais plus rien contre lui.

— Il n'a aucune envie de revenir avec moi...

— Mais il peut y être contraint par Mme Flood ou le décider comme un geste de galanterie à son égard. Elle désire garder cette affaire secrète et retourner vers son mari. Tu lui en enlèverais toute possibilité en demandant le divorce. De même, ton mari peut souhaiter lui épargner le scandale. Y avais-tu songé ?

Je ne l'avais pas envisagé, en effet, et je reconnus là le premier des nombreux et difficiles obstacles dont mon chemin serait hérissé. Pour la première fois, l'on me demandait de choisir entre mes intérêts et ceux de quelqu'un d'autre. Ma décision fut vite prise : je n'agirais qu'en ma faveur. Je le dis à mon père, en ajoutant que si Gervais craignait qu'un scandale ternisse la réputation de sa maîtresse — il était bien temps de s'en soucier ! — l'opinion de Cullingford et la réprobation d'une Mme Rawnsley m'indifféraient.

Il fit un de ses pâles sourires et referma ses dossiers :

— Soit, tu n'as peur de rien et tu es décidée à continuer coûte que coûte. J'engagerai donc la procédure. Mais j'entends également avancer avec précaution. Je souhaiterais d'abord que tu t'absentes pendant une semaine ou deux. Va chez ma mère à Scarborough ou dans ma maison de Grasmere, peu importe. Fais de longues promenades au grand air, réfléchis soigneusement, examine ta situation sous tous les angles. A ton retour, tu me confirmeras tes instructions. Inutile, je pense, de te préciser qu'il faut éviter toute communication avec Gervais, car le plus léger soupçon de connivence entre vous anéantirait ton dossier. Dans l'état actuel de nos lois, les époux n'ont pas le droit de vouloir se séparer de leur plein gré. Si jamais l'affaire « Barforth contre Barforth » vient à être plaidée, l'un d'eux doit se montrer coupable, l'autre innocent. La loi peut condamner, elle ne sait pas absoudre.

Je suis partie le lendemain pour Grasmere, afin de mettre ma résolution à l'épreuve dans cet endroit où j'avais connu mes moments les plus heureux avec Gervais. C'est pourtant moins à lui que je me surprenais à penser, tout en marchant au bord du lac, qu'à Venetia. Elle avait inspiré ma décision, son souvenir me poussait à la mener jusqu'à son terme. Je serais capable d'accomplir ce qu'elle aurait dû faire, je ferais preuve de la résolution qui lui avait manqué. Tel un monument érigé à sa mémoire, je deviendrais une femme vraiment libre de mes actes, j'accepterais mes responsabilités, je déciderais de mes plaisirs. Je subirais sans me plaindre les conséquences de mes erreurs mais je jouirais pleinement du fruit de mes efforts.

Je me sentais sûre de moi, même au cours de ces soirées perfides où la douceur de l'air et les senteurs du printemps me privaient de sommeil et me forçaient à penser à Gervais. Il méritait cent fois le coup que je m'apprêtais à lui porter, mais la certitude de mon bon droit ne me rendait pas la tâche plus aisée. Aussi me suis-je contrainte à procéder avec les précautions que me recommandait mon père, à ne considérer qu'un seul aspect de la question à la fois. Lorsque je suis rentrée à Fieldhead trois semaines plus tard, je me sentais plus que jamais persuadée d'avoir pris la bonne décision.

— Fort bien, me dit mon père quand je lui en eus fait part. Je demanderai dès demain au tribunal d'enjoindre à ton mari de réintégrer le domicile conjugal. Quant à toi, ma chère fille, reste tranquillement ici et prépare-toi à affronter l'orage.

Je m'attendais, en effet, à une explosion de fureur de la part de mon beau-père. Aussi, lorsqu'il vint à Fieldhead quelques jours plus tard et commença par contempler en silence pendant cinq longues minutes les dessins du tapis, j'interprétai son comportement comme un prélude à d'effroyables cataclysmes.

Je fus surprise de le voir se lever et aller s'adosser à la cheminée, dans sa position favorite. Je ne pus m'empêcher de remarquer que ses épaules se voûtaient légèrement et que ses nouveaux cheveux gris lui allaient le mieux du monde. C'est d'un ton calme qu'il entreprit d'abord de me démontrer combien il lui serait facile de mettre un terme à mes agissements et de me faire docilement revenir à Maison Haute, avec l'approbation de mon père à qui mon initiative déplaisait autant qu'à lui-même. Il leur suffirait, afin de me couper les ailes, de supprimer d'un commun accord les subsides et autres revenus que je ne tenais que de leur libéralité.

— M'avez-vous bien compris ? conclut-il.

— Assurément.

— Bon, ne l'oubliez pas. Et maintenant, je vais vous dire ce que je compte faire en réalité. Quand vous avez épousé mon fils, vous avez apporté une dot. Je veillerai personnellement à ce qu'elle vous soit rendue intégralement, jusqu'au dernier sou, avant que vous quittiez officiellement et définitivement la maison. Jusqu'au dernier sou, vous m'entendez ?

Il ne connaissait pas d'autre ni de meilleure manière de m'exprimer sa reconnaissance. La maladresse touchante avec laquelle il m'offrait de l'argent me fit venir les larmes aux yeux.

— Merci, ai-je murmuré.

— De rien, dit-il en bougonnant. Auriez-vous autre chose à me dire ? Que puis-je faire pour... me rendre utile ?

J'ai dû avaler ma salive avant de répondre :

— Vous comprenez pourquoi j'agis ainsi, n'est-ce pas ? Je ne souhaite pas que Gervais obéisse au commandement du tribunal.

Il ne put retenir un sourire amusé :

— Ne vous inquiétez donc pas, Grace ! Je ne suis pas assez bête pour vous ramener mon vaurien de fils par la peau du cou. Si je me suis trop mêlé des affaires des autres jusqu'à présent, j'ai retenu la leçon, croyez-moi. Qu'il se débrouille par ses propres moyens, je le laisserai faire.

— Écoutez, euh... père, je ne vous demande pas non plus de le punir. Je ne lui souhaite pas de mal et je ne voudrais surtout pas qu'il risque, à cause de moi, de perdre...

— Ses 10 pour 100 de mon capital ? Ne craignez rien. Il a largement de quoi vivre avec cela. S'il lui prenait l'envie de les vendre, il n'aurait guère que Georges ou moi comme clients et je veillerais à ce qu'il en retire un prix honnête. Quant au reste, ma petite, à mes 80 pour 100, aux Peignages et aux Teintures, vous attendrez comme les autres de lire mon testament.

— Cela viendra bien assez tôt ! ai-je protesté.

Ma repartie le fit de nouveau sourire.

— Bon, il est temps que je m'en aille, dit-il en se levant. Je

voulais juste vous rassurer, Grace. Vous récupérerez votre dot.
je vous en donne ma parole.

Je lui étais encore plus reconnaissante de n'avoir pas fait
allusion à la pauvre petite Claire, seule dans sa nursery, et à sa
propre solitude, dont je connaissais trop la profondeur.

Ma présence prolongée à Fieldhead finit par piquer la
curiosité des bonnes âmes. Ces dames se succédèrent, qui me
prodiguaient conseils et consolations sans obtenir le moindre
indice quant à la raison véritable de mon absence de Maison
Haute. Aussi, dans de telles circonstances, la visite de Sir Julian
Flood fut-elle particulièrement malavisée.

Lorsque je le vis descendre de cheval, je sentis ma gorge se
nouer et je dus attendre d'avoir repris contenance avant de
descendre au salon où on l'avait fait entrer.

Debout devant la cheminée, dans la même position que mon
beau-père, il avait encore belle allure. Ses ancêtres avaient régné
sur Cullingford trois siècles durant, quand les miens n'étaient
encore que des paysans ou des vagabonds. S'il avait dilapidé le
peu de fortune épargné par les dissipations de son grand-père, il
conservait son maintien plein de hauteur et ne cherchait pas à
dissimuler le dédain qu'éprouve un homme de son rang envers
les inférieurs auxquels les circonstances le contraignent à
se frotter. Il était cependant l'homme que ma belle-mère,
Mme Barforth, honorait du titre de meilleur ami et considérait
comme son sauveur, dans les jours sombres de la mort de son
frère. Je dus me le remémorer afin de ne pas me laisser intimider
— je ne pouvais d'ailleurs pas me le permettre.

— Vous vous demandez sans doute ce que je fais ici, me dit-il
après les salutations d'usage.

— Je tiens surtout à vous dire, monsieur, que votre présence
me paraît extrêmement déplacée.

Il éclata de rire et me toisa du regard qu'un maquignon
accorde à une belle pouliche, ou un homme de sa classe à
quelque grisette :

— « Déplacée » ! Quel mot étrange. Chez nous, on m'aurait
dit que je faisais preuve de mauvais goût. Bah ! J'espère que
nous arriverons quand même à nous comprendre.

— Et que cherchez-vous à me faire « comprendre » ?

— Tout bonnement qu'il est temps de mettre un terme à cette
histoire grotesque. Vous êtes mécontente, si vous me passez cet
euphémisme, et vous avez raison. Mais enfin, vous nous l'avez
assez fait sentir, il est inutile d'aller plus loin. Réglons la
question de manière civilisée.

— Telle est précisément mon intention.

Il leva les sourcils d'un air soupçonneux, étonné d'une victoire
si rapide :

— Voulez-vous dire que vous êtes prête à stopper la procédure ?

— Bien au contraire, j'entends la mener jusqu'au bout. Voilà ce que j'appelle la « manière civilisée ».

Il réagit comme si je l'avais giflé et arpenta la pièce en me jetant des regards où la haine le disputait au mépris. Puis, convaincu qu'il ne pouvait ni me chasser de ma métairie, ni résilier le bail de ma chaumière, encore moins me faire jeter aux oubliettes par ses gens, il reprit position devant la cheminée et parvint à se dominer :

— Estimez-vous « civilisé », madame, d'acculer une femme à sa perte ? Envisagez-vous de gaieté de cœur de ruiner la vie entière de ma nièce ? Car c'est à cela que vous parviendrez, ne le niez pas.

Je ne lui reprochais pas de défendre les siens et d'intervenir en faveur de la fille d'un frère mort trop jeune. Il l'avait élevée, mal peut-être, mais comme sa propre fille. S'il me forçait à cette confrontation, je ne pouvais cependant pas me dérober :

— Il est exact que ma demande de divorce portera préjudice à Mme Flood. Je ne m'en considère cependant pas responsable.

— Et qui donc le serait, selon vous ? gronda-t-il, visiblement à bout de nerfs.

— Si vous feignez de l'ignorer, monsieur, ce n'est pas à moi de vous l'apprendre.

Un long silence suivit cette réponse. Nous l'avons tous deux mis à profit pour nous ressaisir. Il dut, de son côté, prendre conscience qu'il était venu me voir plus afin de protéger la réputation de sa nièce que de salir la mienne. Aussi se força-t-il à sourire en prenant un ton raisonnable :

— Nous n'avancerons pas en nous abandonnant au ressentiment, madame. Je ne vous demande qu'une chose, c'est de réfléchir sérieusement aux conséquences de vos actes, à ce qu'elles représentent pour Diana. Dieu sait que je n'excuse pas sa conduite, mais vous ne pouvez pas, vous n'avez pas le droit de lui infliger de tels tourments. Votre conscience vous le reprocherait. Imaginez la boue que les journaux vont remuer, le déshonneur qui rejaillira sur la famille. N'oubliez pas non plus son mari. Que vous a-t-il fait ? Rien. C'est un honnête homme, dont un tel scandale risque de briser la carrière.

— Alors, monsieur, que devrais-je faire, selon vous ?

— Montrez-vous raisonnable, ma chère, faites preuve de charité. Je sais, les femmes n'aiment guère pardonner, encore moins oublier. Mais réfléchissez, je ne vous demande rien de plus. Diana se trouve dans une position déjà assez pénible, ne l'aggravez pas inutilement. Laissez-la avoir son enfant en paix, n'intervenez pas à tort et à travers, respectez les dispositions que nous avons prises, elles ne vous portent aucun préjudice. A quoi bon le scandale ? Personne n'en tirera profit, pas même vous. L'année prochaine, dans six mois peut-être, nul n'y pensera plus, croyez-moi.

— J'aimerais pouvoir être d'accord, monsieur

— Plaît-il ?

— J'ai pleinement conscience de la gravité de la situation où se trouve Mme Flood, mais je n'ai pas, pour autant, l'intention de compromettre la mienne. Il me semble infiniment regrettable que votre nièce ne se soit pas rendu compte des conséquences de ses actes avant qu'il soit trop tard — voire avant même de les avoir commis. Je le regrette sincèrement mais, je vous le répète, je n'en suis nullement responsable.

Il me jeta un regard exprimant le dégoût le plus total, s'efforça de faire un sourire de mépris mais ne parvint qu'à esquisser une grimace :

— Ainsi, c'est donc cela ! Vous voulez vous venger, hein ? Il vous faut du sang. Eh bien, non, madame ! Je ne vous le permettrai pas. Je refuse de voir une vie gâchée pour un caprice de bigote hypocrite. Votre mentalité de boutiquière est intolérable !

J'aurais pu le remettre vertement à sa place, le faire jeter à la porte ou encore fondre en larmes — j'étais d'ailleurs partagée entre ces trois réactions. Je me suis au contraire forcée à conserver mon calme, à rester droite et digne. Mon père m'avait mise en garde contre les avanies qui ne manqueraient pas de pleuvoir sur moi; celle-ci n'était que la première. Mieux valait m'y accoutumer et apprendre à riposter.

— Traitez-moi de tous les noms qu'il vous plaira, monsieur, ils ne changent rien au fait que je n'ai aucun tort envers votre nièce. Je tiens à ce divorce qui représente ma seule chance de mener une vie honnête et en accord avec mes principes. Je n'entends pas en faire le sacrifice à la carrière du colonel Flood ou à la réputation de sa femme. Ce n'est pas en essayant de m'intimider que vous me ferez changer d'avis, monsieur. Ma décision est prise, je m'y tiendrai. Si j'accepte la pleine et entière responsabilité de mes actes, Mme Flood devrait pouvoir faire de même. Et vous aussi.

Une longue minute, il me dévisagea, les lèvres serrées. Je fus stupéfaite de voir des larmes apparaître dans ses yeux :

— Vous cherchez donc à la tuer ?

Je ne répondis pas, tant j'étais occupée à conserver ma dignité. Alors, en ponctuant ses mots d'un coup de poing sur la cheminée, il laissa échapper un juron :

— Sale garce...

— Adieu, monsieur ! l'ai-je interrompu.

— Et moi, je vous envoie au diable !

Lorsqu'il fut parti en claquant la porte, je me suis laissée tomber sur le siège le plus proche. Mes nerfs, tendus par l'effort que je m'étais imposé pour rester calme, se relâchèrent d'un seul coup et je me sentis saisie d'un tremblement incontrôlable. Il me fallut un long moment pour comprendre la raison de cette attaque brutale : Gervais avait refusé de me rejoindre et de mettre ainsi fin à ce que Sir Julian qualifiait d'« histoire grotesque ».

Derrière les vitres, je voyais distraitement étinceler un radieux après-midi de printemps. Les jonquilles ondulaient sous la brise, les branches se couvraient, presque à vue d'œil, de bourgeons, de fleurs blanches ou roses. La saison s'accordait mieux aux serments frivoles qu'aux décisions austères et aux pensées sinistres. Une abeille, la première de l'année, vint bourdonner contre la fenêtre. J'entendis une voix dans le hall et je vis surgir Mme Agbrigg qui s'assit en face de moi. Elle choisissait bien son moment : j'étais encore trop épuisée par mon affrontement avec Sir Julian pour en entamer un autre avec quelque chance de succès.

Le redoutable dragon de mon enfance faisait patte de velours et me souriait aimablement :

— Il est grand temps, ma chère Grace, que nous parlions un peu de votre situation.

— Ne craignez rien, je ne suis pas venue chercher un refuge permanent sous votre toit. Une fois tout réglé, j'ai la ferme intention de vivre seule, chez moi.

Son sourire ne s'atténua pas. Je vis un rayon de soleil jouer sur ses bagues et s'accrocher un instant à la croix d'or que j'avais toujours vue pendue à son cou.

— Votre père me l'a expliqué et je n'ai aucune inquiétude quant à vos capacités de maîtresse de maison. Aussi est-ce plutôt à l'aspect — comment dirais-je ? — mondain de la question que je m'intéresse.

— Craindriez-vous que Mme Rawnsley ne traverse la rue en me voyant ou que Mlle Mandelbaum ne m'invite plus à ses thés ?

— Non, il ne s'agit pas de cela non plus. Je sais que vous n'attachez aucune importance à la bonne ou mauvaise opinion de ces dames car vous n'avez jamais, comme moi, eu de raison de vous en soucier. Dites-moi, Grace, Sir Julian s'est-il montré particulièrement odieux ?

— Oui.

— Vous a-t-il parlé comme aucun homme bien élevé n'avait encore osé le faire ?

— En effet

— Vous êtes-vous demandé pourquoi ? S'il s'est conduit ainsi, ce n'est pas entièrement à cause de Mme Flood, mais plutôt parce que vous vous trouvez désormais dans une position où il s'estime dispensé de vous traiter avec égards. A ses yeux, vous n'êtes plus une « dame » mais une simple femme, avec qui l'on peut tout se permettre.

Ses paroles me surprenaient moins par leur teneur inattendue que par leur sincérité et l'intérêt soucieux qu'elles exprimaient.

— Comment cela ? Je n'ai rien fait pour ternir ma réputation.

— Hélas, si, ma chère petite ! Vous bafouez les conventions. Vous rejetez l'autorité masculine, vous affichez votre désir d'indépendance du vivant même de votre père et de votre mari. Vous constituez, par conséquent, un danger pour la société. Imaginez ce qui se passerait si d'autres s'avisaient de suivre votre exemple ! Ce ne serait plus seulement la fin de l'harmonie des ménages, ce serait le chaos financier, l'écroulement de fortunes établies. Et cela, ma chère enfant, la société ne peut le permettre et ne vous le pardonnera jamais. On vous collera l'étiquette infamante de « divorcée », on s'empressera d'oublier les circonstances réelles de votre séparation, de sorte que vous ne vaudrez bientôt pas mieux qu'une gourgandine. Vous serez alors soumise à toutes sortes d'agressions et d'indignités dont j'ai peur que vous ne vous représentiez pas la gravité.

— Seriez-vous inquiète de mon sort ?

— Cela vous étonne, n'est-ce pas ? Vous me connaissez donc mal, Grace. Moi aussi, voyez-vous, j'ai porté bien des étiquettes. En ce qui vous concerne, vous m'aviez dès le début attribué celle de « marâtre » en décidant de me haïr, ce qui est somme toute fort naturel et ne tirait guère à conséquence. Je ne m'occupais que de votre père, j'en conviens, et je n'avais rien à vous offrir. Vous aviez vos amis, votre famille, votre tante Julia par exemple. Moi, je n'avais que votre père et j'entendais le garder. Seulement, voilà : jamais votre tante Julia ne pourra vous apprendre ce que l'on ressent quand on est universellement cataloguée sous l'étiquette « prostituée ». Moi, je peux. M'écouterez-vous ?

— Volontiers.

En des termes souvent émouvants dans leur simplicité, elle me raconta comment sa « carrière », commencée à l'âge de treize ans, s'était poursuivie grâce à une longue succession de « protecteurs » dont M. Oldroyd avait été le dernier en date. Elle me dépeignit la manière dont les dames bien-pensantes de Cullingford se détournaient en affectant le dégoût, comme si elle se couvrait d'immondices et non des plus coûteux parfums français.

— Vous ne serez peut-être pas exposée à de tels traitements,

Grace, mais ne vous faites pas d'illusions. Une fois que vous aurez rejeté la défroque de la respectabilité, vous pénétrerez dans une jungle peuplée de chasseurs qui, croyez-moi, ne se comportent pas en « gentlemen ».

— Ce ne sont quand même pas tous des brutes...

— Non, répondit-elle rêveusement, pas tous. Delaney, par exemple... Il est mort en prison, à l'âge de vingt-cinq ans. Le vieux Matthew Oldroyd n'était pas un sauvage, lui non plus, tout au plus un vieillard aigri qui m'a épousée pour narguer sa famille. Et puis, il y a eu votre père... Oserai-je vous en parler ?

J'ai hoché la tête, elle s'est carrée dans son fauteuil et, pour la première fois, je lui ai vu prendre l'attitude d'une dame d'un certain âge qui, ayant enfin trouvé la sécurité, n'éprouve plus le besoin de se rajeunir.

— J'ai pour lui une profonde affection, commença-t-elle. Dès le début, j'étais décidée à me l'attacher d'une manière ou d'une autre...

— Et lui ? l'ai-je interrompue.

— Oh, lui... Il était encore amoureux, je crois. Un rêve de jeunesse*. Moi, je représentais la réalité, la sécurité dont il avait toute sa vie été, lui aussi, démuni. Nous avons donc conclu une sorte de marché : ma fortune contre la respectabilité qu'il était capable de me procurer. Il n'exigeait rien de plus. Mais moi, Grace, je voulais mieux. Si j'avais survécu à tout, si je m'étais montrée capable de faire ma fortune, je savais pouvoir *aussi* profiter d'un peu de bonheur et me faire aimer de mon mari. J'ai réussi — et vous estimerez peut-être que j'ai gagné plus que je ne méritais... Mais j'étais venue vous rejoindre pour parler de vous, pas de moi. Comptez-vous aller jusqu'au bout, Grace ?

J'ai fait un signe d'assentiment.

— Je le craignais, reprit-elle. Cela me déplaît, ma chère petite, uniquement à cause de votre père. Il en souffre, car il ne savait pas que vous souffriez vous-même depuis longtemps, comme je l'avais deviné. Il souffrira plus encore si vous vous éloignez de lui et quittez Cullingford.

— Je ne l'avais pas même envisagé.

— Ce serait pourtant la meilleure solution, en ce qui vous concerne. Ailleurs, vous pourriez repartir à zéro. Personne ne serait au courant de votre vie privée ni ne serait tenté de vous calomnier. Vous n'avez que l'embarras du choix, vous perdre dans une grande ville, ou préférer l'isolement d'une maison de campagne, l'étranger... Vous vous feriez passer pour veuve. Et cependant, votre père se sentirait plus tranquille de vous savoir ici, de pouvoir vous protéger.

---

* Du même auteur, lire *Le silex et la rose*, Belfond.

— Je sais.

Elle se pencha vers moi, posa sa main sur la mienne en un geste d'affection spontanée qu'elle souligna d'un sourire :

— Un dernier mot, Grace. Nous ne sommes jamais tout à fait libres, voyez-vous — aussi longtemps, du moins, qu'il reste sur Terre une personne que nous aimons.

Comme d'habitude, elle avait atteint son but. Cette fois, cependant, je l'acceptai. Elle avait raison — elle avait le droit — d'annoncer à mon père mon intention de rester à Cullingford, de la lui présenter comme un gage de son amour pour lui plutôt que du mien. Cela me semblait normal.

Nous nous sommes levées d'un même mouvement. Face à face, les yeux dans les yeux, nous nous sommes souri.

— Euh... Madame ?

— Oui, ma chérie ?

— Comment puis-je vous appeler ? Madame ne convient décidément pas et je crois avoir passé l'âge de vous dire « belle-maman ».

— Eh bien, j'ai un prénom, Tessa. Appelez-moi donc ainsi, voulez-vous ? Et la prochaine fois que vous le direz devant Mme Rawnsley et que vous la verrez faire une moue réprobatrice, vous saurez que votre apprentissage de la liberté a commencé.

19

En apprenant mon « coup de tête », Blanche réagit avec effarement et ne fut pas loin de me croire devenue idiote. « Mais à quoi bon te donner tout ce mal ? me répéta-t-elle. Je ne vois vraiment pas ce que tu y gagnes. » Puis, désespérant de me convaincre, elle finit par hausser les épaules et m'invita à l'accompagner à Londres en attendant que ce soit fini :

— Ces vieilles toupies vont s'empresser de te déchirer à belles dents dès qu'elles auront vent de l'affaire. Ne t'inquiète pas, tante Caroline est obligée de rester à South-Erin pour soigner la bronchite du pauvre duc. Nous aurons la maison à nous.

Officiellement encore en deuil de Venetia, elle prévoyait une « saison » calme. À peine fûmes-nous débarquées que je compris que son idée de « calme » ne correspondait guère à la mienne. Du matin jusque fort avant dans la nuit, ce ne fut qu'un tourbillon de réceptions, de dîners, de bals, de soirées à l'Opéra et autres festivités auxquelles, m'affirmait-elle, il lui était impossible de se dérober. De son côté, Dominique menait une vie non moins agitée et accordait, de temps à autre, quelques heures de son temps à sa femme. De fait, ils ne vivaient pas plus ensemble que je ne l'avais fait avec Gervais ces deux dernières années mais n'en manifestaient nul déplaisir.

— Tu devrais t'installer ici, me dit Blanche, et faire quelques apparitions à Cullingford pendant que Gervais est à Galton. Personne n'y trouverait rien à redire, tout le monde serait ravi de te revoir et cela reviendrait au même qu'un divorce. Au moins, tu sauverais ta réputation.

— Et je serais toujours mariée avec Gervais.

— La belle affaire ! Ne vaut-il pas mieux profiter de sa liberté, comme je le fais ? À moins, bien entendu, que tu n'aies l'intention de te remarier, ou que cette pauvre Venetia ne t'ait farci la tête de ses sornettes sur les grandes passions...

Sous le vernis de futilité qu'elle affectait, Blanche ne parvenait pas à me dissimuler des angoisses qui la rendaient plus humaine et qui, pour un peu, m'auraient fait croire à sa capacité d'éprouver les « grandes passions » dont elle feignait de rire. En janvier de cette même année, 5 000 soldats britanniques —

parmi lesquels un certain capitaine Noël Chard — avaient pénétré au Zoulouland où, avec l'appui de 8 000 indigènes, ils étaient censés contenir les quelque 40 000 guerriers du roi zoulou Cetewayo. Depuis, les revers succédaient aux combats incertains, nos pertes s'accumulaient; l'on évoquait avec horreur les sagaies que les redoutables Zoulous maniaient si habilement pour décimer les troupes de Sa Gracieuse Majesté.

Au mois de juin, l'on apprit que le Prince Impérial, fils unique de l'ex-empereur Napoléon III et de l'impératrice Eugénie, avait trouvé la mort dans une embuscade. La fin tragique de ce jeune prince, si populaire dans la société londonienne et très aimé du Prince de Galles, accabla Blanche qui ne pensait qu'à son compagnon d'armes, Noël Chard. Elle l'imaginait transpercé d'une sagaie, couvert de sang et de poussière, gisant dans la boue ou dans quelque char à bœufs au milieu des blessés et des mourants — à moins qu'il ne fût victime d'une de ces mystérieuses et fatales maladies tropicales.

— Si seulement il était resté à Listonby comme je l'en suppliais ! gémissait-elle avec des larmes dans la voix.

La nouvelle nous parvint enfin que, le 4 juillet, Lord Chelmsford, notre général en chef, avait capturé Cetewayo à Ulundi et réussi à massacrer un nombre suffisant de lanceurs de sagaies pour venger nos victimes et se proclamer vainqueur. La guerre était finie, mais les angoisses de Blanche ne firent que redoubler. Le ministère de la Guerre n'avait encore publié aucune liste des morts et des blessés :

— Il faut que Dominique intervienne auprès de Disraeli, le Premier Ministre ! Si Noël était blessé, ses frères ont le devoir d'aller le chercher avant qu'il soit trop tard.

En attendant, le tourbillon monotone des bals et des soupers se poursuivait, entrecoupé de promenades en calèche dans Hyde Park. C'est là, quelques jours plus tard, que je reconnus Georges Chard, debout près d'un landau tapissé de soie et en grande conversation avec une dame.

Il ne pouvait pas ne pas nous avoir vu arriver et, cependant, ni lui ni Blanche n'esquissèrent le moindre signe de reconnaissance. L'avant-veille, Blanche ne parlait que de l'expédier au plus profond de l'Afrique; elle posa sur lui un regard aussi indifférent que s'il n'existait pas. Lui-même ne fit pas un geste et feignit de voir passer une inconnue.

— Voyons, Blanche, c'est Georges !...

— Chut ! Ne le dévisage donc pas ainsi, répondit-elle en saluant une de ses relations.

— S'il refuse de m'adresser la parole, il pourrait au moins...

Elle fit claquer le fermoir de son ombrelle et attendit que nous ayons dépassé l'équipage pour reprendre la parole :

— Je ne te savais pas si sotte, ma pauvre Grace ! Tu as pourtant assez l'habitude du monde pour comprendre qu'un homme ne peut pas embarrasser une dame de sa connaissance en la saluant quand il est en compagnie de sa maîtresse. Si tu lui avais fait signe, j'en serais morte de honte — lui aussi, d'ailleurs ! Pour l'amour du Ciel, ne te retourne pas ! Tu deviens insortable !

— Georges, une maîtresse ? Déjà ?

Elle fit une moue d'impatience :

— Peut-être ne l'est-elle plus, je n'en sais rien. Je les ai vus ensemble pour la première fois il y a trois ans et ce genre de liaisons ne dure habituellement pas aussi longtemps. Mais ne te fais pas plus naïve que tu ne l'es, je t'en prie ! Tu connais mieux que personne les rapports, ou plutôt l'absence de rapports qu'il entretenait avec Venetia. On ne peut guère lui reprocher de se distraire. Celle-ci est une actrice ou une chanteuse, bref une personne sans importance que nous n'aurons jamais l'occasion de rencontrer dans le monde.

— Ainsi, nous ne l'avons pas vu ?

— Bien sûr que non. Et nous n'y ferons même pas allusion lorsqu'il viendra nous rendre visite. Je me demande d'ailleurs depuis quand il est à Londres et pourquoi il n'est pas descendu à la maison. Dominique ne m'en a pas parlé ce matin.

Je n'avais pas revu Georges depuis mon départ de Maison Haute et la seule idée de me retrouver sous le même toit que lui, même pour une seule nuit, me causa un dégoût profond. Le fait qu'il eût une ou plusieurs maîtresses n'avait rien pour me surprendre, ni vraiment me choquer. Je ne craignais pas qu'il cherchât à s'immiscer dans mes affaires, il n'en avait ni le droit ni l'envie. Sa présence à Londres n'aurait donc pas dû me troubler comme elle le faisait. Bêtement, aveuglément, je ne pouvais pas me résoudre à le voir, à entendre sa voix. Aussi fus-je prise complètement au dépourvu lorsque, au retour de notre promenade, je vis dans le vestibule deux chapeaux de soie, deux paires de gants et, confortablement installés au salon, deux Chard grands et encombrants qui exigeaient séance tenante de quoi apaiser leur soif.

Comme nous l'avions supposé, Georges était venu aux nouvelles et la guerre contre les Zoulous nous fournit un sujet de conversation pendant l'heure du thé. Sir Dominique emmena ensuite son frère dîner à son club, Blanche alla se préparer pour quelque réception où les convenances exigeaient, paraît-il, sa présence. Pour ma part, je me fis servir un léger repas au salon où je passai la soirée à ressasser mes inquiétudes familiales. Depuis mon arrivée, j'avais reçu un abondant courrier. Mon père m'informait des progrès de la procédure et m'avisait de ce que je devais faire ou éviter. Mme Agbrigg s'enquérait de ma santé et me donnait des nouvelles de celle de mon père, en me priant de lui faire parvenir certaine potion, miraculeuse, disait-on, contre la toux et que l'on ne pouvait obtenir que chez un certain apothicaire londonien. Tante Julia me donnait sa bénédiction et m'encourageait à faire ce que je voulais de ma vie. De sa retraite de Scarborough, ma grand-mère Agbrigg accusait sa belle-fille de m'avoir contaminée par son exemple et poussée à une vie d'inconduite — mais qu'attendre d'autre d'une femme perdue de mœurs, déjà responsable d'avoir perverti son cher Jonas ? Mme Barforth — se considérait-elle encore comme ma belle-mère ? — me décrivait ses journées à Galton et m'invitait à me réjouir avec elle des admirables dispositions manifestées par sa nouvelle portée de chiots. De son côté, tante Caroline écrivait régulièrement à Blanche en réussissant le tour de force de ne jamais mentionner mon nom, ni mon existence.

Personne, cependant, ne soufflait mot de Gervais. J'ignorais même où il se trouvait — il n'était, en tout cas, ni à Maison Haute ni à Galton; je ne savais rien de ses projets, ni s'il en avait. Je ne pouvais qu'imaginer ses appréhensions, car j'étais sûre qu'il souffrait, mais je me perdais en conjectures sur ses réactions quant au divorce : l'accepterait-il, le contesterait-il, s'en désintéressait-il ? Je ne savais pas davantage s'il souhaitait encore partir pour l'étranger, si la décision de Diana Flood de ne pas l'y accompagner l'avait ou non blessé ni même si elle avait changé d'avis, maintenant qu'elle perdait tout espoir de sauver sa réputation. J'en étais arrivée, chaque matin ou presque, à me demander si je ne le verrais pas surgir à la porte en exigeant mon retour au domicile conjugal, conformément aux termes du commandement de justice signifié à ma propre initiative. Peut-être les Flood faisaient-ils encore pression sur lui dans ce sens ? Je ne disposais d'aucun moyen de l'apprendre.

La dernière fois que j'avais entendu le son de sa voix, c'était quand il m'avait dit de ne plus lui imposer ma présence. Ma dernière vision de lui me laissait le souvenir d'une silhouette pathétique penchée sur la tombe de Venetia, aussi dénuée d'espoir que celle qui gisait dans la terre froide. Je ne pouvais plus lui être d'aucun secours et, depuis longtemps, je prenais soin de tuer en moi ce qui subsistait de mon amour pour lui. Je ne parvenais pourtant pas à me défaire d'une anxiété diffuse qui me rappelait douloureusement combien ma conscience se sentirait plus à l'aise si je réussissais à éprouver pour lui de la haine.

Oui, Gervais m'inquiétait. Mais Georges Chard me troublait davantage, pour des raisons que j'étais incapable de me représenter clairement. Aussi ai-je été fort mécontente lorsque, rentré plus tôt que je ne l'attendais, il m'a trouvée seule au salon, encore assise devant les reliefs de mon repas.

— Avez-vous des nouvelles de Noël ? ai-je demandé avec froideur.

— Non. Nous savons que Chelmsford a perdu une centaine d'hommes mais mon frère ne figure apparemment pas au nombre des victimes. Nous apprendrons sans doute dans quelques jours qu'il est en parfaite santé dans quelque garnison et couvert de médailles. Rien ne me ferait plus plaisir, d'autant qu'il est le moins belliqueux de nous tous.

— Je l'espère sincèrement. Et maintenant, Georges, si vous voulez bien m'excuser, je tombe de sommeil.

— Non, Grace. Je suis rentré expressément afin de vous parler et je vous prie de m'écouter quelques instants.

— Je suis vraiment très lasse, Georges. Remettons cela à demain, voulez-vous ?

— Je ne serai peut-être plus ici demain.

— Vraiment ? Si vous comptez prendre le train du matin, auriez-vous l'amabilité de vous charger d'un paquet pour Mme Agbrigg, ma belle-mère ?

— Avec plaisir. Mais nous verrons cela quand je vous aurai parlé.

— Je vous le ferai porter demain matin, avant le petit déjeuner…

— Je vous en prie, Grace ! Asseyez-vous et écoutez-moi.

J'ouvrais déjà la porte quand il me rappela :

— Grace ! Je vous suivrai jusque dans votre chambre s'il le faut, ce qui me paraît aussi déconseillé pour vos nerfs que pour votre réputation.

La main sur la poignée, je me suis arrêtée malgré moi, partagée entre la colère qui me poussait à poursuivre mon chemin — comment avait-il l'audace de me parler de mes nerfs ?

— et la crainte de céder à la fascination.

— Répondez à ma question, reprit-il, à moins que vous ne préfériez que je la crie derrière votre porte toute la nuit. Avez-vous l'intention d'aller au bout de cette aberration ?

— Vous n'avez aucun droit de me le demander !

— Non, en effet. Mais vous me connaissez assez, je crois, pour savoir que j'insisterai jusqu'à obtenir de vous une explication.

Je le connaissais trop, il est vrai, pour garder la moindre illusion. Résignée, j'ai refermé la porte, traversé le salon. Mais plutôt que de reprendre mon fauteuil, je suis allée me poster le dos à la cheminée, là où les hommes comme mon père, mon beau-père et Georges lui-même, les maîtres, ceux qui tiennent en main les destinées d'une famille ou d'une fortune, aiment se placer afin de mieux dominer. Redressée de toute ma taille, j'ai adopté l'attitude que j'avais lors de mon affrontement avec Sir Julian Flood, tout en m'efforçant de croire que ce qui s'annonçait ne pourrait pas être pire.

— En disant « aberration », vous voulez parler de mon divorce, je suppose. Ma réponse sera donc fort brève : cela ne vous regarde en rien.

— Vous faites erreur, permettez-moi de vous le dire.

Je ne distinguais, sur ses traits, que l'expression d'une détermination sérieuse, attentive.

— Écoutez-moi un instant sans m'interrompre, reprit-il. Nous avons vécu plusieurs années sous le même toit, Grace. Aussi ai-je de bonnes raisons de vous porter une grande estime. Il m'est impossible de me taire quand je vous vois courir de gaieté de cœur vers un désastre. Que vous le sachiez ou non, vous avez mené jusqu'à présent une vie privilégiée, à l'abri de bien des réalités déplaisantes. Vous ne connaissez rien du monde et...

— Inutile de vous donner la peine de m'ouvrir les yeux, Georges. D'autres l'ont déjà fait, et notamment Sir Julian Flood et Mme Agbrigg.

Il balaya l'objection d'un geste dédaigneux :

— J'ai eu des échos de votre rencontre avec Julian. Mais les Flood défendent leur point de vue, tandis que je ne pense qu'à votre intérêt, Grace. Je ne peux pas rester les bras croisés pendant que vous allez à la catastrophe...

Alors, avec une chaleur qui me déconcerta, il se lança dans un sermon où je reconnaissais au passage la plupart des arguments déjà développés par ceux qui faisaient profession de s'intéresser à mon sort. Puis, me voyant insensible à son éloquence, il entreprit un plaidoyer *pro domo* afin de justifier à mes yeux son opportunisme, sa manière — que je lui avais reprochée, tacitement ou non — de monnayer les erreurs de Venetia pour obtenir de son beau-père les avantages qu'exigeaient ses ambitions.

— Peu importe désormais, Georges, ai-je dit avec un geste las.

— Il m'importe, au contraire, de vous redonner une bonne opinion de moi, Grace. Laissez-moi ajouter ceci : si je représente la raison pour laquelle vous refusez de rentrer à Maison Haute, je m'en irai. Ce n'est pas à vous d'en partir. Un homme peut vivre n'importe où et, de toute façon, je suis souvent absent.

— Vous partiriez, Georges ? Combien de temps ? Je ne vous le demande pas par simple curiosité, mais afin de savoir si, une fois réinstallée là-bas, ce qui annulerait par conséquent ma demande de divorce, je ne vous y verrais pas revenir un beau jour.

— Je le ferais volontiers, si vous m'y invitiez.

— Avec ou sans invitation, vous ne vous gêneriez pas pour y imposer de nouveau votre présence. Vrai ou faux ?

J'avais parlé sèchement, presque méchamment. Il me fallait trancher dans le vif, me dégager au plus vite de sa présence envahissante qui m'empêchait de raisonner clairement.

Il ne se formalisa pas de ma sortie et fit un sourire charmeur :

— Ma foi, l'idée d'essayer ne me déplairait pas...

— Et j'en connais trop bien les raisons ! Sans une maîtresse de maison efficace, Maison Haute ne tourne déjà plus rond, n'est-ce pas ? Vous avez à vous plaindre de la manière dont on repasse vos chemises et il devient urgent que je rentre y mettre bon ordre. Vous oubliez cependant l'essentiel, Georges : un jour ou l'autre, vous vous remarierez. Ma présence à Maison Haute vous paraîtra alors moins indispensable. Elle pourra même sembler fort déplaisante à votre femme. Croyez-vous me faire revenir sur ma décision avec de pareils arguments ?

Il s'avança soudain, si proche que le volant de ma robe effleurait ses escarpins vernis. Appuyé d'une main à la cheminée, il se pencha vers moi. Je ne pus m'arracher à la fascination qu'exerçait sur moi le rythme de son souffle à mon oreille, le grain de sa peau dont je distinguais les moindres détails. Trop longtemps assoupis, mes sens se réveillèrent tout à coup. J'éprouvai une impatience, une curiosité inexplicables.

— Je ne me remarierai pas, Grace.

— Voyons, Georges !...

— Je ne me remarierai pas, Grace, répéta-t-il avec force, et pour une excellente raison que vous devriez comprendre — que vous êtes en fait la seule à pouvoir comprendre.

Il se pencha plus près, me fixa dans les yeux comme s'il cherchait à graver ses paroles dans ma conscience. Je sentais sa volonté m'envelopper, me capturer, me forcer à abdiquer mon libre arbitre. Oui, je le comprenais. Comment m'offusquer de ce désir mutuel, toujours latent, toujours prêt à reprendre vie à l'occasion de nos moindres rapports ? Il ne me demandait que d'en admettre l'existence, d'en accepter les implications, maintenant que les obstacles — sa femme, mon mari — ne se dressaient plus entre nous. Il ne me demandait que de m'abandonner à un plaisir que mon corps appelait, que mon esprit ne repoussait que mollement. Je n'avais pas honte de mes appétits physiques, je leur devais de grandes joies auxquelles je ne cessais d'aspirer. Mais mon désir pour Georges me rendrait sa captive, ses bras me raviraient peut-être et me restreindraient sûrement. Ses exigences m'enchanteraient en annihilant ma volonté. Sa personnalité étoufferait la mienne. Et puis, autant le dire, je n'avais toujours aucune confiance en lui.

Je vis sa main se crisper, ses traits se contracter au spectacle de mon débat intérieur, moins sous l'effet de la colère que de l'effort qu'il faisait pour se rendre encore plus persuasif :

— Je n'aurais pas dû vous parler ainsi, je le sais, et je m'en serais abstenu si vous ne m'y aviez forcé. Car si, comme je le pensais, vous étiez restée à Maison Haute, cette conversation aurait été inutile. J'aurais pris mon temps, choisi le moment favorable...

— Assez, Georges !

— Laissez-moi finir. Je ne sais d'ailleurs même pas que dire pour m'assurer d'être écouté. Comment vous faire comprendre qu'il faut rentrer à Maison Haute, Grace ? Je vous le demande aujourd'hui : revenez. Non pas dans le but de tenir la maison, de surveiller l'éducation de Claire, mais afin d'y faire, d'y refaire votre vie.

— Avec vous, Georges ?

— Tôt ou tard, oui, Grace. Regardez-moi, ne cherchez pas à vous dérober ! Si vous n'aviez pas épousé Gervais avec tant de hâte, c'est avec moi que vous seriez mariée aujourd'hui. Vous auriez dû le faire et vous le savez, j'en suis certain.

— Vous ne me l'avez jamais demandé, Georges.

— Je n'en ai même pas eu l'occasion. Du jour au lendemain, vous êtes devenue la propriété exclusive de Gervais Barforth — c'est du moins ce que son père a voulu me faire croire. Je n'avais même plus le droit de jeter les yeux sur vous. Ces dernières années m'ont été particulièrement pénibles, croyez-moi. Comment vivre sous le même toit que vous en voyant, chaque jour, éclater les preuves que nous étions faits l'un pour l'autre ?

— C'est pourquoi, aujourd'hui, vous voudriez me voir rester mariée à Gervais afin de revenir à Maison Haute et devenir votre maîtresse. Vous ai-je bien compris, Georges ?

— Oui, Grace — tôt ou tard, comme je vous le disais il y a un instant. Exprimé en termes aussi brutaux, mon désir a de quoi vous choquer, j'en conviens. Mais je ne pouvais plus garder le silence et vous laisser poursuivre vos projets absurdes. Écoutez-moi, Grace, reconnaissez la voix de la raison dans ce que je vous dis. Cette solution est la seule valable pour nous deux.

D'un geste il fit taire ma protestation. Je n'aurais su dire s'il était plus guidé par l'insolence, l'inconscience ou la force de l'habitude quand il posa sa main sur ma nuque — une main large, chaude, puissante, si différente du contact léger et froid auquel m'avait habituée Gervais. Puis, une fois assuré que je ne le repousserais pas, il la fit lentement descendre en une caresse qui s'attarda sur mon épaule, parcourut mon dos, se posa enfin

206

sur ma taille. Je ne pouvais plus raviver mon indignation, je me sentais tout entière emportée par un désir, une soif de plaisir dont mes sens avaient trop longtemps été sevrés.

— Oui, Grace, reprit-il à voix basse, rendez-vous à l'évidence, cédez à vos instincts. Nous nous connaissons trop bien. Vous comprenez ma vie, comme je comprends celle que vous devriez mener et que je suis capable de vous offrir. Je vous désire autant que vous me désirez. Avouez-le pour une fois.

Je le désirais, c'est vrai. Naguère encore, dans la grande galerie de Listonby, j'avais éprouvé ce désir avec une telle force que la frayeur m'avait poussée vers Gervais, en qui je croyais voir un moindre péril. Ce désir impérieux, je le sentais renaître sans plus avoir peur de ses conséquences — j'en étais au contraire affamée. Il me suffisait de faire un pas, d'esquisser un geste et ce soir même, dans cette maison, je me laisserais emporter, posséder. Je remettrais mon sort entre ses mains puissantes et habiles. Demain matin, je m'éveillerais comblée, rayonnante de plaisir. Mais je serais devenue sa maîtresse, je dépendrais de ses caprices, que je devrais m'ingénier à satisfaire, à raviver sous peine de le lasser et de le voir se détacher de moi. Existe-t-il, pour une femme, risque plus périlleux, humiliation plus cuisante ?

Si je voulais combattre mon délectable abandon, il me fallait ranimer ma colère. Le dégoût, le mépris seuls parviendraient à étouffer l'élan qui me jetait à sa rencontre. Je devais me procurer une arme. Lorsque je l'eus trouvée, un scrupule me fit hésiter avant de la tourner contre lui :

— Si vous tenez tant à moi, Georges, qu'attendez-vous pour me demander en mariage ?

Mon attaque échoua piteusement. Il avait dû la prévoir et préparer sa riposte :

— Comment le pourrais-je, Grace ?

— Après mon divorce, rien ne vous en empêchera, ce me semble.

— Si les choses étaient si faciles que vous le dites, je n'aurais pas éprouvé le besoin de vous parler ce soir comme je l'ai fait. Il m'aurait suffi d'attendre le moment opportun. Mais j'ignore si la loi autorise un mariage dans de telles circonstances et je n'ai eu ni le temps ni l'occasion de m'en assurer.

Cette réponse trop habile avait d'un seul coup rallumé ma colère et mon dégoût. Je n'eus donc pas de mal à retrouver le ton du mépris :

— Inutile de perdre votre temps à vous renseigner, Georges. Vous l'auriez déjà fait si vous y aviez sérieusement pensé. Inutile également de m'insulter par des protestations de bonne foi. Que la loi vous y autorise ou non, vous n'avez jamais souhaité vous abaisser à épouser une divorcée...

— Grace, je vous en prie !...

— A votre tour de ne pas m'interrompre ! Votre duchesse de mère piquerait une crise à cette seule idée, votre frère le noble baron ne la trouverait pas davantage à son goût. Quant à votre sens pratique, Georges, je le connais trop bien. Vous ne ferez jamais rien sans y trouver un intérêt précis.

— Ce que vous dites est méchant.

— Peut-être, mais vrai, ayez au moins la bonne grâce de le reconnaître. En dehors même de Listonby et de vos amis si fort à cheval sur les principes, vos précieuses relations d'affaires ne souhaiteraient pas non plus se trouver exposées à l'embarras de recevoir une femme comme moi dans leurs salons. Tandis que si je reste votre belle-sœur, si j'accepte le rôle de la malheureuse femme délaissée, je conserve ma réputation et je continue d'être acceptable aux yeux de la société. Je pourrai toujours recevoir chez moi les gens qu'il vous plaira d'y inviter. Et si, pendant ce temps, je partage discrètement votre lit, nul n'y trouvera à redire, n'est-ce pas ? En tout état de cause, il vous serait infiniment plus commode d'avoir votre maîtresse chez vous que de la poursuivre dans les allées de Hyde Park ou d'organiser des rencontres plus ou moins clandestines. Je me rends parfaitement compte que je vous serais donc fort utile, mon cher Georges, jusqu'à ce que votre mère réussisse à mettre la main sur la fille d'un comte bien en Cour ou l'héritière d'un riche industriel, comme elle n'a cessé d'en rêver.

A mesure que je parlais, je le voyais pâlir, se raidir. A la fin, il s'écarta d'un pas, s'inclina moins en signe de défaite que pour exprimer le refus dédaigneux de se défendre contre mes accusations.

— Je suis navré que vous ayez de moi si piètre opinion, dit-il sèchement. Si vous voulez bien me confier le colis dont vous parliez tout à l'heure, je le ferai porter à Fieldhead.

J'avais, à vrai dire, la tête à cent lieues de la potion réclamée par Mme Agbrigg. Si Georges ne quittait pas cette maison le lendemain, comme il l'avait annoncé, c'était à moi d'en partir. Je ne pourrais plus regarder en face celui que je venais d'insulter si gravement; je ne serais pas davantage en mesure d'affronter l'homme devant qui j'avais si clairement trahi mon désir et vers qui je serais vraisemblablement de nouveau attirée.

Lorsque je descendis le lendemain matin, la situation avait changé du tout au tout. Une dépêche officielle, reçue pendant la nuit, annonçait que Noël Chard avait effectivement été blessé à Ulundi, sans cependant préciser la gravité de son état. Accablée, Blanche avait déjà télégraphié à son père et à tous ceux en mesure d'intervenir. Quant à Dominique et Georges, ils bouclaient leurs bagages et s'apprêtaient à partir pour le Natal.

Je suis restée à Londres auprès de Blanche pendant un mois d'août étouffant suivi d'un mois de septembre où les pluies succédèrent aux orages. Mes propres soucis s'effaçaient devant l'angoisse de ma cousine qui attendait des télégrammes qui ne venaient pas, recevait de fausses nouvelles désespérantes, tendait l'oreille à tous les racontars. Elle passait le plus clair de son temps couchée, dans un état de prostration entrecoupé de sursauts de terreur. Je la voyais pour la première fois en proie aux affres de la passion, tourmentée comme une enfant qui croit que les souffrances et les joies sont éternelles. Je la réconfortais de mon mieux et m'échappais de temps à autre pour des promenades solitaires dans les rues où tombaient les feuilles mortes. Et c'est au cours d'une de ces sorties que je me suis trouvée nez à nez avec Gervais.

Notre rencontre n'était, bien entendu, pas le fruit du hasard. Lorsqu'il vit ma stupeur et comprit ma panique, il se hâta de me rassurer. Je ne pus m'empêcher de le trouver amaigri, plus pâle que dans mon souvenir, les traits plus accentués et comme vieillis, s'il n'avait rien perdu de sa démarche bondissante de jeune homme et portait toujours son chapeau sur l'œil avec désinvolture.

— Ne fais pas cette tête-là, Grace ! me dit-il en souriant. Ne crains rien, je ne suis pas un fantôme. Je sais que le commandement touche à son terme et je ne suis pas venu à seule fin de m'y conformer et de recommencer à gâcher ta vie.

— On m'a conseillé d'éviter de te rencontrer...

— Je sais, mais nous n'en dirons rien à personne.

Il posa sur mon bras une main que, pour la première fois, je trouvais ferme et décidée. Je me sentais trop troublée par son apparition pour ne pas céder à la résolution qui émanait de lui.

— Je ne te retiendrai pas longtemps, Grace. J'étais venu à Londres pour d'autres raisons, mais je me suis dit qu'il serait ridicule de ne pas en profiter pour te voir. L'occasion ne s'en représentera sans doute pas.

Je me sentais trop proche des larmes pour oser lui parler. Aussi me suis-je contentée d'un regard interrogateur. En moi, la tristesse l'emportait sur la peine, l'amertume ou la colère.

— Il paraît que j'ai un fils, reprit-il.

Je me suis forcée à sourire. Ses mots me parvenaient à travers une sorte de brouillard qui en estompait la réalité.

— Que comptes-tu faire ? suis-je parvenue à demander.

— Si tout va bien, je voudrais partir pour l'étranger. Mais, d'abord, il faut que je règle la situation de Diana.

— La régler ? Comment cela ?

— Compton Flood va hériter d'un jour à l'autre et Diana a du mal à renoncer au titre de Lady Sternmore. Malheureusement, il ne veut rien entendre — pour le moment, du moins. Car son titre et ses terres ne valent pas un sou et cela le pousse à réfléchir. Aussi, une fois que tu en auras fini avec elle, Diana pourrait disparaître quelque temps, jusqu'à ce que les mauvaises langues s'apaisent. Si elle revenait un peu plus riche qu'à son départ, son mari serait sans doute mieux disposé à lui pardonner. Sinon, elle devrait repartir, avec moi cette fois.

— L'aimes-tu encore, Gervais ?

— Non, Grace. De fait, je n'aime plus personne, je crois.

— Comprends-tu le but que je poursuis en demandant le divorce ?

— Oui, Grace. Sinon, j'aurais obéi au commandement du tribunal, comme les Flood me le demandaient, et sauvé Diana du même coup. J'ai refusé. J'espère que cela te rendra service.

— Il s'agit de bien plus qu'un simple service ! Où pars-tu ?

Il sourit avec désinvolture. Sur son visage resté juvénile, un réseau de fines rides lui fit un masque de maturité inattendu.

— Bah, je n'en sais rien au juste ! Peut-être tondre des moutons en Australie, ou garder les vaches en Amérique. Cela n'a pas grande importance. Je ne prends pas la fuite, comme tu pourrais le croire. Je cherche — quoi ? Je suis incapable de te le dire exactement. En tout cas, je ne suis venu ici que dans le but de te rassurer. Je ne dresserai aucun obstacle sur ton chemin, Grace, quel que soit celui que tu voudras suivre. Voilà ce que j'avais à te dire.

Il me prit la main, la serra avec sa légèreté coutumière. Dans son sourire, j'ai distingué une touche de mélancolie que je n'y avais encore jamais vue. Alors, ma propre tristesse, diffuse jusqu'à cet instant, m'enveloppa d'une chape pesante.

— Adieu, Grace. Et bonne chance.

— Au revoir, Gervais. Sois prudent...

— Oh, ça ! M'en crois-tu capable ?

Il s'éloigna à grands pas. J'étais hors d'état de proférer un son, de le rappeler comme une partie de mon être m'y exhortait. Puis, lorsqu'il eut disparu de ma vue, j'ai repris lentement le chemin de chez Blanche. Sous la pluie qui recommençait, j'avais les yeux pleins de larmes. Car je ne pouvais m'empêcher de penser qu'il ne portait pas de manteau, qu'il était sensible au froid, sujet aux rhumes; que son regard las trahissait de longues nuits d'insomnie et que sa frêle silhouette n'était pas faite pour la rudesse des déserts australiens ou des plaines d'Amérique.

20

Finalement, tout fut consommé. Je suis entrée un jour dans un prétoire, accompagnée d'avocats qui s'intéressaient davantage à leurs honoraires qu'à mon avenir. J'ai comparu devant un juge dont l'attitude méprisante à mon égard ne s'atténua pas, au contraire, à l'énoncé des preuves de l'adultère commis par mon mari avec l'épouse du colonel Compton Flood — promis d'un jour à l'autre à la dignité de Lord Sternmore. J'ai apporté la démonstration que mon mari, après m'avoir abandonnée, refusait de se plier à l'injonction de reprendre la vie conjugale. J'ai mis en pièces la réputation de la susdite Mme Flood, brisé le cœur de son époux le colonel — devenu entre-temps Lord Sternmore — et subi sans broncher les regards effrontés des greffiers et les commentaires médisants, parfois franchement calomnieux, de la presse. Ce procès constituait, en effet, une grande première et l'arrêt de la Cour était voué à un grand retentissement.

Il avait fallu une journée entière, avec des monceaux de fleurs, les grandes orgues, deux cents invités et des douzaines de magnums de champagne, pour sceller mon mariage avec Gervais. Deux demi-journées, quelques paroles caustiques et la lecture d'un jugement suffirent à le défaire. Je savais cependant que notre divorce avait réellement eu lieu par un pluvieux après-midi de septembre, dans une allée de Hyde Park, quand Gervais m'avait parlé sans invoquer d'excuses, sans quémander mon pardon, en me souhaitant seulement « Bonne chance ». Ce jour-là, il m'avait fait un don, non par amour, car je le croyais sincère lorsqu'il affirmait n'aimer personne, mais en gage de sa compréhension. Et j'avais ce jour-là pleuré de reconnaissance — je le pouvais encore aujourd'hui — et aussi à cause du chagrin de le perdre.

Je suis donc sortie du tribunal célibataire et libre, restaurée dans tous mes droits d'adulte et en possession d'une identité légalement mienne. Le lendemain matin, j'ai pris le train me remmenant vers le Nord, jusqu'à Scarborough où j'ai passé quelques jours chez ma grand-mère Agbrigg, qui se déclarait trop âgée pour comprendre ou critiquer, mais n'en affichait pas moins son désarroi.

Blanche, lorsque je la revis, fut effarée de ma décision de me réinstaller à Cullingford :

— Serais-tu devenue folle ? Ils ne sauront pas quoi faire de toi. Imagines-tu une femme divorcée à Cullingford ? Tu ferais cent fois mieux d'acheter une maison à Londres, comme je te le suggérais.

Son attention, comme celle de tante Caroline et de toute la famille, fut heureusement détournée de mes affaires quand on connut plus précisément le sort de Noël Chard. Terrassé par un coup de sagaie à la base de la colonne vertébrale, il avait été retrouvé par ses frères dans les conditions effroyables dont Blanche avait précisément nourri ses pires cauchemars. Gisant dans la poussière au milieu des morts et des mourants, couvert de mouches porteuses des pires maladies, suffoqué par la chaleur, il était paralysé par sa blessure au point que l'on craignait qu'il ne retrouvât jamais l'usage de ses jambes. Dominique et Georges l'avaient promptement soustrait à l'enfer et ils avaient ramené à Listonby un spectre aux joues creuses, à la peau jaunie et desséchée, qui aurait pu être leur grand-père.

Depuis, l'air pur, les soins diligents de tante Caroline et la dévotion de Blanche — parfois gênée elle-même de son ostentation — l'aidaient à recouvrer la santé. Noël ne marcherait plus sans boiter ni sans l'assistance d'une canne; il ne passerait plus, comme avant, ses journées en selle ni ne danserait jusqu'à l'aube. Au moins resterait-il désormais sur les terres ancestrales où Blanche pourrait veiller sur lui, ce qui présentait l'avantage supplémentaire de libérer Dominique pour qu'il puisse se consacrer à ses fonctions parlementaires et autres, chaque jour plus prenantes semblait-il. Noël résiderait à Listonby avec Blanche, la suivrait à Londres si elle avait besoin de sa compagnie et la soutiendrait de sa présence au cours de ces visites annuelles à South-Erin que les convenances imposaient mais que l'ennui rendait de plus en plus pesantes. Noël serait là afin de surveiller l'éducation de ses neveux, de leur apprendre à tirer, à monter à cheval et à corriger leurs manières à table, puisque leur père n'avait plus le temps de s'en occuper. Il serait là pour parler à Blanche, la distraire et la réconforter lorsqu'elle traverserait ces moments redoutables où elle se sentirait moins belle, moins gaie, peut-être moins aimée.

De mon côté, j'étais retournée à Fieldhead où je séjournai quelque temps. Je m'accoutumais lentement à l'insolence dont je faisais l'apprentissage : un beau jour, les têtes détournées et les bouches pincées de la bourgeoisie de Cullingford ne me firent plus aucun effet. Je voyais sans regrets ni remords

Mme Rawnsley changer de trottoir à ma vue, Mlle Mandelbaum
« oublier » de m'inviter à ses thés, Mme Sheldon ne m'accorder
que de loin un signe de tête quasi invisible. Mais j'avais été
blessée par la façon dont Mme Winch, l'intendante de Maison
Haute, avait affecté de m'ignorer quand nous nous étions
rencontrées sur la place du Marché. Quant à Chillingworth, le
maître d'hôtel, il ne dédaignait pas de soulever respectueuse-
ment son chapeau en me croisant. Un dimanche matin, il passa
même un grand quart d'heure à la portière de ma victoria et me
fit part de son chagrin, tant à cause de mon départ que de
l'incompétence dont ladite Mme Winch faisait quotidiennement
la preuve.

Certes, me dit-il, la pauvre femme se donnait du mal; mais
M. Chard se montrait un maître difficile à contenter et
M. Barforth était de plus en plus sombre. Non, la petite ne
poserait pas de problèmes : elle avait été envoyée la veille à
Listonby où elle demeurerait désormais afin d'être élevée avec
ses cousins, les fils du baron Dominique. Excellente solution,
précisa Chillingworth, puisque le personnel du château était
aussi abondant que qualifié et soumis au regard d'aigle de
Madame la Duchesse. Il vaudrait mieux, bien sûr, que
Mme Barforth se décide à quitter son Prieuré et revienne
occuper sa place à Maison Haute, d'autant que M. Barforth
séjournait de plus en plus souvent à Galton — les pauvres
avaient, tout bien considéré, perdu leurs deux enfants, puisque,
Mlle Venetia décédée, son frère s'était envolé à l'autre bout du
monde, chez les sauvages d'Australie ou les Peaux-Rouges
d'Amérique, ce qui ne valait guère mieux. Oui, la maison avait
le plus grand besoin d'une maîtresse, poursuivit Chillingworth en
hochant tristement la tête. Mme Winch cherchait déjà une autre
place et Mme Kincaid, la cuisinière, ne tarderait pas à prendre le
même chemin pour peu que M. Chard continue à faire des
remarques désobligeantes sur la qualité des repas. Pour sa part,
Chillingworth préférait conserver son poste jusqu'à l'âge de la
retraite, car M. Barforth savait se montrer généreux avec ceux
de ses employés qui lui restaient fidèles. D'ailleurs, malgré tout
le regret que lui causait mon absence, il reconnaissait que celle-ci
lui facilitait considérablement la tâche. Sans visiteurs ni
réceptions, il lui était désormais loisible de passer ses journées à
l'office sans presque avoir besoin d'en sortir. M. Barforth,
n'était pour ainsi dire jamais là. M. Chard, s'il lui arrivait de
rentrer tard après d'abondantes libations, pouvait toujours
remonter dans sa chambre par ses propres moyens, contrairement à ce pauvre M. Gervais qu'il fallait souvent porter à deux
dans l'escalier et mettre au lit.

Lorsqu'il se fut éloigné sur une dernière courbette, je dus

refermer en hâte mon ombrelle que mes mains tremblantes ne soutenaient plus. Des images revenaient meurtrir ma mémoire encore trop sensible, celle de la petite Claire que j'avais refusé de prendre dans mes bras de peur de m'y attacher et de ne pouvoir me libérer de Maison Haute; celle de Gervais, pour qui des sentiments presque maternels avaient succédé à l'amour, que j'imaginais remontant l'escalier en titubant dans les premières lueurs de l'aube... Que devenait son fils ? Je l'ignorais et nul, sans doute, ne se soucierait de m'en informer. A ces évocations vinrent se mêler les souvenirs de ma propre fausse couche, moins ceux de la douleur que de l'impression d'échec alors ressentie. Je me jugeais stérile, vaincue, inutile. Et l'image de Georges, que je m'efforçais de repousser, revenait s'imposer en aggravant mon désarroi.

Ces accès de découragement n'étaient heureusement pas fréquents. Le printemps s'annonçait, saison propice aux changements. Aussi, après avoir examiné avec satisfaction l'état de mes finances, j'ai provoqué un nouveau scandale à Cullingford en quittant la maison de mon père, où l'on espérait que j'aurais le bon goût de rester languir, pour faire l'acquisition de mon propre domicile.

Je l'avais déniché dans Blenheim Crescent, rue résidentielle d'un quartier relativement neuf et sans ostentation. C'était une bâtisse étroite, précédée d'un jardin tout en longueur. Un perron de quelques marches menait à une porte surmontée d'une verrière multicolore d'aspect prétentieux. L'on pénétrait dans un vestibule étriqué, où se casait tant bien que mal le départ de l'escalier. La maison comprenait deux grandes chambres au premier étage, trois petites au second. Je disposais en bas d'un salon et d'une salle à manger en enfilade, d'une cuisine fort sombre d'où quelques marches incommodes permettaient d'accéder à une courette pavée, où l'on jouissait d'une vue imprenable sur l'arrière de maisons identiques à la mienne.

— Grand dieu, quel endroit sinistre ! s'exclama Mme Agbrigg en visitant les lieux.

Avec d'autant plus d'ardeur que l'inaction me rongeait, je me suis attelée à la tâche d'en faire une demeure agréable. Je fis repeindre la cuisine en crème et en bleu pâle, avant d'y installer un fourneau neuf. Une cheminée de marbre remplaça au salon les pierres noircies qui s'y trouvaient jusque-là. Pour tout personnel domestique, j'engageai les services d'une cuisinière, d'une femme de chambre et d'un homme chargé des gros travaux, du jardinage et des fonctions de cocher-palefrenier. J'en ai également profité pour échanger ma victoria défraîchie contre une autre, flambant neuve; mon père insista pour en fournir l'attelage; il veilla lui-même à mettre les chevaux en pension dans une écurie voisine. Je me suis fait ouvrir un compte personnel à la banque de M. Rawnsley, qui ne savait comment dissimuler son embarras. Puis j'ai emménagé dans ma maison, où flottait encore l'odeur de la peinture fraîche, seule avec mes trois domestiques et un chat. Je m'y suis couchée, je m'y suis réveillée le lendemain matin, je suis descendue m'asseoir dans mon salon et j'y ai attendu. J'ai vu les heures couler, le soir venir. Seule à table, je me suis fait servir à dîner avant de remonter, seule encore, me mettre dans mon grand lit. Entre de brèves périodes de sommeil, j'ai attendu le retour de la lumière, je me suis levée, je suis descendue, j'ai attendu.

Dieu merci, tante Julia vint me voir ce matin-là. Elle m'apportait une brassée de fleurs, le réconfort à profusion, l'assurance que sa porte m'était toujours grande ouverte et la proposition de l'accompagner le mois prochain à Venise, si j'éprouvais le besoin de me changer les idées. Le lendemain commença la série des lettres hebdomadaires de ma grand-mère Agbrigg, qui m'incitait à trouver une occupation utile, et de ma grand-mère Elinor, qui m'offrait l'hospitalité dans sa villa du Midi de la France « où personne ne saurait rien ni ne jaserait » et m'affirmait que, contrairement à ce que je semblais redouter, je retrouverais bientôt un homme mourant d'envie de m'épouser.

J'eus la surprise de voir les parents de Gervais venir ensemble me rendre visite. M. Barforth me parut moins vieilli qu'adouci. De son côté, Mme Barforth restait semblable à elle-même et meubla les silences auxquels nous ne pouvions échapper par un flot de nouvelles sur l'état des récoltes, des chiens et des chevaux. Avant de sonner chez moi, ils étaient allés fleurir la tombe de Venetia dont le souvenir les avait enfin réunis.

— Si vous aviez besoin de quoi que ce soit, Grace, me dit M. Barforth d'un ton bourru en se levant pour prendre congé, faites-le-moi savoir. Pas de fierté mal placée, compris ?

Lorsqu'il se fut éloigné pour chercher son chapeau dans le vestibule, Mme Barforth m'embrassa sur la joue en me glissant à l'oreille ce que j'étais impatiente de savoir :

— Gervais est au Mexique, ma chérie. Ne me demandez surtout ni comment ni pourquoi, je le croyais en Australie. Grand dieu ! Que fait-il au Mexique ? Un si lointain pays... Enfin, il se porte bien, paraît-il. Diana est toujours à Nice et son mari doit passer la voir en revenant des Indes. Julian a bon espoir d'une réconciliation. Puis-je revenir vous voir de temps à autre ?

Elle revint souvent, parfois seule, parfois accompagnée d'un de ses chiens — au vif déplaisir de mon chat. M. Barforth me fit, lui aussi, des visites régulières, le plus souvent à l'heure du thé. En le voyant se bourrer de généreux morceaux de gâteau et avaler des tasses de thé fort, je comprenais combien le service avait dû se relâcher à Maison Haute — combien, surtout, il devait se sentir seul.

Je recevais aussi de fréquentes visites de Mme Agbrigg. Mon père, sous un prétexte ou un autre, venait tous les jours ou presque. Mais rien de tout cela ne me prenait beaucoup de mon temps et je ne savais que faire du reste. La société de Cullingford m'avait fermé ses portes et je m'en souciais trop peu pour les forcer. Si une de mes voisines osait m'adresser la parole, c'est parce que son mari était un employé de mon père à Fieldhead. Aucun travail, aucune activité, même bénévole, ne s'offrait à moi. Sans doute m'étais-je préparée à tout cela, avais-je pris mes décisions en pleine connaissance de cause. Pourtant, j'en arrivais à redouter de me lever le matin avec, pour seule perspective, celle d'une journée vide, désespérément semblable à la veille et sinistrement identique au lendemain. Aussi ne pouvais-je éviter de me poser cent fois la question si souvent entendue sur les lèvres de Blanche : « À quoi bon t'être donné tant de mal ? »

Au bout d'un mois de ce régime, j'étais tentée d'accompagner tante Julia à Venise, d'accepter les invitations répétées de ma grand-mère Elinor, d'entreprendre n'importe quoi afin d'échapper à cet ennui, à cette vie inutile, pire que la mort. J'envisageais d'organiser ma vie sur des bases radicalement différentes, de voyager la plus grande partie de l'année et de ne revenir chez moi que de loin en loin, à seule fin de respecter la promesse faite à mon père de ne pas l'abandonner. Finalement, ce fut Liam Adair qui me sauva de la mélancolie où je sombrais.

Un beau matin, sur le coup de dix heures, je le vis surgir avec un paquet d'exemplaires de *L'Étoile de Cullingford* sous un bras, une bouteille de champagne sous l'autre et une gigantesque gerbe de lilas qu'il tenait je ne sais comment et qu'il jeta avec désinvolture sur la console du vestibule en même temps que son chapeau.

— Si vous daignez accepter l'intrusion d'un digne représentant de la presse après les traitements que vous ont infligés certains de mes confrères, me voici ! Reconnaissez toutefois que ni *L'Étoile*, ni *Le Courrier* d'Eustache Roundwood n'ont suivi ce déplorable exemple — moi parce que je vous aime trop, Roundwood parce qu'il ne peut pas se permettre de provoquer l'animosité de votre père.

Ma femme de chambre le dévorait des yeux, visiblement ravie de voir enfin, comme elle l'espérait, un jeune et séduisant monsieur se présenter chargé de fleurs et débordant de compliments. Je n'ai pu retenir un éclat de rire et je l'ai fait entrer :

— Du champagne de si bon matin, Liam ? En quel honneur ?

— Faut-il une raison valable pour boire du champagne ? J'en ai plus qu'assez du thé dont m'abreuvent les respectables dames de cette ville. L'explication vous satisfait-elle ?

Une heure durant, je me suis régalée de champagne et de fous rires tandis que Liam me relatait par le menu les vicissitudes de *L'Étoile* et les fortunes diverses de ses entreprises littéraires et amoureuses. Ses campagnes de « salut public » lui avaient récemment valu bon nombre de briques dans ses carreaux, aussi, pour le moment du moins, ne jouissait-il d'une réputation flatteuse qu'auprès de la seule corporation des vitriers.

— Venez donc nous voir à *L'Étoile*, Grace, je vous présenterai mon nouveau bras droit. Je me demande d'ailleurs bien pourquoi vous nous snobez depuis si longtemps.

Le bras droit en question, successeur de Robin Ashby, et la mention de mes visites interrompues furent les seules allusions qu'il fit à Venetia. Il ne pouvait en effet ignorer que j'évitais de retourner à son bureau de crainte de raviver des souvenirs encore douloureux. Sa visite m'avait cependant remonté le moral et me fournissait une raison de sortir ma victoria de sa remise, d'exhiber mon chapeau et mes gants neufs pour autre chose qu'une visite à Fieldhead ou un parcours d'obstacles dans Millergate, entre les regards glacés et les moues méprisantes que j'avais pris l'habitude d'y affronter.

Aussi m'y suis-je rendue, la mémoire remplie de Venetia, les yeux embués à la vue des premières maisons de Gower Street, des gamins crasseux et mal embouchés qui jouaient dans le ruisseau et, enfin, des fenêtres obstruées par des planches comme lors de ma dernière visite. C'est néanmoins d'un pas ferme que j'ai franchi le seuil, traversé le local sombre où grinçaient les presses vétustes et gravi l'escalier branlant, au haut duquel Liam m'accueillit en m'embrassant avec une effusion due, si j'en croyais son haleine, à de récentes libations.

— Vous voici donc ! Je n'en espérais pas moins de vous, Grace.

— Rien n'a changé, dirait-on.

— Qui sait ? J'ai pris de l'âge, vous êtes plus belle que jamais. Quant au bras droit que je vous annonçais, sa présence ici constitue un progrès décisif, vous avouerez. J'avais hâte de vous présenter l'une à l'autre. Grace, voici Mme Inman. Camille, vous avez enfin devant vous Grace Barforth, cette parente par alliance dont je vous ai si souvent parlé.

Stupéfaite — comment imaginer une femme dans un tel rôle ? — je suis cependant restée assez lucide pour me rendre compte que je tendais la main à l'une des femmes les plus ravissantes, les plus débordantes de charme qu'il m'eût été donné de contempler. Elle avait à peine trente-deux ans, ainsi que je l'appris plus tard. Son visage, à l'ovale parfait encadré d'une abondante chevelure noire, était illuminé par des yeux d'une extraordinaire nuance d'améthyste que voilaient, par moments, de longs cils qui ajoutaient à leur séduction. Svelte, élancée, simplement mais élégamment vêtue d'une robe bleue ornée d'un bouquet de violettes et d'un jabot de dentelles, elle me décerna un sourire chaleureux, que soulignèrent la fermeté de sa poignée de main et l'aisance amicale de son comportement.

Captivée, je me suis assise auprès de son bureau et notre conversation se prolongea, en fait, plusieurs jours d'affilée. J'éprouvais une curiosité insatiable pour une femme ayant partagé la vie d'un personnage ressemblant fortement à Robin Ashby et qui, non contente d'y avoir survécu, pouvait en parler avec humour et sans amertume. Fille d'un missionnaire, elle avait grandi dans des régions où, en dépit des efforts méritoires de sa mère, les « convenances » n'avaient pas droit de cité. Ses parents une fois décédés, dans des circonstances qu'elle ne précisa pas, elle avait vécu « ici et là », selon ses propres termes, avant d'être recueillie par une de ses tantes, vieille fille qui, entre autres excentricités, avait fondé dans l'East End londonien un asile pour fillettes demeurées. Camille n'avait jamais bénéficié des soins et de la protection dont Venetia et moi avions été entourées. Son père était trop absorbé par le salut des païens dont il avait la charge pour daigner abaisser son regard vers sa fille. Sa mère faisait confiance à la Providence et se reposait sur l'infinie bonté de Dieu. Quant à la tante pétrie de bonnes intentions, elle faisait évoluer l'orpheline au milieu des prosti- tuées et des victimes de viols à un âge où moi, j'ignorais tout des « mystères de la vie ». Mariée à dix-huit ans, Camille était partie à l'aventure avec un journaliste de dix ans son aîné qui, à l'instar de son père ou d'un Robin Ashby, s'émouvait davantage des souffrances des masses que des peines des individus. Mais Camille en avait l'habitude. Lorsque son mari tomba malade, elle écrivit ses articles à sa place. Quand il fut rétabli, ils continuèrent à collaborer. Veuve depuis cinq ans, elle avait les moyens de gagner sa vie grâce à son talent. Elle avait d'ailleurs assuré ainsi les ressources du ménage pendant la maladie qui avait emporté son mari.

Elle disposait d'un petit revenu personnel, tout juste suffisant pour lui assurer un toit. Aussi, lorsque Liam Adair, ami de longue date, lui avait offert un emploi, elle s'était empressée d'accepter. Elle vivait chichement, certes, mais trouvait sa vie intéressante, passionnante à certains moments. Elle n'éprouvait aucune crainte à arpenter seule les rues; elle prenait un fiacre la nuit, quand elle en avait les moyens, autant dire très rarement, allait et venait à sa guise sans trop faire de mauvaises rencontres.

Personne ne lui ayant jamais dit qu'elle était délicate et devait se placer sous la protection d'un homme, elle ne voyait aucun avantage à se faire dorloter — son mari aurait refusé pour le principe, son père s'en serait abstenu par distraction. D'ailleurs, avait-elle observé, les femmes ne sont pas aussi fragiles qu'on veut bien le leur faire croire. Elle était elle-même trop occupée pour s'en soucier. Pour le moment, elle enquêtait sur les conditions de logement dans l'une des rues avoisinantes, prise au hasard; le résultat de son étude alimenterait une série d'articles que publierait Liam dans les semaines à venir.

— Prêtez-lui donc la main, intervint Liam en posant négligemment son bras sur le dossier de ma chaise. Le sujet en vaut la peine. Et puis, Camille me coûte les yeux de la tête tandis que vous le feriez sans réclamer de salaire...

— Vous n'avez pas perdu l'habitude d'exploiter les femmes, à ce que je vois !

— Il ne faut jamais perdre ses bonnes habitudes, répondit-il d'un ton faussement sentencieux. Sérieusement, Grace, mes presses ne dureront pas éternellement, votre chère grand-mère Elinor non plus. Réfléchissez à ma proposition. Camille est vraiment surchargée de travail et elle vous décrira en termes enthousiastes les joies qu'elle éprouve à avoir un patron aussi parfait que moi.

Camille Inman vint me voir le dimanche suivant à l'heure du thé et, sur ma demande pressante, resta dîner. Parmi tous les sujets abordés, elle me dit que, si Liam Adair était loin d'incarner le patron idéal, elle n'avait pas honte de travailler pour lui. Entre ses mains, le journal ne constituerait évidemment jamais une mine d'or; mais ses lecteurs, dont le nombre croissait régulièrement, débordaient la poignée de radicaux enragés des premiers temps et se recrutaient maintenant dans toutes les classes sociales. Indéniablement, les campagnes menées par *L'Étoile* rendaient moins périlleuse la consommation de pain ou de bière à Cullingford. Pour sa part, Camille fondait de grands espoirs sur la publication de son enquête sur les taudis. Dépourvue de l'ardeur missionnaire qui enflammait son père, elle ne cherchait qu'à informer avec objectivité et laissait volontiers à d'autres le soin de tirer des conclusions morales. Me laisserais-je convaincre de lui venir en aide ? Il me faudrait, bien sûr, un estomac solide, car elle avait rencontré trop de bonnes âmes, dont la sincérité ne pouvait être mise en doute, incapables de supporter la puanteur qu'engendrent la misère et la détresse physique.

Le lendemain matin, vêtue avec simplicité conformément à ses instructions, je me suis rendue aux bureaux de *L'Étoile*. Nous avons ensuite marché une dizaine de minutes jusqu'au lieu de l'enquête, une ruelle baptisée St. Mark's Fold — nom évoquant davantage la sérénité d'une enceinte monastique que l'effroyable cloaque où nous avons pénétré. Née à Cullingford, j'en ignorais totalement l'existence. Il y avait pourtant des centaines de ces venelles, toutes semblables, formant un labyrinthe et bâties, jadis, par le premier mari de ma grand-mère Elinor et mon propre grand-père maternel, le respectable et prospère Morgan Aycliffe, autour de l'usine Barforth de Low Cross. La ruelle comportait, de chaque côté d'une chaussée bourbeuse, une dizaine de masures de deux pièces accolées par l'arrière à autant de cages où l'on accédait par des passages à l'allure de meurtrières. Dans ces quarante maisonnettes, représentant quatre-vingts pièces, Camille pensait trouver près de quatre cents occupants. Elle avait l'expérience de ces enquêtes et m'annonça ce chiffre effarant sans en paraître autrement affectée.

Il ne fallait pas, me précisa-t-elle, déduire de ce que j'allais voir que tous les travailleurs de Cullingford vivaient de manière aussi sordide. Ils étaient de jour en jour plus nombreux à parvenir, à force de persévérance et d'économie, à s'élever jusqu'à une sorte d'aisance parcimonieuse et digne qui n'était pas sans noblesse. Ceux-là réussissaient à payer leur loyer en temps voulu, à envoyer régulièrement leurs enfants à l'école, à ne pas engloutir leur paie dans le gin frelaté des estaminets ni jeter leurs filles aînées sur le trottoir afin d'arrondir les maigres ressources du ménage. Camille avait visité nombre de ces intérieurs où régnait la propreté la plus scrupuleuse, où mari et femme se respectaient et se manifestaient l'un à l'autre une sorte d'affection bourrue, où les vertus familiales s'épanouissaient au prix d'une rigoureuse discipline. Mais je ne verrais rien de tel dans les taudis de St. Mark's Fold.

Le travail progressa beaucoup plus lentement que je ne le prévoyais car, ce jour-là, nous n'avons visité que cinq foyers. Camille s'asseyait sur ce qui se présentait, chaise bancale, caisse à demi déclouée ou ballot de chiffons, et s'informait avec naturel, sans manifester de pitié injurieuse ni céder à un attendrissement de commande. L'on savait qu'il ne fallait pas compter sur elle pour payer les honoraires du docteur ou faire l'obole d'un shilling, mais qu'elle se chargerait volontiers d'intervenir auprès du propriétaire si le toit fuyait, ou saurait dénicher la famille possédant des vêtements d'enfant devenus trop étroits. « Dites-moi, madame Ryan, dit-elle — à moins que ce ne fût Mme O'Flynn ou Mme Backhouse — combien de lits avez-vous casés chez vous ? Et combien de personnes y dorment ? » Alors, Mme Ryan, Mme O'Flynn ou Mme Backhouse donnaient des réponses dont, au bout d'une heure, ıe ne songeais même plus à m'indigner.

Chacun des jours suivants, je l'ai accompagnée, mal à l'aise de me trouver si près de Low Cross où je risquais de tomber sur mon ex-beau père qui ne manquerait pas de s'enquérir des raisons de ma présence en un quartier si mal famé. Mais l'enquête elle-même et le comportement de Camille m'absorbèrent si bien que je n'y pensai bientôt plus. Le spectacle ne la choquait pas : le vice en était moins responsable que la misère et l'incapacité de certains à réagir. Il me fallut un certain temps pour m'y accoutumer et la comprendre.

Le dimanche d'après, elle vint déjeuner chez moi. Elle était comme toujours coiffée en un haut chignon qui dégageait son cou long et souple. Sa robe bleue — peut-être en était-ce une autre — s'ornait d'un bouquet de fleurs en guise de bijoux et ses yeux améthyste brillaient du même éclat. Sans plus de gêne que dans ses taudis, elle visita et fit l'inventaire de mes possessions, pour lesquelles elle ne manifesta nulle jalousie. Elle était, me dit-elle, totalement dépourvue d'instinct domestique. Ses placards donnaient le plus souvent le spectacle d'un désordre que certaines auraient jugé répréhensible mais qui lui convenait à merveille. Nous avons bavardé avec abandon, nous pouffions de rire comme des écolières lorsque retentit la sonnette de l'entrée et que mon beau-père fit son apparition.

Un peu embarrassée, je fis cérémonieusement les présentations. Camille n'avait aucune raison de se laisser intimider par ce M. Nicolas Barforth, qu'elle voyait pour la première fois, et reprit le cours de son bavardage. Il répondait par des grognements ou des monosyllabes, elle redoublait de sourires. A mesure qu'elle parlait, mon beau-père semblait se renfrogner, se retrancher derrière le masque rébarbatif du puissant industriel qu'importunent les jacasseries féminines. Pendant ce temps, il devait estimer le prix au mètre du tissu de la robe, deviner pourquoi un bouquet de fleurs tenait lieu de bijoux, juger sévèrement le tour très libre que Camille imprimait à la conversation et vraisemblablement la condamner sans appel.

Lorsque le plateau du thé eut été enlevé, elle se leva :

— Il est grand temps que je m'en aille, dit-elle.

Elle refusa en souriant mon offre de faire atteler pour la raccompagner, sous prétexte qu'elle serait plus vite rentrée à pied. En fait, elle me signifiait de la laisser agir à sa guise et selon ses habitudes.

— Vous allez loin ? s'enquit alors mon beau-père d'un ton rogue.

— Prince Albert Road, au pied de la colline. C'est à deux pas...

221

— Oubliez-vous qu'il vous faut traverser le centre, un dimanche soir, quand les rues grouillent d'ouvriers en train de boire leur paie ! Vous déraisonnez.

— Plaît-il ?

— Parfaitement, ma petite, je vous dis que c'est de la folie Puisque vous refusez la voiture de Grace, vous monterez dans la mienne. Elle est devant la porte et je m'apprêtais à partir de toute façon. Je vous déposerai, c'est sur mon chemin.

Un instant désarçonnée, elle se reprit aussitôt. Leurs regards se croisèrent, puis je vis ses lèvres former un sourire malicieux tandis qu'elle s'inclinait en une parodie de révérence :

— Monsieur, je suis votre servante !

— C'est bon, répondit-il en souriant à son tour. Eh bien, mettez votre chapeau et partons.

21

Grâce à l'amitié de Camille, je fis la connaissance d'un monde dont je ne soupçonnais pas l'existence. J'y découvris la tolérance, la bonne humeur, le respect du prochain, le bon sens que n'entachaient pas l'hypocrisie ni la sentimentalité. Après avoir été Grace Agbrigg, héritière de Fieldhead, j'étais devenue Mme Gervais Barforth, de Maison Haute. Le Cullingford que je connaissais depuis toujours me bannissait depuis que j'étais *la* divorcée — il n'en existait aucune autre. Mais Camille Inman et ses amis ne voyaient en moi que Grace; mes seuls mérites étaient de prodiguer à *L'Étoile* mon aide bénévole et de m'intéresser aux causes qui les passionnaient. Je prenais les traits et la mentalité d'une personne toute neuve. On me jugeait sur mes qualités et mes défauts, et non plus en fonction de la fortune de mon père ou de mon mari, de la finesse de mon linge de table ou du prix de mes toilettes.

Jusqu'à la fin de l'été, je travaillai avec acharnement. Par mon enthousiasme et mes indignations, je me rangeais parmi les amateurs; mais Liam, en bon professionnel, sut en tirer profit et me chargea de poursuivre l'enquête dans d'autres taudis, afin de prouver que le mal était plus répandu que ne le prétendaient les « bonnes âmes ». J'ai donc dressé une liste complète des immondes trous à rats que je découvrais dans des venelles telles que Commercial Close ou Silsbridge Street, à deux pas de l'opulente façade de l'usine de Nethercoats. Avec l'ardeur du néophyte, je vérifiais les faits jusqu'au moindre détail, tant je brûlais de dénoncer ces abominations à un Cullingford qui, comme je l'avais fait moi-même, en connaissait depuis toujours l'existence mais préférait se voiler pudiquement la face. Absorbée par ce travail, j'en arrivais à négliger famille et amis, car leur réalité s'effaçait devant celle de la misère que je côtoyais journellement. C'est pourquoi, au début, je n'ai prêté aucune attention à la métamorphose de Camille, à ses distractions rêveuses, à ses sourires béats; du même coup, j'ai failli manquer le plus beau scandale de Cullingford, le mien excepté, en train de se nouer sous mon nez.

J'aurais pourtant dû me douter de quelque chose lorsque

Camille, par un bel après-midi où j'étais trop affairée pour l'écouter, me déclara à brûle-pourpoint :

— Sais-tu, Grace, que Nicolas Barforth est un homme extrêmement séduisant ?

— Mon beau-père ? Il l'a peut-être été, dans sa jeunesse...

— Il l'est encore, crois-moi. Les hommes tels que lui s'améliorent souvent avec l'âge. Ils perdent leur côté rugueux, leur dureté et ne conservent que la séduction. Il est d'ailleurs très loin d'être vieux.

Elle cherchait probablement à me sonder. Ainsi que Liam me l'apprit par la suite, elle s'inquiétait en effet de ce que sa liaison avec mon beau-père — aussi invraisemblable aux yeux d'un tiers qu'enivrante à ceux de Camille — risquait de me choquer. Elle ne s'était pas trompée : je ne m'en indignais pas pour des raisons de moralité; mais je n'arrivais pas à me représenter mon beau-père avec une femme aussi belle, fantasque et adorable que Camille. Peut-être gardais-je aussi l'espoir plus ou moins avoué qu'il finirait par se réconcilier avec sa femme.

Tout s'était passé si vite que Camille, elle-même stupéfaite et n'osant pas y croire, n'en avait parlé à personne. Lors de leur première rencontre chez moi, l'insistance qu'il avait mise à vouloir la raccompagner chez elle l'avait d'abord agacée, puis amusée. Ils avaient eu le temps, ce jour-là, de s'évaluer mutuellement; et Camille, sans méconnaître la séduction qui émanait de lui — puissance, intelligence et fortune forment chez un homme une combinaison généralement irrésistible —, s'était vite rendu compte qu'ils n'avaient rien de commun et ne pouvaient pas s'entendre. En fait, une fois devant sa porte, ils s'étaient querellés une heure durant. Enfermée avec lui dans la voiture, elle l'avait entendu critiquer son mode de vie, mettre en pièces les idéaux auxquels elle était le plus attachée et réfuter tous ses arguments. Une fois terminée cette séance de démolition et voyant les chevaux s'énerver d'une si longue immobilité, il était reparti vers la gare. Il était bientôt l'heure du dîner, ils n'avaient mangé ni l'un ni l'autre... Sans qu'elle eût pu formuler son avis, elle s'était retrouvée avec lui dans le train de Leeds, où ils passèrent la soirée dans un endroit élégant, et vraisemblablement fort coûteux, que Camille ne pouvait, ou ne voulait, nommer.

Cette même semaine, ils s'étaient revus deux fois. Le vendredi, elle était partie avec lui pour Scarborough — si tôt ? quelle inconvenance ! — où ils avaient séjourné jusqu'au dimanche soir, dans une maison isolée sur la falaise. Et là, m'avoua-t-elle en rougissant — non pas de honte mais au souvenir de moments heureux —, ils s'étaient découverts parfaitement accordés l'un à l'autre. Depuis, ils se retrouvaient aussi souvent qu'ils le pouvaient, c'est-à-dire tous les jours. Si c'était de la folie, eh bien, cette déraison-là ressemblait fort au bonheur ! Penser à lui suffisait à rendre Camille rayonnante et à redoubler son désir, sentiment trop merveilleux pour engendrer le remords. Elle passait désormais tous ses week-ends à Scarborough — n'avais-je donc pas encore compris pourquoi, chaque vendredi, elle mettait tant de hâte à courir vers la gare ? Je lui demandai si mon beau-père — je l'entendais avec effarement l'appeler Nicolas — était dans les mêmes dispositions. Était-il heureux, lui aussi, cet homme que j'avais toujours connu sombre ou, plutôt, rébarbatif ?

— Ne sois pas si méchante, me dit-elle en souriant. Tu ne le croirais peut-être pas, mais il rayonne ! C'est un homme absolument merveilleux, Grace. Et ne prends pas cette mine sceptique, c'est vrai, je te le jure !

Lorsqu'il revint me rendre visite, j'eus du mal à le regarder en face. Je ne lui reprochais certes pas d'aimer Camille — les hommes qui ne tombaient pas à ses pieds ne pouvaient être qu'aveugles ou simples d'esprit. Mais les soupirs extatiques de mon amie me forçaient désormais à ne plus le considérer comme mon beau-père ou un parent âgé, mais comme un *homme*, dont la sensualité me causait un réel embarras. Quelles que fussent, en tout cas, ses intentions au sujet de Camille, il ne se gênait pas pour me dire qu'il ne se rassasiait pas d'elle. Il ne venait me voir, je le compris aussitôt, que pour le plaisir de parler d'elle devant un auditoire complaisant et déjà persuadé de ses charmes.

— Et pourquoi pas ? me dit Liam Adair en me trouvant seule au bureau un jeudi matin. Il a cent fois raison, ce cher Nick. Tiens, Camille s'est esquivée avec un jour d'avance, cette semaine. Je ne croyais pas qu'ils en arriveraient à un tel degré de passion. Mais, après tout, les riches vieillards ont le droit d'aimer de belles jeunes femmes pauvres pour couronner une vie de labeur, comme vous le diront tous les riches vieillards... Tant mieux pour elle, j'en suis ravi.

— J'avais cru comprendre, Liam, que Camille et vous...

— Bah ! J'y avais cru un moment, moi aussi, je l'avoue. Mais Camille a fréquenté trop d'individus dans mon genre. Au moins, Nicolas Barforth représente un changement. Au fait, nous devrions envoyer nos félicitations à Georges Chard. Maintenant que son beau-père s'envole pour Scarborough du vendredi au lundi, et bientôt du jeudi au mardi, il doit lui laisser la bride sur le cou.

Pour le moment, tout au moins, leur idylle restait relativement discrète. Les bonnes langues de Cullingford voulaient être sûres des faits avant de lancer leurs médisances sur le plus puissant de leurs concitoyens. Je craignais cependant qu'on ne les ait déjà surpris ensemble et que les racontars soient sur le point de se déchaîner. La charité la plus élémentaire me commandait d'aller au plus vite à Galton et de préparer ma belle-mère. Cette corvée, je la retardais pourtant de jour en jour, de crainte aussi de retrouver au Prieuré des souvenirs trop vivaces de Gervais. Ce fut elle, finalement, qui vint me voir la première, souriante, les bras chargés de fleurs des champs et de bruyères odorantes, des mèches de cheveux rebelles voletant sous son chapeau crânement perché de travers.

— Ma chère enfant, dit-elle en ôtant ses gants de cheval, je vous sais terriblement affairée ces temps-ci et je ne vous ferai pas perdre votre temps en tournant autour du pot. Je suis venue me renseigner sur cette superbe Camille dont on me rebat les oreilles. Ne prenez donc pas cette mine étonnée, Grace, nous ne sommes plus des enfants : c'est mon mari lui-même qui m'a mise au courant. Je le crois volontiers quand il me dit qu'elle est ravissante, Nick a toujours eu bon goût. Ce qui m'intéresse, c'est le reste. Comment est-elle, quel est son caractère, a-t-elle des qualités, des défauts ? Voyez-vous, Grace, Nick a toujours été déçu par les femmes, à commencer par moi, et j'aurais de la peine s'il devait l'être de nouveau, surtout maintenant qu'il n'a plus tellement de temps à gaspiller. Alors, parlez-moi un peu de ce parangon de toutes les vertus.

Je lui appris tout ce que je savais de Camille. Elle m'écouta attentivement et, lorsque j'eus terminé, hocha la tête avec satisfaction — ce qui, une fois encore, lui faisait piétiner les convenances.

— Naturellement, j'imaginais mal Nick trouver du charme à une personne si désireuse de réformer la société. Ses semblables sont volontiers ennuyeux et intolérants. Mais vous me dites qu'elle sait rire et déborde de générosité. Est-elle amoureuse de lui, au moins ?

— Elle en est folle, littéralement. Elle l'adore.

— Tant mieux. Il en a toujours eu besoin.

— Mais, dites-moi... J'avais pensé que, lui et vous...

— Vous aviez de bonnes raisons de l'envisager, Grace. A vrai dire, l'idée nous a nous-mêmes effleurés. La mort de Venetia nous a fait comprendre tout ce que nous avions si longtemps gâché et nous a permis de nous rapprocher. Mais pas au point de partager le même lit, ma chère petite. Il avait coulé trop d'eau sous les ponts et nous n'allions pas nous donner le ridicule de faire semblant. Je ne vous cacherai pas que Nick m'inquiétait, depuis quelque temps. Je l'avais toujours cru capable de se suffire à lui-même. Je le voyais si fort, si peu enclin à partager ses peines.. Depuis la mort de Venetia, il se repliait sur lui-même et souffrait, je crois, de la solitude. Il ne lui a jamais consacré beaucoup de son temps, mais il lui suffisait, je crois, de la savoir là, de se savoir, lui, prêt à lui venir en aide. Pauvre Nick ! Il refusait de l'admettre, il n'avait peut-être pas réellement conscience de ce qui lui arrivait, mais l'isolement le rongeait. Je n'en ai jamais vraiment souffert, Dieu merci. Et maintenant que ce miracle lui est arrivé, je me rends compte combien j'en suis heureuse. Je vous avoue, et je ne le dis qu'à vous seule, Grace, que j'aurais pu, à un moment donné, réagir différemment. Aujourd'hui, ce n'est plus le cas. Je me réjouis très sincèrement pour Nick.

— Et vous ? Qu'allez-vous faire ?

— Ah ! Il faut que je vous en parle aussi — et vous m'en voudrez sans doute. Mais n'oubliez pas, ma chère Grace, que les gens de notre âge, hommes ou femmes, ne peuvent pas se permettre d'attendre lorsqu'ils désirent véritablement quelque chose. Me comprenez-vous bien ?

— Oui, je crois.

— Bien. Mon mari a l'intention de vivre avec sa chère Camille de façon permanente. Ils s'installeront à Scarborough, je crois, dans la maison où les deux frères, Blaise et Nicolas, emmenaient leurs bonnes amies du temps de leur jeunesse. Il y sera fort bien et j'estime qu'il est grand temps que Nick s'éloigne de ses usines. Ainsi, si Camille accepte de sacrifier sa liberté et de tout abandonner pour lui, j'en suis très heureuse, je vous le répète. Mais je ne serais pas heureuse seule et moi aussi, ma chère enfant, je vais vivre dans le péché, comme on dit, car j'appartiens à une génération qui hésite à prendre des mesures aussi extrêmes que le divorce. Je n'en serai pas moins heureuse, croyez-moi, en compagnie de mon cher vieil ami Julian Flood, lui chez lui, moi dans mon Prieuré, bien entendu, ce qui ne fera pas obstacle à notre contentement. M'en voulez-vous ?

Voyant que je tardais à répondre, elle me prit la main et redevint la femme énergique qu'elle était :

— Julian est mon meilleur ami, Grace. Je sais qu'il s'est montré odieux à votre égard, mais n'oubliez pas qu'il prenait la défense de sa nièce, sa fille adoptive en quelque sorte. L'on ne pouvait en attendre moins de sa part et je puis vous révéler qu'il a profondément regretté de vous avoir parlé de la sorte. Comme moi, il a l'esprit de famille, pour certaines choses du moins, et ne se dérobe pas devant ses obligations. Et puis, il est infiniment moins redoutable qu'il ne l'était jadis. Les caractères les plus emportés s'assagissent avec l'âge. N'oubliez pas non plus qu'il m'attend depuis vingt ans — non sans distractions, certes, mais n'est-ce pas une belle preuve de fidélité ? A cause de moi, il ne s'est pas marié, il n'a pas eu l'héritier que sa famille aurait pu exiger de lui. Nick considère qu'il ressemble autant que faire se peut à mon frère Perry et c'est vrai. J'étais attachée à mon frère d'une manière si forte que je ne puis vous la décrire. Naturellement, Julian n'est pas mon frère et nous éprouvons l'un envers l'autre une affection toute différente mais presque aussi puissante, je crois. Elle me satisfait, je n'en demande pas davantage. C'est Nick qui a besoin de passion, d'adoration, pas moi. Aussi, ma chère petite, réjouissez-vous pour moi. Quant à vous... Au fait, il doit y avoir un poste vacant, désormais, à votre si entreprenant journal ?

Les articles de Liam sur les taudis où j'avais mené mon enquête avaient paru pendant plusieurs semaines. Ils étaient généreusement parsemés de commentaires sévères sur les propriétaires indignes qui laissaient des êtres humains vivre dans des lieux dont les cochons n'auraient pas voulu, sur les patrons au cœur sec payant des salaires trop bas pour que leurs ouvriers puissent échapper à cet enfer. Ces propos enchantaient les uns, offensaient les autres et attisaient partout les dissensions et les antagonismes toujours prêts à bouillonner dans notre bonne ville. La série n'avait pas fini de paraître que, déjà, les lettres s'amoncelaient, où s'exprimaient colère, indignation, menaces. Les meilleures, une fois publiées, relancèrent une si vive polémique sur la justice sociale et les responsabilités de chacun qu'elle promettait d'alimenter nos colonnes au moins jusqu'à la fin de l'année. Bientôt, un dialogue écrit s'engagea entre nos lecteurs et nous apprîmes que des discussions nettement moins courtoises éclataient dans les estaminets à bière et jusque dans les bars de nos meilleurs hôtels. Qui étaient donc, voulait-on savoir, ces immondes propriétaires de St. Mark's Fold, de Commercial Close et de Silsbridge Street ? La rédaction de *L'Étoile* révélerait-elle un jour leur identité ? La rédaction ne fit aucune promesse et laissa planer le doute. Il faudrait acheter le prochain numéro, ou peut-être l'un des suivants, si l'on voulait en avoir le cœur net.

— Cette prose ne fait qu'enflammer les esprits, dit un jour Mme Agbrigg, et risque de provoquer des troubles graves. Possédez-vous des propriétés dans ces quartiers, Jonas ?

A mon avis, Liam ne cherchait qu'à augmenter les ventes de son journal, car ces coupables propriétaires pouvaient être n'importe qui. Mon grand-père Aycliffe avait bâti ses logements dans presque toute la ville et tout sacrifié à la rentabilité. L'afflux de la main-d'œuvre avait ensuite accéléré l'expansion industrielle, les usines poussaient comme des champignons et il fallait construire, encore plus vite, encore moins cher, de quoi loger les ouvriers. Qui avait investi au début, à qui ces masures insalubres avaient-elles été revendues ? Les propriétaires se chiffraient aujourd'hui par dizaines, par centaines peut-être. Ma grand-mère Elinor y figurait certainement et ses filles, tante Julia, tante Prudence et moi, possédions vraisemblablement des quartiers entiers dont nous ignorions tout. Les hommes de loi étaient là pour encaisser les loyers et personne n'aurait exigé d'une dame comme il faut qu'elle manifestât de l'intérêt envers des murs boursouflés de salpêtre, des toits menaçant ruine ou des « commodités » dépourvues de portes et débordantes d'immondices.

De fait, Cullingford tout entier en était responsable. Nous étions tous des propriétaires coupables d'indifférence.

— La formule est heureuse, Grace, et je m'en servirai peut-être dans un prochain article, me dit Liam. En attendant, pourquoi n'iriez-vous pas fouiner du côté de l'orphelinat ? J'ai entendu dire que votre chère amie Miss Tighe vient d'en être nommée directrice.

Miss Tighe me fit comprendre sans ambiguïté que je ferais mieux de me mêler de mes affaires et je repris mes visites au plus épais d'une humanité dont la puanteur ou la détresse ne m'offusquaient ni ne m'indignaient plus. De la ferveur du croisé, telle que l'avait vécue Venetia, je suis passée insensiblement à une lucidité objective. La charité, que j'avais eu la faiblesse de pratiquer, ne servait à rien devant l'ampleur de cette misère. Elle ne faisait que remplir l'office d'une béquille, d'une drogue dont la privation risquait ensuite de faire souffrir encore davantage ceux qui en avaient momentanément bénéficié. La seule solution se trouvait sans doute dans l'éducation, l'élargissement des chances, l'instauration d'un système moins injuste où tous, hommes et femmes, seraient en mesure de s'élever par eux-mêmes. N'était-ce qu'une utopie ? En verrions-nous, un jour, la réalisation ?

Je me trouvais seule au bureau un matin de septembre — Camille était partie pour Scarborough et Liam Dieu sait où — lorsqu'un homme bien vêtu fit son entrée, avec la mine de celui qui redoute de poser le pied dans quelque tas d'ordures. Son air pincé, son ton cassant n'étaient pas de ceux qu'un homme bien élevé utilise en s'adressant à une dame.

— Monsieur Liam Adair ? demanda-t-il.

— Non, ainsi que vous pouvez le constater.

— Peut-on savoir où il est ?

— On peut. Malheureusement, je ne puis vous fournir ce renseignement.

— Auriez-vous alors l'obligeance, euh... mademoiselle ? de l'informer que M. Georges Chard désire le voir à son bureau de Nethercoats cet après-midi à trois heures ?

— Je le lui dirai si je le vois moi-même, mais M. Chard serait mieux avisé de venir le rencontrer ici.

— Il ne saurait en être question ! Au revoir, euh... mademoiselle ?

L'employé de Georges sortit, encore suffoqué de mon effronterie : j'avais osé lui suggérer que son maître vînt risquer de ternir l'éclat de ses bottines sur un plancher aussi douteux !

Trois heures sonnèrent, suivies de quatre et de cinq. A six heures, je suis rentrée chez moi en laissant aux typographes le soin de prévenir Liam à son retour.

Je n'avais pas idée du motif pour lequel Georges souhaitait rencontrer Liam. L'arrogance de cette convocation me faisait regretter que Liam n'eût pas été là pour répondre lui-même à l'impertinent employé. Si M. Georges Chard, avec ses bottines de cuir fin, son gilet de soie et son chapeau de castor, désirait s'entretenir avec lui, il était assez grand pour venir le trouver. Mais j'accordais si peu d'importance à l'incident que je fus stupéfaite quand, une heure après mon dîner, j'entendis sonner à la porte et vis Georges entrer au salon, trois ou quatre numéros de *L'Étoile* roulés sous le bras.

Je ne l'avais plus revu depuis cette soirée, l'été dernier à Londres, où il m'avait proposé de devenir sa maîtresse. Comme moi, sans doute, il avait dû décider d'oublier cet instant d'égarement, car il n'y avait plus trace d'amour dans son comportement. Il se planta sur le tapis, fit des yeux le tour de la pièce afin d'estimer la valeur des meubles et des bibelots, constater s'ils étaient de bon goût et prêt, dans le cas contraire, à m'en faire la remarque.

— Bonsoir, Grace, me dit-il sans éprouver le besoin de mentionner le fait que nous nous évitions depuis plus d'un an.

— Bonsoir, Georges.

— Votre installation paraît confortable.

— J'ai emménagé ici depuis six mois déjà.

— Vraiment ? Comme le temps passe vite ! Vous avez reçu la visite d'un de mes employés cet après-midi, je crois ?

Je me suis bornée à hocher la tête et ne l'ai pas invité à s'asseoir, lui signifiant ainsi que je ne comptais lui accorder qu'un bref entretien. D'un sourire, il m'indiqua avoir compris.

— Adair n'est pas revenu à son bureau, tout à l'heure ?

— Non. Mais je doute qu'il aurait trouvé le temps d'aller vous voir, son emploi du temps est extrêmement chargé.

Il leva un sourcil, la mine faussement étonnée. Sous sa froideur sarcastique, je sentais cependant la colère prête à éclater. Je retrouvais le Georges que je connaissais le mieux, l'adversaire plutôt que le soupirant — et il en aurait fallu bien davantage pour m'intimider.

— Faut-il prendre rendez-vous, ces temps-ci, pour avoir l'honneur de s'entretenir avec Liam Adair ?

— C'est exact. Je ne vois pas pourquoi vous vous en dispenseriez, quand les autres...

— J'ai cent bonnes raisons de vous contredire. Cependant, vous pourrez peut-être m'apprendre ce que je désire savoir, puisque vous semblez si bien au courant de ses affaires.

D'un geste méprisant, il laissa tomber sur mon guéridon les exemplaires de *L'Étoile* et les désigna d'un mouvement du menton :

— Je voudrais lui parler de ces articles, qui remuent tant d'air en ville, de ces prétendues enquêtes réalisées dans St. Mark's Fold, Commercial Close et Silsbridge Street. Dites-moi, je vous prie, pourquoi et selon quels critères ces rues ont été choisies plutôt que d'autres ?

— Elles ont été prises au hasard, il me semble.

— Vraiment ? Et par qui, par Liam Adair ?

— Bien entendu. Où voulez-vous donc en venir, Georges ? Il suffit de prendre un plan de la ville et d'y poser le doigt à l'aveuglette. Les taudis abondent dans tous les quartiers.

— Très juste. C'est pourquoi il me semble hautement improbable que le hasard seul ait déterminé le choix de ces trois rues qui appartiennent précisément à « Nicolas Barforth & Company, Ltd. » donc, d'une certaine manière, à moi.

Je m'entendis pousser un cri de surprise. Trop occupée des habitants et de leurs conditions de vie, je n'avais pas un instant réfléchi à cet aspect de la question. Devant ma réaction, Georges était moins que jamais disposé à s'en tenir là :

— Nous possédons beaucoup d'immeubles en ville, Grace, pour la plupart en excellent état. Vous le savez, j'espère ?

— Oui, en effet.

— Vous n'ignorez pas non plus que chaque usine, dans la région, compte encore parmi ses dépendances un certain nombre de taudis. Je dis bien chaque usine, Grace, et Cullingford en dénombre près de soixante-dix, y compris celle de votre père à Fieldhead. N'est-il pas étrange, dans ces conditions, que je sois le seul en position d'accusé ? Ne suis-je pas fondé à me demander si Liam Adair obéit moins à de nobles idéaux humanitaires qu'à un souci de vengeance personnelle ?

C'était plausible, voire probable, au point que je dus me détourner afin de lui cacher mon trouble. En s'attaquant à un scandale bien réel, Liam saisissait sans doute l'occasion de faire d'une pierre deux coups. Les motifs ne lui manquaient pas, après tout : c'était Georges qui l'avait chassé des entreprises Barforth, Georges qui avait épousé Venetia, Georges qui tirait régulièrement profit de ce qui échappait à d'autres. Liam s'estimait donc en droit de le lui faire payer.

— Je... Je ne sais vraiment que dire, Georges.

— Voilà qui témoigne d'une louable fidélité envers votre employeur — s'il n'est rien d'autre pour vous.

— Je préfère ne pas comprendre cette insinuation, Georges ! Je vous affirme, en tout cas, n'avoir jamais envisagé la question sous ce jour-là. Si l'enquête a effectivement été menée de la manière dont vous le prétendez, c'est regrettable, je l'avoue, et je ne manquerai pas de le dire à Liam. Il n'en est pas moins vrai que ces taudis sont dans un état scandaleux et nous n'avons exagéré en rien. D'autre part, permettez-moi de m'étonner de vous voir ainsi vous formaliser. En supposant que Liam s'attaque à quelqu'un en particulier, il peut aussi bien s'agir de M. Nicolas Barforth lui-même.

— Je ne le pense, pas, du fait que je suis désormais responsable de la direction des affaires. C'est mon nom que citera Liam Adair et je ne songe pas à le lui reprocher : quand on profite des privilèges, on est mal venu de refuser les responsabilités qui les accompagnent. Je veux simplement lui faire comprendre que je sais être en butte à ses attaques et que j'en connais les raisons. Je n'ai besoin de personne, pas même de mon président, pour me défendre en cas de besoin. D'ailleurs, notre cher beau-père est bien trop occupé, en ce moment, avec sa bonne amie pour se soucier...

Il m'offrait enfin le prétexte pour laisser éclater ma colère sans risque de faire dévier la discussion sur un terrain dangereux et j'en ai aussitôt profité :

— C'en est assez, Georges ! Camille Inman est mon amie et je ne vous permettrai pas de lui manquer de respect.

— J'éprouve au contraire le plus profond respect envers cette Mme Inman, dit-il avec un sourire hautain. Non seulement elle parvient à me délivrer de l'encombrante présence de mon président, mais je ne saurais qu'admirer une aussi superbe créature...

— Elle l'est, et je vous interdis d'en parler comme d'une de vos juments ou de l'assimiler à vos gourgandines de Londres !

Cette fois, il ne répondit pas et je ne trouvai rien de plus cinglant à lui dire. Il rompit le premier un silence qui menaçait de s'éterniser :

— Quoi que je fasse, aurai-je toujours tort à vos yeux, Grace ?

— Il ne m'appartient pas de juger vos actes, Georges, ni même de m'y intéresser. Mais vous n'avez pas non plus lieu de...

Au moment où j'allais m'interrompre lamentablement faute d'arguments, j'eus le soulagement d'entendre la sonnette de la porte. Quelques secondes plus tard, je fus en revanche atterrée en voyant Liam Adair entrer au salon d'un pas désinvolte. Il aperçut les exemplaires du journal sur le guéridon et sourit :

— Par exemple ! Voilà qui tombe à merveille. Il paraît que vous cherchiez à me rencontrer, Georges ?

— En effet, Adair, et vous savez sans doute pourquoi.

Mais Liam ne s'arrêta pas. Horrifiée, je le vis s'avancer vers moi, je sentis sa large main se poser sur ma nuque, ses lèvres sur les miennes en un de ces baisers rapides, presque distraits qu'un amant en titre accorde à la maîtresse chez qui il a ses habitudes.

— Que disions-nous ? Ah, oui ! Vous vouliez donc me voir A quel sujet ?

— J'avais besoin d'un renseignement, j'en ai assez appris.

— Dans ce cas, laissez-moi vous raccompagner.

Il le fit en effet, tel le maître de maison qui escorte un visiteur importun. Seule quelques instants, j'eus le loisir de revoir l'éclair de férocité qui s'était allumé dans le regard de Georges, de sentir monter en lui une envie de meurtre réprimée à grand-peine. Je dus surtout lutter contre ma propre envie de me ruer à sa suite et de lui crier que ce n'était pas vrai et ne l'avait jamais été.

Liam revint presque aussitôt, sans plus sourire. Tremblante de rage, j'ai tenté de lui lancer une gifle qui manqua sa cible.

— Comment avez-vous osé vous servir de moi de la sorte ? ai-je crié. De quel droit ?...

Il m'attira dans ses bras et me serra doucement contre lui jusqu'à ce que cesse mon tremblement — jusqu'à ce que j'aie suffisamment recouvré mes esprits pour me rappeler que Georges Chard n'était rien pour moi et que j'en avais moi-même décidé ainsi.

Dès que je fus assez calme, je me suis dégagée de son étreinte. Je débordais d'amertume :

— Inutile de me tenir plus longtemps, Liam. Georges a eu largement le temps de nous voir, s'il lui a pris la fantaisie de regarder par la fenêtre. Il est sûrement parti.

— Ce n'est pas pour cela que je le faisais. Mais rassurez-vous, Grace, personne d'autre que moi n'a deviné qu'il en serait jaloux. Ne m'en veuillez quand même pas trop : je ne peux pas résister à l'envie de le chatouiller de temps en temps.

— Donc, vous aviez bien choisi ces rues-là afin de vous venger ?

— Ah, c'est ainsi qu'il voit les choses ? Bah, il n'a peut-être pas tout à fait tort ! N'oubliez quand même pas que cette enquête était indispensable et qu'il en sortira peut-être un bien, comme ce fut le cas pour mes campagnes sur la farine dénaturée. De toute façon, Grace, vous n'avez d'autre choix que de me pardonner. Camille m'a remis sa démission et j'ai absolument besoin de vous.

Avant de répondre, je suis allée me poster devant la fenêtre, le temps de me ressaisir. Puis, une fois ma décision prise je me suis retournée vers lui :

— Soit, j'accepte de prendre l'emploi de Camille — je le remplis depuis plus de deux mois, soit dit en passant. Bien entendu, vous me paierez le même salaire.

Il éclata de rire, reprit sa mine débonnaire où n'apparaissaient plus ni esprit de revanche ni quelque autre passion :

— C'est que, voyez-vous ma chère Grace, je caressais l'espoir...

— Que je travaillerais pour rien ? N'y comptez pas, Liam. Nous sommes amis, bien que je me demande souvent pourquoi, et vaguement apparentés, ce dont nous ne sommes ni l'un ni l'autre responsables. Je ne suis pas dans le besoin, j'en conviens. Mais rien de tout cela ne vous donne le droit de m'employer gratuitement. Alors, traitons cela équitablement, en hommes d'affaires, si je puis dire. J'accepte l'emploi de Camille et pour le même salaire, moyennant quoi je m'engage à me trouver tous les matins à mon bureau à l'heure que vous déterminerez et à y rester jusqu'au moment où vous me laisserez partir. Si vous attachez du prix à ma collaboration, il vous faudra la payer. De toute façon, vous savez fort bien que je vous en donnerai largement pour votre argent, sinon davantage. D'accord ?

Il secoua la tête en souriant :

— Vous êtes dure, Grace !

— Vous n'êtes pas le premier à me le dire et nous vivons dans un monde qui n'est pas particulièrement tendre. Alors, d'accord, oui ou non ?

— D'accord.

Nous avons conclu notre marché sur une vigoureuse poignée de main.

— A demain matin, donc, ma chère Grace. Huit heures précises.

— J'y serai.

Ces mots transformaient ma vie. Je n'étais plus la jeune dame élégante et inutile, qui se donnait bonne conscience en dispensant quelques écuelles de soupe et de bonnes paroles à des pauvres. J'avais beau me sentir encore secouée par mes insignifiantes épreuves et meurtrie dans les replis de mon âme, je pénétrais dans le monde de la réalité. J'avais un emploi.

22

Camille quitta son logement de Prince Albert Road et partit pour Scarborough dans un état de ravissement digne d'une jeune mariée de dix-sept printemps. Mariée, elle ne l'était évidemment pas, ne le serait sans doute jamais mais s'en moquait souverainement. Elle ne voulait que vivre avec son Nicolas et sacrifiait tout, liberté, réputation et le reste, à cet unique objectif. Lui, de son côté, abandonnait — avec une précipitation que je n'étais pas seule à trouver stupéfiante — les rênes de son empire. Il transféra à l'actif de « Nicolas Barforth & Co. Ltd. » ses précieuses entreprises de peignage et de fabrication d'apprêts, dans le seul dessein de se consacrer corps et âme au grand amour de sa vie.

« Que c'est romanesque ! commenta Mme Agbrigg avec un demi-sourire. Je lui souhaite simplement de conserver son endurance... »

« Décidément, les hommes se conduisent tous comme des imbéciles ! » grommela ma grand-mère Agbrigg, qui avait d'ores et déjà décrété qu'elle ne franchirait jamais le seuil de Camille, quand sa propre maison de Scarborough ne se trouvait qu'à quelques centaines de mètres.

« A quoi ressemble-t-elle ? me demanda tante Julia avec un trouble évident. Elle est *brune,* me dis-tu ? Comme c'est étrange... »

« Leur souhaiterons-nous beaucoup de bonheur ? s'enquit oncle Blaise.

— Bien sûr, mon chéri ! dit tante Julia en lui prenant la main. Qu'ils soient aussi heureux que nous — il est impossible de l'être davantage, n'est-ce pas ? »

« Eh bien, Georges aura désormais tous les pouvoirs en main et il sera pour ainsi dire chez lui à Maison Haute, déclara Blanche avec son esprit pratique. Cela tombe bien, car tante Caroline se démène pour le remarier et sa nouvelle épouse n'aurait peut-être pas apprécié de vivre sous le même toit que l'ex-beau-père de son mari. »

En dépit de la satisfaction que lui causait la miraculeuse élévation de son fils, tante Caroline n'en était pas moins scandalisée par la conduite de son frère. Aussi se déplaça-t-elle en personne jusqu'à Scarborough et là, retranchée au Grand Hôtel, elle lui signifia de venir l'y rencontrer — il n'était pas question pour la duchesse de mettre le pied dans une maison abritant une « femme perdue ». M. Barforth se rendit à la convocation, me raconta Camille par la suite, invita sa sœur à un somptueux dîner et lui déclara au dessert, en termes cordiaux mais sans réplique, qu'elle serait bien avisée de ne se mêler dorénavant que de ses propres affaires. De son balcon, tante Caroline avait cependant eu le temps d'apercevoir Camille qui prenait l'air sous les arbres de la promenade. La jeunesse de mon amie lui fit aussitôt redouter d'épouvantables complications :

— Cette femme est en âge de porter des enfants ! nous déclara-t-elle d'un ton accusateur. Ce serait une injustice criante envers Georges si elle donnait un fils à Nicolas.

— Mais mon mari a *déjà* un fils, se borna à remarquer Mme Barforth quand on lui rapporta le propos.

Et pourtant, Gervais ne donnait pas signe de vie.

Pendant ce temps, je mettais un point d'honneur à me trouver à mon bureau tous les matins à huit heures, quand Liam n'apparaissait le plus souvent qu'à dix heures passées. Je travaillais toute la journée, parfois jusque tard dans la nuit. J'écoutais tous ceux qui pouvaient m'apprendre quelque chose susceptible d'intéresser nos lecteurs. Mais j'aurais mal reçu quiconque m'aurait demandé si j'étais heureuse. Affairée, certes — j'en avais toujours éprouvé le besoin. Mais j'avais le sentiment pénible de jouer à la femme indépendante et j'en souffrais. Je gagnais le même salaire que Camille mais sans en avoir réellement besoin, car je disposais toujours de mes revenus. Heureuse, je ne l'étais donc pas et pas davantage satisfaite, une fois émoussés mes premiers élans d'enthousiasme. Je m'intéressais, en revanche, à ce que je faisais, à ce que j'apprenais. Plutôt que de rester claquemurée chez moi à me demander si Mme Rawnsley ou Mlle Mandelbaum se décideraient un jour à venir me rendre visite, c'était un progrès dont il fallait bien me contenter.

Lorsque j'eus vingt-sept ans, j'avais réussi à ramener mes idéaux au niveau de la réalité et à me débarrasser des sentiments. Incapable de brûler longtemps de la ferveur qui animait Venetia, je m'étais vite rendu compte de la futilité de mes premières indignations. L'humanité étant ce qu'elle est, innombrables seraient toujours ceux qui, placés dans les meilleures conditions, n'apprendraient jamais à secouer leur apathie. Il m'arrivait malgré tout, dans cet immense marécage de résignation, de rencontrer çà et là un ferment de courage, une étincelle de dignité, de volonté, dans le regard de certains jeunes, garçons et filles; un sursaut, un refus d'accepter un destin menant au désespoir. Je fis peu à peu connaissance avec ces adolescents qui, sortant d'une longue journée de travail, se décrassaient à l'eau froide du cambouis des machines, avalaient une tranche de pain tartinée de saindoux et allaient passer leur soirée à s'instruire à l'Institut de mécanique dans l'espoir de devenir contremaîtres, peut-être ingénieurs. J'ai rencontré de ces jeunes filles qui restaient vertueuses, non par scrupule moral, mais parce qu'elles connaissaient trop bien le péril des grossesses répétées, l'avilissement de la prostitution et qui se préparaient, sans encouragement extérieur, à devenir des épouses responsables et des mères dignes de respect.

Ceux-là, m'avait dit Camille, sont de la race des survivants, comme l'avait été mon grand-père Agbrigg, comme j'aurais pu l'être moi-même. Mais ils constituaient l'exception, ils formaient une infime minorité dans la foule des autres, vieillards, malades, faibles d'esprit hors d'état de plaider leur propre cause, victimes de l'indifférence ou de l'exploitation et dont, malgré l'endurcissement auquel je m'efforçais, je ne parvenais pas à ignorer l'existence et la pitoyable condition.

Je ne prenais guère soin de mon intérieur et mes domestiques me quittaient les unes après les autres, tant elles réprouvaient mon mode de vie. Je me réfugiais derrière une façade de froideur, qui ne me protégeait cependant pas des brusques accès de douleur qu'il m'arrivait trop souvent d'éprouver devant les preuves de mon échec dans ma vie de femme. J'en prenais plus cruellement conscience quand je voyais l'éclat passionné qui auréolait Camille, la félicité sereine où baignait tante Julia, la joie qui illuminait le visage de Mme Barforth, capable de refaire sa vie avec son ami d'enfance et d'y trouver un certain bonheur. Pour ma part, j'étais ponctuelle à mon bureau, appliquée dans mon travail. J'avais noué quelques amitiés, suscité quelques inimitiés. Je passais par des alternances de chagrin sans cause et de gaieté sans objet. Je m'occupais de choses intéressantes. Je vivais.

Blanche séjournait de plus en plus longuement à Listonby, ces temps-ci. Dominique avait perdu son siège à la Chambre du fait du raz de marée libéral et s'était mis en tête de voyager, d'explorer les contrées lointaines où le chasseur exigeant trouve au bout de son fusil un gibier plus exotique ou moins inoffensif que le lièvre et le faisan — et où il ne saurait être question d'entraîner sa femme. Blanche lui avait affectueusement souhaité bon voyage à l'issue d'un grand dîner donné à cette occasion et s'était empressée de repartir vers le Nord, où l'attendaient ses enfants et Noël.

A mes questions indiscrètes — s'était-elle enfin résolue à récompenser la longue patience de Noël ? — elle ne répondait que par des sourires évasifs. Elle se montra cependant plus communicative sur d'autres sujets. C'est ainsi que j'appris, un après-midi, que Lord Sternmore avait repris avec lui son épouse repentante et désormais si bien pénétrée de ses devoirs qu'elle s'apprêtait à lui donner un héritier. La petite Claire Chard, qui venait d'avoir deux ans, était la coqueluche de la nursery de Listonby. Elle manifestait déjà d'excellentes dispositions et l'on pouvait imaginer que, conformément au vœu de sa mère, elle marcherait sur les traces de sa tante Blanche. Qu'adviendrait-il de Claire si Georges se remariait ? Blanche ne pouvait le prévoir. Des quelques prétendantes recrutées par tante Caroline — dont une certaine Hortense Madeley-Brown, qu'elle avait rencontrée, et qui faisait figure de favorite —, aucune ne lui avait semblé disposée à s'encombrer de la progéniture d'un premier lit. Georges venait assez souvent à Listonby et ne s'occupait guère de sa fille putative. Mais quel père daigne jeter les yeux sur ses rejetons, sinon pour les morigéner ? Les garçons étaient bientôt d'âge à partir pour l'internat et Blanche verrait sans défaveur la fillette rester sous son aile et se laisser bichonner, si Georges n'y mettait pas d'obstacle.

A Maison Haute, m'apprit-elle encore, la situation avait évolué. Mme Winch et Mme Kincaid étaient parties comme elles le promettaient depuis longtemps, Chillingworth avait pris sa retraite — comment ? je n'étais donc pas au courant ? — et Georges avait engagé à leur place un chef français et un maître d'hôtel aux manières irréprochables. Quoi, je n'en savais rien ? Grand dieu, je ne m'intéressais donc plus à ce qui se passait autour de moi ?

En effet, mon travail à *L'Étoile* devenait plus prenant et je commençais à considérer Liam Adair avec une sorte de respect. Sa désinvolture envers l'argent et les femmes ne m'empêchait plus de reconnaître ses réelles qualités et, surtout, la générosite et la sincérité de ses intentions. Sa vanité et son penchant à la fanfaronnade n'éclipsaient pas sa clairvoyance, il ne craignait jamais d'exprimer courageusement ses opinions. Il ne perdait son objectivité qu'en ce qui concernait Georges Chard, à qui il ne pardonnait pas la manière dont il avait traité Venetia, mais dont il ne me parlait jamais. Une fois le sujet des taudis épuisé jusqu'à la dernière goutte de fiel, il trouva ailleurs de quoi alimenter ses incessants harcèlements. Le moindre accident de travail dans une des usines Barforth prenait, dans les colonnes de *L'Étoile*, les proportions d'un crime délibéré, quand ce genre de drames survenait, hélas ! quotidiennement dans toutes les usines de la région. Il montait en épingle les souffrances, souvent vraies et parfois supposées, de la victime, fustigeait les conditions de travail mais négligeait de préciser que les Barforth payaient de leur poche les soins médicaux et la pension d'invalidité. A mes reproches, il répondait par une pirouette et un sourire :

— L'esprit de famille vous aveugle, Grace ! Georges devrait me remercier : si je ne l'aiguillonnais pas de temps en temps, il deviendrait gras et content de lui.

Je n'oublierai jamais l'éclair de joie qui s'alluma dans son regard lorsqu'il découvrit que tout le quartier avoisinant St. Mark's Fold — du moins ce qui n'appartenait pas déjà aux Barforth — faisait l'objet d'acquisitions en sous-main. Les logements devenus vacants le restaient. Quelques semaines d'une enquête discrète lui permirent de s'assurer que toutes les rues entourant l'usine de Low Cross étaient destinées à la démolition. L'usine elle-même devait être considérablement agrandie et la main-d'œuvre relogée dans de nouvelles cités ouvrières.

— De quoi vous plaignez-vous, Liam ? lui ai-je demandé avec agacement. Vous étiez le premier à dire que ces taudis étaient inhabitables !

— Pas tous, ma chère Grace. Ceux de St. Mark, oui. Mais les maisons de St. Jude, à côté, sont en parfait état. On y trouve encore des gens qui y sont nés et qui mènent une existence fort décente. Ils n'accepteront pas de gaieté de cœur de se laisser expulser, croyez-moi.

— Je vous crois d'autant mieux que vous leur monterez la tête et jetterez de l'huile sur le feu !

Il n'y manqua pas, bien entendu. Aux habitants de ces rues-là, il prêcha la révolte, démontra que le seigneur et maître promettait de les reloger sans préciser où, qu'il était facile de mesurer les distances du haut d'un pur-sang et qu'il en allait tout autrement à pied, dans le froid du petit matin ou le soir, quand les jambes portent le poids d'une dure journée de labeur. D'ailleurs, argument déterminant, à quel prix s'élèveraient les nouveaux loyers ? Combien pourraient les payer sans se condamner à mourir de faim ? Combien seraient purement et simplement licenciés pour faire place à des ouvriers mieux qualifiés ? En bref, la moitié de ces pauvres gens se voyaient condamnés froidement à la mendicité — ou pire.

— Ce sont des arguments spécieux, Liam ! Vous ignorez ses véritables intentions, lui ai-je déclaré. Et puis, à quoi bon cette croisade ? Espérez-vous le faire reculer ?

— Bien sûr que non. Le maire et les trois quarts du conseil municipal lui mangent dans la main, le député tremble de le vexer et mon digne confrère du *Courrier* ne sait que chanter ses louanges. Je me contente de jouer les fauteurs de troubles, c'est trop amusant pour m'en priver.

— Alors, soyez prudent, Liam. Georges sera en droit de vous faire un procès...

— Je l'espère bien ! Mais je crois plutôt qu'il m'enverra son poing dans la figure, ce qui vaudrait cent fois mieux car cela fera doubler mon tirage. De toute façon, j'ai de quoi me défendre en pareil cas.

Il restait sourd à mes conseils, redoublait d'efforts pour soulever les esprits et, bientôt, je m'attendais à voir reparaître le pompeux petit employé porteur d'une convocation de son maître ou, pire, quelque auxiliaire de la justice venu signifier à Liam qu'il avait dépassé les bornes et contrevenu à la Loi.

Je n'étais, en revanche, nullement préparée à voir, un bel après-midi, la porte du bureau s'ouvrir sous un violent coup de pied et Georges faire irruption, la cravache à la main, le nez froncé par le dégoût que lui inspiraient l'odeur de renfermé et l'aspect sordide du lieu. Dieu merci, Liam était absent. Je me trouvais seule à ce moment-là en compagnie du correcteur, petit homme timide, érudit et poète à ses heures, qui considéra l'intrus avec un effroi évident. Georges ne lui accorda d'ailleurs pas un regard. Il me toisait avec une colère méprisante, cinglait ses bottes à coups de cravache. Un instant plus tard, il m'intima l'ordre de le suivre. J'ai sursauté :

— Plaît-il ?

— Venez, vous dis-je !

Georges ne s'en irait manifestement pas avant d'avoir obtenu satisfaction. Aussi, sous le regard navré du correcteur, je me suis résignée à le suivre, tout en redoutant de croiser Liam dans l'escalier. Sur le trottoir, Georges m'empoigna par le bras et me poussa dans sa voiture. Il partit au grand galop et le cabriolet roulait à une telle allure que je dus fermer les yeux et me tenir l'estomac d'une main de peur d'être malade et de perdre ainsi ce qui me restait de dignité. Secouée, ballottée dans les virages pris sur une roue, je me sentis projetée en avant lorsque l'attelage stoppa à moins d'un pas d'un énorme tas de briques.

— Descendez !

Il me força presque à sauter et m'entraîna à grandes enjambées sur un terrain inégal, où je me tordais les chevilles à chaque pas. Je reconnaissais le chantier de ses nouveaux logements, creusé de fondations et hérissé de pans de murs. Arrivé devant une cabane en planches, Georges ouvrit la porte d'un coup de pied et me catapulta à l'intérieur, vers une grande table où s'amoncelaient plans et dessins.

— Tout est là. Regardez, et regardez bien ! Chacun des taudis que je vais raser sera remplacé par *ça*. Mais regardez, vous dis-je ! Sur ce terrain vont bientôt s'élever plus de cinq cents maisons bâties sur caves, avec un cellier attenant, l'eau, le gaz, un fourneau dans la cuisine et une chaudière pour l'eau chaude. Cela convient-il à madame ? Certaines comprendront deux chambres, d'autres trois. Elles seront toutes séparées les unes des autres et pourvues d'un jardin. Il y aura des passages aménagés pour le ramassage des ordures et la vidange des cabinets — oui, des cabinets ! Cela vous fait-il rougir ? Elles me coûtent en moyenne 150 livres chacune, et 80 de plus pour les maisons des agents de maîtrise qui auront droit à un salon, quatre ou cinq chambres et un jardin plus grand. Alors, cela vous convient-il, oui ou non ? Aucun loyer ne dépassera dix shillings la semaine, deux pour les moins chers. Je prévois aussi la construction d'un établissement de bains, de trois lavoirs, sans parler d'une école et d'une crèche. Il y aura des magasins, pour que mes ouvriers n'aient plus besoin de chercher leur nourriture au diable. Et le tout n'est distant que d'un kilomètre de l'entrée de l'usine, que je compte développer dans cette direction-ci. Avez-vous bien compris, bien tout noté ?

La longueur de sa tirade, le ton passionné sur lequel il l'avait débitée me laissèrent muette. Son accès d'humeur ne s'était cependant pas épuisé pour si peu et il lui fallait compléter sa démonstration. Je sentis de nouveau mon bras meurtri dans un étau et je fus bien forcée de le suivre en accordant tant bien que mal mes pas aux siens, en m'efforçant d'oublier les trous, les bosses et les cailloux qui mettaient à mal mes fines chaussures.

— Ici, dit-il en me secouant comme s'il craignait de me voir distraite, l'établissement de bains. Là, l'école. Il y a bien assez de débits de boissons en ville, aussi n'en ai-je pas prévu. Mais s'il se trouve des gens férus de religion, ils auront une ou deux chapelles, ici et là, pour les satisfaire. Je ne suis ni un philanthrope ni un prosélyte, mais j'entends que mon personnel soit convenablement logé. Comprenez-vous, oui ou non ?

Une heure durant, sous le ciel qui s'assombrissait et dans le vent de plus en plus froid, il me traîna d'un bout du chantier à l'autre, ne m'épargna pas une tranchée d'égout, pas une canalisation d'eau ou de gaz. Il me fit mesurer la distance entre la porte de la cuisine et celle des cabinets, élevés au fond du jardin de ses logements modèles. Il me fit tâter la qualité des matériaux, apprécier l'épaisseur des cloisons, observer les dimensions de la cour de récréation de l'école et la hauteur du mur destiné à empêcher les enfants de se jeter sous les pieds des chevaux ou les roues des voitures.

— Une idée de mes architectes, je n'y suis pour rien. Je vous le signale quand même, car personne ne l'apprendra en lisant votre torchon qui se pare du nom de *L'Étoile*.

Finalement, certain que rien ne m'avait échappé, il me refit grimper dans sa voiture, sans se soucier de mes pieds transformés en blocs de glace, et repartit à la même allure folle pour ne s'arrêter que devant ma porte.

Je ne l'ai pas invité à entrer, il me suivit sans me demander mon avis, jeta son chapeau et ses gants sur une chaise du vestibule. Puis, avec la même désinvolture, il pénétra dans le salon, se laissa tomber sur un fauteuil et me déclara :

— J'ai faim.

Cette fois, ma stupeur fut la plus forte :

— Quoi ?

— J'ai faim, vous dis-je. Auriez-vous oublié comment traiter vos hôtes ? Il est pourtant l'heure du dîner, ce me semble.

Son impudence m'amusait — telle fut du moins l'excuse que je me suis donnée. En réalité, comme je n'allais pas tarder à l'admettre, la manière dont il me violentait depuis plus d'une heure me comblait. J'aurais certes pu ou dû lui résister, le fuir, le chasser. Je l'avais cependant suivi et j'y avais pris un plaisir extrême. Je me sentais comme réveillée d'un long sommeil, avide d'aventure, curieuse de ce qui allait suivre, hardie et, autant l'avouer, plus belle que d'habitude. Quel genre de créature étais-je donc devenue, qui se targuait d'indépendance et se complaisait à se laisser dominer de la sorte par un homme ? Alors même que j'hésitais, il m'aurait suffi de dire un mot pour qu'il se retire, je le savais — mieux encore, je savais qu'il le savait aussi.

Mais j'étais trop longtemps restée solitaire, j'avais trop essayé de me perdre dans des drames qui ne me concernaient pas pour ne pas accueillir avec joie cet affrontement personnel, où j'étais directement impliquée. Ce qui m'arrivait maintenant n'avait décidément rien à voir avec les habitants de St. Mark's Fold, pas plus que Blanche, Camille ou la mémoire de Venetia. Je me retrouvais seule en cause, pour mon bien ou mon mal, et je n'allais pas laisser passer l'occasion.

Aussi me suis-je docilement rendue à la cuisine faire l'inventaire de ce que je pourrais offrir à cet homme exigeant, dont je savais d'avance qu'il dédaignerait le consommé, les côtelettes et l'humble tarte aux pommes que ma cuisinière parvint à confectionner en bougonnant.

Georges contempla en effet la tarte avec surprise et en dissimula l'aspect par trop plébéien sous un monticule de crème fraîche.

— Vous ne vous intéressez apparemment plus guère à la grande cuisine, se borna-t-il à observer.

J'ai préféré ne pas relever cette dernière impertinence et nous avons pris le café au salon, seuls ensemble comme nous l'étions si souvent naguère à Maison Haute. Cette fois, cependant, loin de l'espace et du luxe de cette imposante demeure, sans la présence discrète mais bien réelle d'une armée de serviteurs, mon salon me parut trop étroit.

— Vous ai-je convaincue que, sans me vanter d'être un philanthrope, je ne suis pas un ogre ?

— Oui, Georges.

— Mes maisons sont-elles bien construites ?

— Je vous connais assez pour savoir que vous ne signeriez jamais une réalisation qui ne soit pas parfaite.

— Très juste. Alors, de quoi vous plaignez-vous ?

J'entrepris de lui expliquer que si Liam avait, à tort ou à raison, des griefs personnels contre lui, l'on ne pouvait mettre en doute sa bonne foi et l'intérêt qu'il prenait au sort de ces pauvres gens.

— Je me moque de Liam Adair et de ses opinions ! s'écria-t-il en serrant les poings. Je voulais vous montrer ce que je réalise, un point, c'est tout.

Alors, sans que j'aie pu l'esquiver, il posa la main sur mon genou. J'eus soudain l'impression que sa présence remplissait la pièce, que le contact de sa peau traversait l'étoffe de ma robe et me brûlait jusqu'à l'os. Mon cœur battait la chamade, j'ai rougi et esquissé une faible protestation qu'il fit taire :

— Pourquoi serais-je venu ici, Grace, sinon précisément dans ce but ? Je vous désire depuis des années, vous le savez, et je ne vois pas pourquoi je me priverais de ce que d'autres...

— Il n'y en a jamais eu d'autres !

— Ici même, l'autre soir, j'ai vu Liam Adair...

— C'était une comédie !

— Il vous a pourtant embrassée sous mes yeux. Je ne vous ai jamais embrassée, moi. Me le refuseriez-vous ?

Je me suis débattue quand il me prit aux épaules, j'ai tenté de le repousser à coups de poing. En vain. Déjà, il me serrait contre sa poitrine. Si j'avais voulu, il m'aurait suffi d'appeler ma femme de chambre mais quelque chose m'en empêcha. Ses lèvres qui meurtrissaient les miennes, sa langue qui m'envahissait, ses mains qui me caressaient me faisaient perdre la raison. Je luttais encore mais, je l'avoue, moins pour mettre fin à cet assaut que pour y trouver un surcroît de plaisir, pour surexciter mes sens trop longtemps inassouvis. Il eut bientôt si complètement balayé mes défenses que mon simulacre de résistance devenait ridicule. Je ne parvins à masquer ma capitulation qu'en avançant le médiocre argument que je craignais l'arrivée inopinée de la femme de chambre.

Il me lâcha aussitôt et, tandis que je m'efforçais de reprendre haleine, il alla dans le vestibule déclarer à la servante que je n'aurais plus besoin d'elle et qu'elle pouvait disposer. Quand il rentra, je le vis traverser la pièce en enlevant sa veste; puis il défit sa cravate, s'agenouilla devant le feu qu'il ranima.

— Trop souvent vers cette heure-ci, Grace, je pense à vous. Seul avec mon verre de cognac, assis devant la cheminée, je rêve, je me demande comment vous m'apparaîtriez, nue, à la lueur des flammes. Venez, Grace. Venez près de moi.

Hypnotisée, dans le même état d'extase où j'avais si souvent vu Camille, je me suis levée, je me suis lentement agenouillée devant lui, en proie à un désir si intense qu'il étouffait les derniers sursauts de ma raison. J'avais *besoin* de lui. Rien d'autre ne comptait plus. Tant que durerait cette flamme qui me consumait, j'étais prête à tout accepter, tout, jusqu'aux humiliations.

— Oui, c'est bien ainsi que je vous voyais, Grace. Vous frémissiez aussi, vous gémissiez, vous exprimiez votre désir. Faites-le encore, Grace.

Pour toute réponse, je me suis débarrassée de mes derniers vêtements, je me suis abandonnée contre sa poitrine, aussi ferme que je l'imaginais, je me suis frottée contre sa peau aussi douce, aussi odorante que dans mes rêves les plus fous. Mon impatience trop visible lui tira un éclat de rire triomphant. En un instant, je fus à lui.

Ce premier élan de possession mutuelle ne pouvait étancher notre soif. Aussi sommes-nous longuement restés ainsi, sous la chaude lueur du feu, sans vouloir ni pouvoir nous déprendre, à nous abandonner à la curiosité gourmande que nous avions l'une de l'autre. Je m'offrais tout entière aux caresses dont il me comblait, je me délectais de découvrir son corps, de sentir sous mes doigts le grain de sa peau, l'élasticité de ses muscles. Nos transports reprenaient avec une intensité chaque fois plus enivrante qui provoquait mes cris d'extase.

Plus tard, nous nous sommes endormis, ma tête sur son épaule, ses bras autour de moi. Le froid de cette nuit de mars nous réveilla. Le feu s'éteignait, je frissonnais. Il me prit les mains pour me relever et me sourit :

— Je te veux encore. Viens, montons dans ta chambre.

Je l'ai docilement suivi et sa présence, là encore, emplit cette chambre où j'avais passé tant de nuits solitaires. Je n'étais plus chez moi, tout lui appartenait.

Nous avons cette fois pris notre temps pour satisfaire nos caprices. Nos sens n'étaient plus seuls à dicter notre conduite; la volupté, l'amour peut-être nous traçaient le chemin d'un plaisir plus profond, plus intense aussi, où je découvrais un bonheur dont je n'avais pas soupçonné l'existence.

Lorsque enfin rassasiés nous nous sommes résignés à nous

séparer, Georges resta un moment allongé, le regard dans le vague.

— Nous allons nous marier, Grace, si rien ne s'y oppose, me dit-il d'un ton sans réplique. Sinon, au diable les mauvaises langues. Je te remmènerai à Maison Haute quoi qu'il arrive.

Sans m'avoir consultée, il avait pris sa décision et n'entendait pas revenir dessus. Aussitôt après, il s'endormit d'un seul coup. Nous avions tous deux de bonnes raisons de ressentir la fatigue, mais le sommeil me fuyait. Allongée près de lui, je vis l'aube éclairer peu à peu la fenêtre. Le violent débat intérieur qui me déchirait m'amena graduellement à une résolution qui, je le savais, me serait cruelle.

Oui, je désirais Georges. Ma flambée de désir apaisée, je le désirais encore. Longtemps avant d'accepter Gervais, je l'avais désiré de manière si puissante, si troublante que l'instabilité et la complexité de son caractère m'étaient apparues moins inquiétantes. Avec Gervais, j'avais connu le plaisir, certes, mais un plaisir superficiel, sans commune mesure avec l'irrévocable sentiment de possession auquel je venais de me livrer tout entière et qui ferait de moi l'esclave de celui qui le suscitait.

Je désirais Georges et le redoutais en même temps. Sans doute, je pouvais accéder à ses vœux, regagner Maison Haute et redevenir celle qu'il désirait et que j'avais été. Mais cette femme-là existait-elle encore ? Saurais-je, voudrais-je la ressusciter ? Pouvais-je encore être tentée par ce personnage de maîtresse de maison exemplaire, aux talents aussi brillants qu'inutiles ? C'était elle que Georges voulait et que, si je le voulais moi-même, je pourrais faire revivre. Mais, alors, je devrais me placer sous la protection d'un homme au prix de mon indépendance, comme Camille m'en donnait l'exemple, et abdiquer peu à peu ma personnalité. Inéluctablement, il me posséderait tout entière, car il était, il avait toujours été le plus fort. C'était pourtant moins lui que je redoutais, avec sa bonne conscience et la certitude de son bon droit, que moi-même. Je m'effrayais de découvrir un aspect inattendu de ma personnalité, qui me rendait impatiente de me soumettre à cette tyrannie, prête à tout sacrifier pour le plaisir de me retrouver chaque soir dans les bras de l'homme aimé.

Une heure durant, deux peut-être, je balançai ainsi entre le désir et la crainte. La perte de mon identité me paraissait, par moments, bien secondaire quand je tenais la certitude du bonheur; à d'autres instants, je reculais avec horreur devant un esclavage que j'avais toujours fui, au prix de tant de sacrifices. Georges ne me laisserait pas m'éloigner comme Gervais l'avait fait. Une fois sienne, je le resterais en dépit de tout.

Finalement, la peur prévalut et dicta ma décision. Lorsqu'il se réveilla, il me trouva assise au bord du lit, tendit les mains et m'attira contre lui.

— Tu préfères sans doute que je m'éclipse avant que la femme de chambre me voie ? me dit-il après un long baiser.

— En effet.

— Soit, je m'en vais. Cette fois, je veux bien me plier aux convenances. Mais nous allons nous marier, Grace, ne l'oublie pas.

— C'est trop de bonté, Georges !

Le ton sarcastique de ma repartie n'altéra pas sa bonne humeur. Il me serra plus fort contre lui, reprit ses caresses, me couvrit de baisers, me mordilla l'oreille.

Je me suis laissé faire et, pour la dernière fois, j'ai cédé au plaisir. Mais il ne s'attarda pas. Avant de commencer sa journée, il lui fallait rentrer chez lui, se changer et faire sa toilette s'il voulait avoir l'air présentable à l'usine.

— J'ai des rendez-vous jusqu'à dix heures et demie, me déclara-t-il en s'habillant. J'irai ensuite voir mon avocat et m'enquérir des formalités à remplir pour notre mariage. Je serai donc de retour entre onze heures et demie et midi.

Déjà, il disposait de mon temps. Si rien de plus important ne le retardait, il serait de retour chez moi où je devrais attendre calmement son bon plaisir et l'accueillir avec le sourire. Il ne lui venait pas même à l'idée que je pouvais avoir quelque activité susceptible de se comparer aux siennes.

— Je serai déjà sortie à cette heure-là, Georges, ai-je répondu calmement. J'ai moi aussi un emploi.

— Bah ! dit-il sans se départir de sa bonhomie. Envoie donc un mot pour prévenir Adair que tu as autre chose à faire. Il ne te paie pas, j'imagine ?

— Bien sûr que si.

— Vraiment ? Aucune importance, il ne s'attend quand même pas à ce que tu lui accordes un préavis. Préviens-le, voilà tout.

— C'est impossible, Georges.

Il me répondit par un éclat de rire et un haussement d'épaules. Soucieuse de ne pas me laisser vaincre par sa bonne humeur persistante, j'ai adopté une tactique plus directe :

— Je ne veux pas retourner à Maison Haute, Georges.

— En voilà une idée ! Maison Haute n'a rien de désagréable, tu le sais mieux que moi. Nous ne recevrons pas de visites les premiers temps ? La belle affaire ! Nous n'en serons que mieux pour nos soupers en tête-à-tête et pour faire l'amour à notre guise. Dès que j'en aurai les moyens, j'achèterai une terre et je t'y ferai bâtir un palais, plus grand et plus beau que Listonby. Tu pourras enfin y briller de tous tes feux, ma chérie, et la région entière se battra pour s'y faire inviter, tu verras. Quand on a de l'argent, les gens finissent par se moquer des principes, j'en réponds ! Vois-tu, Grace, j'ai désormais les moyens de mener la vie qui me plaît et d'avoir la femme qui y correspond.

— Georges, je ne peux pas...

Mais, sans me laisser dire ce que je ne pouvais pas faire, il me prit aux épaules et m'attira contre lui :

— Ne te soucie de rien, ma chérie. Laisse donc les langues aller leur train. Au début, j'en conviens, ma mère sera furieuse et Dominique probablement mécontent. Cela me retenait encore quand je t'ai parlé à Londres, c'est vrai. Maintenant, je m'en moque ! J'ai le dos assez large, une position assez assurée dans cette ville pour laisser passer les orages. Je suis capable de m'occuper de toi comme il faut, Grace.

— Je suis parfaitement capable de prendre soin de moi-même.

— A quoi bon ? Ce n'est même pas amusant.

— Enfin, voyons, Georges...

— Allons, ma chérie, laisse-moi faire. Je me charge de tout.

J'ai voulu protester, il me fit taire avec un baiser. Quand j'ai tenté de lui faire entendre raison et me suis débattue pour lui échapper, il me répondit que mes épaules nues dans les premières lueurs du jour lui paraissaient si attirantes qu'il perdrait volontiers une demi-heure de son temps afin de m'en convaincre. Dévêtu en un clin d'œil, il réussit à me persuader que je ne pourrais vivre longtemps privée du bonheur exaltant que je trouvais avec lui. Si je le fuyais, il lui suffirait de me tendre la main pour que je le suive au bout du monde.

— Alors, de quoi t'inquiètes-tu encore ? me murmura-t-il à l'oreille.

Serrée dans ses bras, alanguie de plaisir, je ne me souciais plus, à vrai dire, que d'y rester le plus longtemps possible et de m'y retrouver aussi vite que je le pourrais.

Debout à la fenêtre, je l'ai regardé s'éloigner. Puisque je me savais incapable de résister à sa présence, il ne fallait plus lui permettre de m'approcher. La joue pressée contre la vitre, je suis longuement restée à réfléchir. Puis, raffermie dans ma décision, je suis descendue m'asseoir à mon secrétaire afin d'écrire la lettre la plus difficile qu'il m'ait jamais été donné de rédiger :

Mon cher Georges,
Vous me demandez de redevenir celle que j'ai été. Je ne le puis, quand bien même je le voudrais, car cette femme n'existe plus.

Cela ne suffisait pas. Ces mots, il les avait étouffés sous ses baisers quelques minutes auparavant. Aussi, le cœur lourd et la main hésitante, ai-je poursuivi :

> *Comme vous l'aviez supposé, j'ai des obligations envers un autre. Au moment où je vous écris, sous la froide lumière du jour, je ne puis me résoudre à mettre fin à des rapports qui durent depuis longtemps et conviennent parfaitement à la vie que je mène actuellement.*

J'ai apposé ma signature, mis le billet sous enveloppe et l'ai tendu quelques instants plus tard à ma femme de chambre, étonnée de me voir levée et habillée de si bon matin :

— Faites porter ce pli sans délai à M. Chard et dites à Richards qu'il m'amène promptement la voiture. Je dois être au journal à sept heures et demie.

Une telle lettre ne pouvait émaner que d'une femme au cœur sec et aux mœurs légères, conforme au personnage que la société bien-pensante faisait de moi. Georges ne pouvait y répondre, car j'avais soulevé le seul argument qu'il ne saurait réfuter ni ne voudrait pardonner : j'avouais lui préférer Liam Adair.

Une fois mon cocher parti, je suis remontée dans ma chambre. Et là, enfin seule, je me suis laissée tomber sur mon lit, la tête enfouie dans l'oreiller, et j'ai fondu en larmes. Beaucoup plus tard, j'ai quand même réussi à sécher mes yeux et je suis partie pour Gower Street.

Personne n'a rien remarqué ni pu deviner, dans les jours qui ont suivi, que je me trouvais au bord de la folie.

23

Je me suis tournée vers le travail comme l'assoiffée se penche avec gratitude sur la source. Il ne me fit pas défaut; le tirage de *L'Étoile* augmentait, ses ressources croissaient en proportion, de sorte que nous fûmes bientôt en mesure de publier deux numéros hebdomadaires au lieu d'un, d'engager du personnel, et d'envisager le remplacement des presses poussives qui dataient de mon grand-père Aycliffe. Aussi, devant ce nouvel afflux de lecteurs, devais-je passer mon temps non plus seulement à enquêter sur le sensationnel ou le sordide, à découvrir d'humbles drames ou dénoncer des injustices mais, de plus en plus, à recueillir de ces nouvelles insignifiantes qu'une petite ville aime apprendre sur son propre compte.

Je sortais tous les matins de chez moi à 7 h 30, j'y rentrais rarement avant minuit pour y souper de viande froide, de fromage et de pain. Je perdais du poids, je pâlissais, je manquais de sommeil. Après ma lettre à Georges, j'ai souffert d'un étrange déséquilibre mental qui me faisait passer par des alternances de terreur et d'espoir de porter en moi son enfant. Puis, au bout de trois semaines de ce supplice et convaincue du contraire, j'ai versé des larmes encore plus abondantes, d'abord de soulagement, puis de l'amertume que me causait mon incurable stérilité.

J'affectais désormais un comportement détaché, profession-nellement courtois mais distant, celui d'une femme exigeante et qui ne se soucie pas de plaire. Je portais des robes simples mais élégamment coupées dans des tissus aux couleurs sombres, qui me grandissaient en m'amincissant. Je me coiffais sobrement, voire sévèrement, avec un chignon bas. Il y avait tous les jours des heures où je me sentais parfaitement malheureuse, mais je parvins peu à peu à les surmonter, à force de me rappeler que j'avais pris seule la décision de me séparer de Georges et qu'il était absurde de gâter les plaisirs de ma chère indépendance par des regrets superflus. Son souvenir restait cependant enfoui dans un repli de mon âme, prompte encore à saigner au moindre prétexte. Je savais que ses sentiments à mon égard étaient plus profonds qu'il n'y paraissait, que si je l'avais épousé avant de goûter aux périlleuses griseries de la liberté, nous vivrions sans doute fort heureux ensemble. Mais c'est avec Gervais que je m'étais mariée. Georges avait choisi Venetia sans comprendre son charme inimitable. Il était trop tard pour revenir en arrière. Je le savais, il le savait aussi — j'en voulais pour preuve le fait qu'il n'avait pas répondu à ma lettre ni cédé à l'envie de me la jeter à la figure. Il me restait donc le travail et le travail me satisfaisait.

Un soir, l'esprit encore préoccupé des problèmes de la journée, je suis rentrée chez moi pour y trouver deux messages, l'un de M. Barforth, l'autre de tante Julia. Ils m'apprenaient tous deux que Gervais était revenu à Galton. Ma première réaction fut une incompréhension totale. Je devrais, me disais-je, ressentir quelque chose. Mais quoi ? J'avais beau me torturer l'esprit, je ne parvenais pas à l'imaginer.

— Il a très bonne mine, me dit tante Julia le dimanche suivant. J'étais en visite à Galton mercredi dernier et il venait d'arriver, à peine une demi-heure avant moi, sans prévenir. Georgiana était aux anges, tu t'en doutes, tant elle craignait qu'il ne revienne jamais. En tout cas, il est là, éclatant de santé et le teint hâlé comme un Mexicain. Vendredi, je crois, il est allé voir son père à Scarborough. S'il a l'intention de rester, ma chérie, il faut te préparer à le rencontrer.

Le lundi matin, une lettre de Camille me parvint au courrier :

J'étais terrifiée, Grace ! Qu'aurais-je répondu s'il m'avait accusée de briser la vie de sa mère ? Eh bien, sais-tu ce qu'il m'a dit ? Je te le donne en mille : « En un sens, vous voici donc devenue ma vilaine marâtre ! » Nous avons ri comme des fous — j'en aurais pourtant pleuré de soulagement. « Si je comprends bien, tu es à court d'argent », lui a dit Nicolas. Cela aurait pu paraître désagréable s'il n'avait pas eu un regard malicieux et ce petit sourire involontaire dont il a le secret. Nous avons dîné fort plaisamment ensemble. Gervais nous a raconté ses voyages d'une manière à me faire rire aux larmes. Nicolas lui-même a poussé de ces petits grognements qui lui arrivent quand il s'amuse et s'efforce de n'en rien laisser paraître. Gervais nous a dit qu'il voulait s'installer à Galton et cultiver ses terres et je crois que Nicolas serait disposé à lui en acheter d'autres pour s'agrandir s'il fait preuve de persévérance. Ce serait une façon de le dédommager de ce qu'il ne gagne pas dans les affaires de la famille. J'espère sincèrement que tout s'arrangera de la sorte. Gervais m'a paru plus posé, plus équilibré que je ne l'imaginais. Bien entendu, nous avons beaucoup parlé de toi.

Quelques jours plus tard, j'ai tenu d'une main étrangement ferme une autre lettre, dont je ne reconnus pas d'abord l'écriture pour la bonne raison — difficile à croire — que c'était celle de Gervais et que je ne l'avais encore jamais vue. En caractères aigus, penchés mais bien tracés, il me suggérait aimablement que nous nous fixions un rendez-vous plutôt que de risquer de nous rencontrer à l'improviste, en choisissant de préférence un endroit discret comme Galton pour échapper aux regards curieux. Il me proposait un jour, me demandait mon accord, que je lui donnai par retour du courrier. J'ai obtenu de Liam une journée de liberté, prévenu mon cocher et senti mon esprit s'envoler vers des préoccupations futiles, notamment un ravissant chapeau de velours bleu orné de roses en satin aperçu l'avant-veille dans une devanture de Millergate. Je l'ai acheté le soir même en rentrant chez moi, tout en sachant que je commettais une extravagance. Un tel chapeau ne convenait nullement à la vie que je menais.

Aussi, le jour venu, lui ai-je préféré une capeline élégante mais simple, à la coiffe entourée d'un ruban de velours noir assorti aux ganses de ma robe de soie crème. J'ai complété ma toilette avec une ombrelle de la même couleur au manche noir, des gants de soie crème, des escarpins de chevreau. Tandis que je roulais sur le chemin de Galton, j'avais l'esprit occupé d'inquiétudes absurdes, je pensais à la boue du Prieuré qui gâterait mes chaussures, à la poussière de la route qui salirait mes gants; je craignais tour à tour d'être trop bien mise ou trop simplement accoutrée. Ces futiles alarmes me détournaient heureusement de mon plus grand souci et m'empêchaient de m'avouer que je souffrais, en fait, d'un accès de lâcheté.

En ce début de juin, un ciel bleu tendre parsemé de légers nuages blancs s'étendait sur nos têtes; les collines embaumaient l'herbe fraîche, des fleurs sauvages parsemaient les haies. La rivière entourait d'une ceinture miroitante comme du vif-argent le Prieuré qui me parut inhabité. De jeunes feuilles couvraient les chênes d'une verdure délicate qui en atténuait l'austérité. Alors que je feignais de m'absorber dans l'examen du contenu de mon réticule — mon dieu, j'ai oublié mon mouchoir ! — je vis soudain Gervais à la portière, qui m'attendait pour m'aider à descendre. Il semblait apaisé, ainsi que me l'avait décrit Camille; et cette sérénité chez un être que j'avais toujours connu nerveux, souvent surexcité, me le rendit d'abord presque méconnaissable.

— Je suis très heureux que tu aies pu venir, Grace, dit-il en me tendant la main.

— Moi aussi, Gervais. Comment te portes-tu ?

— A merveille. Tu es plus belle que jamais.

Nous avons meublé les premiers moments, les plus difficiles, avec de courtoises banalités. Nous nous sommes enquis de notre santé, extasiés sur la douceur du temps; nous avons parlé de la commodité de mon logement, si près du centre et malgré tout à l'écart du bruit, évoqué ses voyages, les distances qu'il avait parcourues, la lenteur des transports. Nous avons échangé des sourires, des réponses polies et impersonnelles au point qu'un observateur non prévenu n'aurait décelé aucun malaise dans cette scène de retrouvailles.

Le grand hall aux dalles inégales me parut aussi frais qu'à l'accoutumée, les portraits de famille si patinés dans la pénombre que mes yeux, encore éblouis de soleil, ne savaient distinguer un Clevedon d'un autre. Des vases de cuivre débordant de fleurs des champs étaient posés sur la table et dans la cheminée sans feu. Il en émanait des senteurs qui se mêlaient harmonieusement aux odeurs familières de la cire et du vieux bois en créant une atmosphère accueillante.

— Que puis-je t'offrir, Grace ? Préfères-tu du thé ou un verre de bon vin ?

— Ta mère n'est pas à la maison ?

— Non, elle passe quelques jours je ne sais où, dans le Leicestershire je crois, avec Sir Julian.

— Cela ne te choque donc pas — Camille et Sir Julian ?

— Pas le moins du monde. Venetia en aurait sans doute été ravie. Alors, veux-tu prendre un rafraîchissement maintenant, ou irons-nous d'abord nous promener un peu ? Le sol est parfaitement sec, malgré les pluies d'hier.

Nous nous sommes dirigés vers la rivière, le vieux pont de bois branlant, les grosses pierres disposées au hasard qui tenaient lieu de gué et menaient dans la pâture à flanc de coteau. Un des chiens de ma belle-mère, dont je me rappelais l'exubérance passée, nous suivait docilement.

Je cherchais à découvrir ce qui avait changé dans l'aspect physique de Gervais. Le soleil, sans doute, avait éclairci la teinte auburn de sa chevelure, sa peau était hâlée, presque brune; le fin réseau de rides autour de ses yeux paraissait plus marqué tandis que son regard s'était, en quelque sorte, aiguisé à force de sonder des horizons plus vastes.

Arrêtés sur la berge, nous avons contemplé le paysage. Gervais aspira avec gourmandise l'air frais chargé du parfum des bois et de la lande toute proche, laissa son regard errer avec une joie visible sur les vives couleurs des fleurs sauvages dont était parsemée la prairie.

— Ainsi, Galton te manquait ?

— Oui, Grace. Et je me félicite d'être revenu.

— Tu comptes donc t'y fixer et exploiter la propriété ?

— Sans aucun doute. Tu te demandes peut-être pourquoi je ne l'ai pas fait plus tôt, en m'épargnant les problèmes que je t'ai infligés du même coup. Si je t'ai demandé de venir aujourd'hui,

252

c'est précisément dans le but de m'en expliquer et de t'exprimer mes regrets...

Il s'interrompit afin de rappeler le chien, peut-être aussi parce qu'il voulait remettre de l'ordre dans ses pensées.

— Je suis parti, reprit-il, dans l'intention de découvrir ce qui me manquerait le plus cruellement. Tout bien pesé, ce fut Galton. J'ai compris que j'étais véritablement un Clevedon mais, et c'est là que je place la source de toutes mes difficultés, que je m'étais trompé de modèle en m'efforçant de ressembler à celui que je n'étais pas. Me comprends-tu, Grace ?

J'ai fait un signe d'assentiment. Je revis ses traits bouleversés, sa pâleur lorsqu'il avait forcé son cheval à sauter un obstacle que ni l'homme ni l'animal n'étaient en mesure de franchir, la détresse, la honte surtout que lui inspirait son échec et qu'un Perry Clevedon n'aurait jamais été capable d'éprouver. Alors, d'un seul coup, je me suis sentie attirée vers lui non par amour, non par tendresse, mais par la découverte d'un rapprochement, d'une sorte de parenté morale qui me le faisait enfin comprendre et me le rendait cher.

— Oui, Gervais, je sais ce que tu veux dire. Si tu avais connu ce Clevedon-là, d'ailleurs, il t'aurait effrayé.

— Ce Clevedon-là, comme tu le qualifies, était terrifiant ! Le malheur, vois-tu, c'est d'avoir cru depuis mon enfance qu'il fallait lui ressembler à tout prix. Le malheur, aussi, c'est que j'étais en même temps censé ressembler à quelqu'un d'autre. A Galton, je devais réincarner mon oncle Perry, et Sir Joël Barforth lorsque je me trouvais à Maison Haute. De mes parents, je préférais ma mère, je l'admets, aussi ai-je fait plus d'efforts pour lui plaire. Mais j'ai connu des moments où je ne savais plus ce qui me terrorisait davantage, chevaucher les animaux sauvages dont Perry Clevedon faisait ses montures ou suffoquer dans ces ateliers et ces bureaux, alors que je ne comprenais rigoureusement rien aux machines et aux chiffres et que je devais donner des ordres à des gens qui, eux, étaient au courant de tout. Ce n'était pas simplement une question de courage, vois-tu. Je ne supportais pas le sentiment de mon échec. Car j'étais là, pris entre deux traditions, entre deux héritages aussi nobles l'un que l'autre, chacun à sa manière, et je n'étais digne d'aucun. A quoi serais-je bon, dans ces conditions ? A pas grand-chose, manifestement... Il m'aura fallu tout ce temps, en fin de compte, pour trouver la réponse. Et j'ai fait du mal à bien des gens, à toi surtout, avant d'y parvenir.

— Tu disais, tout à l'heure, vouloir exprimer tes regrets. Que regrettes-tu, Gervais ? De m'avoir épousée ?

— Aucun homme digne de ce nom ne le pourrait, voyons !

— Voilà une réponse aimable. Maintenant, dis-moi la vérité.

— Tu veux savoir si je regrette notre mariage ? Pour toi, oui. Je t'ai abominablement traitée. Je me suis conduit en enfant gâté qui exagère toujours pour voir jusqu'où il peut aller — sauf que mes jeux n'étaient pas enfantins mais parfois fort cruels.

— C'est vrai, répondis-je avec un soupir. Tu as cru aussi que j'étais capable de tout faire à ta place, comme si je disposais de quelque formule magique. Quand je ne le faisais pas, ou quand je ne le pouvais pas, tu m'en voulais. En fait, je crois que tu en étais venu à me haïr.

— En un sens, oui. Aussi, en constatant l'échec de tes pouvoirs magiques, je me suis tourné vers Diana dans l'espoir qu'elle pourrait réussir à me transformer. J'avais pris, vois-tu, la mauvaise habitude de compter sur les femmes, ma mère d'abord, toi ensuite. J'étais pourtant seul responsable de mon échec, mais j'ai réagi comme d'habitude, en prenant la fuite. Oh ! pas bien loin, tout simplement dans le lit d'autres femmes... Longtemps, je ne me suis cru capable de rien d'autre. Ces passades formaient toute mon ambition.

— Jusqu'à ce que survienne Diana.

— Oui, jusqu'à Diana. J'étais amoureux d'elle et cet amour a aussi mal tourné que tout ce que j'entreprenais. Au moment de mon départ, j'éprouvais un tel dégoût de moi-même que je ne pensais pas y survivre. Je n'imaginais pas comment exister sans le compte en banque de mon père, sans le refuge que m'offrait ma mère quand j'avais envie de bouder ou de lécher mes blessures. Sans toi non plus, à vrai dire, sans mon bouc émissaire à qui faire grief de mes propres torts... J'ai fini par m'y habituer, comme tu vois. Et puis, les premiers temps, me trouver au milieu d'inconnus qui n'avaient jamais entendu parler de Perry Clevedon ou de Joël Barforth me procurait un soulagement tel que j'y puisais les plus grandes joies de ma vie. Un moment, mais un moment seulement, j'ai eu la tentation de m'en contenter. Par la suite, j'ai compris que je pouvais me regarder en face, de sang-froid, et m'accommoder de ce que je voyais. Je n'étais pas fait pour diriger les usines, ma mère avait raison sur ce point. Mon père l'aurait admis, comme il le fait aujourd'hui, si j'avais été capable de lui prouver que je désirais autre chose. Mais je l'ignorais encore moi-même. Il me fallait découvrir ma véritable personnalité, celle d'un Clevedon — mais d'un Clevedon radicalement différent de Perry.

Il sourit, avec l'expression apaisée de celui qui sait prendre de la hauteur et dominer ses problèmes.

— Tu venais ici avec Venetia quand tu étais encore enfant, n'est-ce pas ? Te rappelles-tu mon grand-père ? Voilà un homme qui occupait dans la vie la place exacte qui lui convenait. Il n'était pas riche — le sens du devoir ne conduit pas à la fortune

—, mais il comprenait, mieux, il *sentait* la terre et les besoins de ceux qui en vivent comme jamais Perry ne les a ressentis. Il ne cherchait évidemment pas à rivaliser avec son fils, mon oncle, qui tuait quatre-vingts faisans en autant de coups de fusil, mais il savait mieux que quiconque prendre soin de sa terre et de ses gens. Voilà, au fond, le Clevedon que je suis. Je ne possède pas le brillant d'un Perry, mais ce que j'ai me semble plus solide et, surtout, moins périlleux. Qui m'en aurait cru capable ?

Dans la douce lumière du soleil qui baissait sur l'horizon, nous sommes lentement revenus sur nos pas. Le chien, qui nous avait docilement suivis jusqu'alors, partit en courant et disparut dans le cloître, le plus court chemin pour rentrer à la maison.

— Quelle paix, murmura Gervais en y pénétrant à son tour.

Je ne l'avais jamais trouvée en cet endroit. Malgré moi, j'ai pressé l'allure afin de regagner la lumière. C'est alors que des appels et des éclats de rire se firent entendre. Un enfant apparut soudain; il trottinait vers nous, suivi par sa nurse.

Je me suis arrêtée net, pétrifiée. J'ai contemplé avec incrédulité ce bambin de trois ans, solidement planté sur ses jambes, les mains tendues vers moi dans un élan de curiosité, le visage éclairé du sourire confiant de celui qui sait ne trouver devant lui que plaisirs et tendresse.

— Mon fils, dit Gervais.

A demi penchée, je lui ai tendu les bras, comme toute femme l'aurait fait à ma place, comme l'enfant lui-même devait s'y attendre. Il ne ressemblait à aucun de ses parents : ses boucles cendrées, sa frimousse ronde, ses yeux verts n'évoquaient pas plus Gervais que Diana Flood. Je ne voyais rien qui pût me troubler dans son apparence; et pourtant, je me suis trouvée en plein désarroi, hors d'état de le toucher, de lui tendre une main secourable s'il venait à trébucher.

Je me suis relevée précipitamment et me suis tournée vers le mur afin de dissimuler mes larmes et la honte que j'éprouvais de mon comportement. Gervais se hâta de rendre l'enfant à sa nurse puis, lorsqu'ils se furent éloignés, m'entoura les épaules d'un bras qui ne tremblait pas :

— Pardonne-moi, Grace, j'aurais dû te prévenir...

— Non, c'est à moi de te présenter des excuses. Je n'avais pas le droit de me montrer aussi sotte. Je n'ai aucune raison...

— Tu en as de trop valables, au contraire. Tu as perdu ton enfant dans cette maison... A l'époque, je n'avais pas su t'exprimer le chagrin que j'en avais éprouvé. M'autorises-tu à le faire maintenant ?

— Non, Gervais. Parlons plutôt de lui, de cet enfant. Cela vaut mille fois mieux.

Il attendit que j'eusse séché mes larmes et me signifia, par un sourire, qu'il comprenait ma répugnance à évoquer ce douloureux souvenir.

— Ma mère l'a baptisé Perry, ce qui est, en un sens, regrettable. Mais comme tout, à ce moment-là, laissait supposer qu'elle se chargerait seule de son éducation, nous étions mal venus de nous en plaindre.

— Je le croyais avec sa mère, à l'étranger.

— Diana préférait ne pas s'y attacher. Elle savait que son mari refuserait de l'adopter et elle tenait trop à son titre de Lady Sternmore pour ne pas se plier aux exigences de Compton Flood. Maintenant qu'elle lui a donné un fils, la succession est assurée. Quant à ma mère, elle était ravie de trouver un fils de remplacement... Veux-tu boire quelque chose ?

J'ai d'abord accepté un seul verre de vin, avant d'en avaler beaucoup plus. Assise sous le portrait de Perry Clevedon, j'écoutais Gervais — qui lui ressemblait physiquement de manière si frappante — me faire le récit de ses pérégrinations et m'offrir le moyen d'oublier le passé et l'échec de notre amour au profit d'un avenir consacré à l'amitié.

Il faisait presque sombre quand je me suis enfin levée.

— Me permettras-tu de venir te rendre visite et scandaliser tes voisins ? m'a-t-il demandé.

— Avec plaisir.

J'aurais été fort déçue qu'il ne le fît pas.

Sur le chemin du retour, je réfléchis à la métamorphose de Gervais. L'esprit plaisamment brouillé par son excellent vin, je restais cependant assez lucide pour comprendre que je n'aurais plus à m'inquiéter de son sort, à éprouver de remords à son sujet ni, moins encore, à souffrir de ses accès de rage et de ses sautes d'humeur. J'avais eu devant moi un homme serein, sûr de lui, qui était parvenu à changer — mieux et plus profondément que moi — en se réconciliant avec lui-même. Nul ne s'y serait attendu de sa part et, pourtant, je l'avais constaté de mes yeux. Je devais m'avouer aussi que ce personnage inattendu m'intriguait et que ce nouveau Gervais Clevedon m'attirerait peut-être — pourquoi pas ? — s'il voulait s'en donner la peine.

Les nouveaux scandales de la famille Barforth ne firent rien, au contraire, pour améliorer ma propre réputation. L'on voyait M. Nicolas Barforth fouler aux pieds les convenances les mieux établies et vivre heureux dans le péché avec une femme en âge d'être sa fille — mais M. Barforth se plaçait depuis toujours au-dessus de la moralité commune et des lois. Mme Georgiana Barforth passait ouvertement le plus clair de son temps en compagnie de Sir Julian Flood — mais elle ne faisait qu'aller d'un homme distingué à un autre, ce que Cullingford était en mesure de comprendre, s'il ne l'approuvait point. J'étais, en revanche, la seule à avoir quitté mon mari, non pour prendre un amant, mais afin de jouir d'une indépendance cent fois plus choquante dans une inconcevable solitude. Là se trouvait le péché inexpiable. Mon audace allait jusqu'à mépriser les devoirs d'une femme de bien et, plutôt que de consacrer bénévolement mon temps et mes efforts à quelque cause méritante, je les vendais à l'instar d'une vulgaire domestique. Il était donc tout naturel que l'on en vînt à chuchoter que j'étais la maîtresse de Liam Adair.

— On me flatte ! me dit-il en l'apprenant. J'y vois même une tentation bien forte, autant l'avouer.

Si Liam se trouvait souvent à court de bien des choses, il ne manquait cependant ni de tentations, ni de maîtresses et avait, à cette époque-là, amplement de quoi s'occuper l'esprit. Il lui fallait faire face au sempiternel problème de ses finances; à celui des presses, qu'il se voyait toujours hors d'état de remplacer, des salaires à payer, le mien y compris, et des annonceurs que sa faconde convainquait de plus en plus malaisément. Plus sérieux, toutefois, s'annonçait celui des démolitions dans le quartier de Low Cross. Lorsque retentirent les premiers coups de pioche, Liam comprit avoir déclenché un processus qui menaçait de dépasser largement ses prévisions. Surexcitée par ses articles, la foule hostile n'hésitait plus à huer Georges Chard quand il passait à cheval. Le lendemain du jour où St. Mark's Fold ne fut plus qu'un monceau de gravats, une bande de jeunes émeutiers s'attaqua à l'usine. Leur raid se solda par un nombre impressionnant de vitres pulvérisées et de têtes fêlées; un veilleur de nuit assomma un jeune homme de seize ans, déjà mis à mal par les chiens, et le quartier tout entier se mit à bouillonner d'une fureur que rien, désormais, ne pouvait plus contenir.

L'Étoile condamna ces actes de violence. Mais l'on apprit quelques jours plus tard qu'une vieille femme, forcée de vendre ses maigres possessions au bout d'une vie de travail et de se retirer à l'asile, venait de s'y pendre. A quelques semaines de là, on retrouva une famille entière morte de faim dans une grange abandonnée, pour avoir refusé de se laisser enfermer au dépôt de mendicité. Liam ne se priva pas d'exprimer sa réprobation et les attaques reprirent de plus belle.

La direction fit venir des renforts. Mais les gardes et les chiens qui patrouillaient autour de l'usine n'empêchaient pas les jeunes téméraires de sauter les murs à la faveur de la nuit et de lancer des pierres dans les vitres. Une fois mordus en nombre suffisant ou appréhendés par les gardes et expédiés en maison de correction, ils mirent une sourdine à leurs exploits. C'est alors que l'attention du public se tourna vers le chantier de la cité modèle de Georges, où l'on signalait déprédations et vols de matériaux. Ces agissements délictueux eurent principalement pour effet de retarder la prise de possession des logements par ceux qui les attendaient et en avaient le plus pressant besoin.

— Dites-leur de s'arrêter avant qu'ils se fassent tuer ! ai-je supplié Liam. Ils vous écouteront peut-être.

— C'est vrai, je sais...

Et il ne faisait rien. Le seul qui, finalement, faillit trouver la mort dans ces escarmouches fut le seigneur de Low Cross, Georges Chard en personne. Une demi-douzaine de gamins avait peint des slogans injurieux sur les murs de l'usine et attendait son arrivée pour s'amuser de ses réactions. En le voyant, ils voulurent corser le plaisir et s'avisèrent de lancer des morceaux de papier enflammé à la tête de son cheval. La scène eut de nombreux témoins qui me la rapportèrent en détail.

J'appris ainsi comment le pur-sang, affolé par les flammes, échappa au contrôle de son cavalier, se cabra et rua en poussant d'effroyables hennissements de douleur, s'efforçant de frapper ses tortionnaires à coups de sabots. Sur son dos, l'écume à la bouche, une sorte de créature infernale jurait et sacrait en cinglant de sa cravache tout ce qui passait à portée. Finalement, l'homme et la bête s'abattirent sur le pavé gras et l'homme seul se releva quelques instants plus tard.

Les mains et la figure en sang, Georges avait souffert de sa chute. Mais le cheval, seul véritable innocent, avait deux jambes brisées et se voyait promis à une mort certaine. Les plus sages, ou les plus poltrons, avaient déjà pris la fuite. Les plus braves, ou les plus inconscients, restèrent tandis qu'on apportait de l'usine un fusil — pourquoi, fit judicieusement observer Liam, existait-il une arme à feu dans une usine textile ? — et virent Georges donner le coup de grâce au malheureux animal. Puis, d'un mouvement si rapide qu'il était imparable, Georges se tourna vers ses assaillants, empoigna les deux plus proches et les roua de coups jusqu'à ce qu'ils perdent connaissance.

— Ne le publiez pas ! ai-je adjuré Liam.

— Vous avez raison, me répondit-il.

L'Étoile du lendemain donnait cependant un compte rendu détaillé de l'incident, qu'illustrait une caricature vengeresse où l'on voyait une sorte de géant monstrueux, couvert d'or et de bijoux, le fouet levé sur deux enfants dégouttant de sang prosternés à ses pieds.

— Vous avez oublié le cheval, Liam.

— C'est un oubli regrettable, en effet — d'autant que les pauvres gens du quartier auraient été ravis de se partager la viande. M'en voulez-vous beaucoup, Grace ?

— Je fais de mon mieux pour me dominer.

— Bah ! Je connais trop votre bon cœur, Grace. Vous prendrez quand même mon parti le moment venu.

Nous avons eu, cette année-là, un été étouffant, où des ciels couverts et des brumes jaunâtres succédaient à des nuits sans air. Une perpétuelle odeur de poussière planait sur la ville tandis que disparaissaient les unes après les autres les rues autour de Low Cross. Bientôt, je dus traverser un désert pour aller travailler. Dès le mois d'août, l'atmosphère était si tendue et l'inquiétude si générale que les gens déménageaient en masse, même des quartiers non menacés par les démolitions. Il régnait une ambiance de ville assiégée et l'on se demandait où l'ennemi, en l'occurrence Georges Chard, allait porter ses prochains coups.

Les nouveaux bâtiments de l'usine dressaient déjà leurs façades, réalisées dans le style italianisant adopté à Nethercoats. L'on savait qu'ils abriteraient les machines les plus récentes et les plus perfectionnées, car Georges ne se satisfaisait jamais que du meilleur.

— Je le reconnais bien là, me dit Gervais lors de sa première visite. En passant devant Low Cross, je n'ai pu que me réjouir de la façon grandiose dont il accroît notre fortune — la sienne plutôt que la mienne, sans aucun doute.

— Je préfère m'abstenir de juger, ai-je prudemment répondu.

— Moi aussi, car je ne connais pas les détails. Mais je crois qu'il s'est réservé quelques fructueuses activités annexes dont il n'a pas jugé bon d'informer mon père. Quoi qu'il en soit, je ne me plains pas de mon sort. Te rappelles-tu la prairie où nous faisions sauter les jeunes chevaux ? J'y ai installé des vaches. Viens donc les voir un de ces jours.

— Pourquoi diable irais-je contempler un troupeau de vaches ?

— Parce qu'elles sont d'un fort bel effet sur l'herbe verte et qu'elles ruminent paisiblement à l'endroit même où tu m'as vu pleurer pour la première fois.

— Alors, je viendrai avec plaisir.

Je me suis rendue à son invitation et nous avons passé un long et délicieux après-midi ensoleillé à arpenter les sentiers ombragés tout autour de Galton. J'y suis retournée quelques jours plus tard et j'ai osé m'aventurer plus loin, jusqu'à franchir les pierres branlantes d'un gué menant à un sous-bois. Gervais me fit asseoir sur un lit de mousse au pied d'un chêne, s'étendit dans l'herbe à côté de moi et, une heure durant, m'apprit le nom des plantes, des fleurs sauvages et des arbres qui nous entouraient, me décrivit les oiseaux dont nous entendions les chants. A la fin, je ne pus cacher ma surprise devant tant de science :

— Où as-tu donc appris tout cela ?

— Je le tiens de mon grand-père Clevedon, quand j'étais encore tout petit. Si je n'en ai jamais parlé...

— C'est parce que tu le croyais indigne de ton oncle Perry. Il devait pourtant savoir tout ça, lui aussi.

— Probablement.

— Qu'il devait être ennuyeux, à ne parler que de ses chevaux et de ses femmes !

— T'aurais-je ennuyée, moi aussi ?

— Non, Gervais. Tu m'as inspiré bien des sentiments mais jamais l'ennui !

Lorsque nous sommes revenus vers la maison, ce jour-là, Noël Chard nous attendait près de la prairie désormais consacrée aux vaches. Sa ressemblance avec ses frères s'estompait, moins à cause de sa blessure qui l'avait aminci et le faisait boiter que de son expression de sérénité et de sagesse terrienne, que je reconnaissais dans la physionomie de Gervais.

Depuis que Dominique passait le plus clair de son temps aux quatre coins du monde, Blanche ne quittait pratiquement plus Listonby. Nous nous retrouvions, le premier dimanche de chaque mois, dans le petit cimetière paroissial où nous fleurissions la tombe de Venetia. En ce chaud dimanche d'août, une fois disposées les roses apportées par Blanche, elle s'accouda nonchalamment à la stèle de marbre, la caressa du bout des doigts et me dit d'un ton distrait :

— J'ai reçu des nouvelles de mon mari. L'Afrique l'ennuie, mais je ne compte pas le revoir de sitôt : il me parle des Indes où l'on trouve, paraît-il, des tigres à foison. Il s'apprête déjà à en faire une hécatombe.

— Il faudra quand même qu'il en revienne un jour ou l'autre.

— Sans doute, mais la jungle le rappellera très vite, je n'en doute pas un instant. Pense donc ! Tous ces tigres à tuer, ces éléphants à monter, ces ravissantes femmes au teint cuivré à séduire, comment y résisterait-il ? S'il trouve le bonheur ainsi, j'aurais mauvaise grâce à le lui disputer.

— Et Noël ?

Elle poussa un soupir extasié qui était déjà un aveu, sourit, posa la joue contre le marbre et, à ma stupeur, rougit :

— Que voulais-tu que je fasse, Grace ? Il m'aime depuis si longtemps... Oui, je l'avoue, je m'y suis prise de telle sorte qu'il ne puisse aimer personne d'autre. Voilà pourquoi, un jour, Venetia a souhaité qu'il me viole. J'en arrivais à le désirer, moi aussi — j'y aurais trouvé une sorte d'excuse ou de justification. Mais Noël aurait été incapable d'un tel acte. Aussi ai-je dû finir par me décider... Enfin, ce qui est fait est fait. Je ne regrette rien.

Elle resta un moment ainsi, l'image de l'innocence auréolée de blondeur. Elle avait toujours obtenu de la vie exactement ce qu'elle voulait et, si je la croyais quand elle déclarait ne rien regretter, elle paraissait quêter mon approbation et celle, posthume, de Venetia.

— Vois-tu, reprit-elle, si seulement Venetia avait compris qu'à notre manière tortueuse nous pouvions être heureux... Mais non, elle m'aurait reproché de ne pas tout exposer au grand jour, comme elle — comme tu l'as fait toi aussi.

— Je n'ai pris cette décision que parce qu'elle me convenait, Blanche. Tu es seule juge de ce qui te convient à toi. Ne te laisse influencer par personne.

— Penses-tu réellement ce que tu viens de dire ?

— Bien entendu, surtout si tu es prête à accepter la responsabilité de ta décision et si elle ne fait de mal à personne.

Nous avons réarrangé les fleurs en silence puis, afin de respecter les rites de notre pèlerinage mensuel, sommes remontées en voiture pour aller prendre le thé chez tante Julia. C'est en arrivant à Elderleigh et après avoir franchi la grille que nous avons remarqué un équipage devant le perron.

— Grand dieu, tante Caroline ! s'exclama Blanche avec dépit. J'avais oublié de te le dire, elle a débarqué l'autre jour de South-Erin à seule fin de m'empoisonner la vie et en traînant Dieu sait combien de gens à sa suite. Elle s'est probablement empressée de venir exhiber la fiancée de Georges à ma mère.

J'ignore si Blanche a deviné la cause de mon silence et de ma subite pâleur. Mais je suis parvenue à répondre froidement :

— Tiens, Georges serait donc fiancé ? Je n'en savais rien.

— Je ne suis pas sûre qu'il le soit vraiment, mais sa mère en semble déjà convaincue et la promise a l'air d'accord. C'est un excellent parti, inutile de le préciser. Elle est ennuyeuse comme la pluie et bête comme une oie mais riche à millions, paraît-il, et plutôt décorative, je l'avoue. Georges est venu dîner l'autre soir et il a passé près d'une heure seul avec elle dans la galerie. Il faut donc s'attendre à ce qu'on annonce l'événement d'un jour à l'autre.

Nous avons trouvé tout le monde au jardin, à l'ombre des marronniers, autour d'une table couverte d'une nappe de dentelle et chargée d'argenterie et de fines porcelaines. Tante Julia était vêtue, comme Blanche, de soie crème, tante Caroline de faille dans les tons magenta. Tout en traversant la pelouse, j'ai aperçu du coin de l'œil une autre toilette claire que je me suis abstenue de regarder.

Tante Julia nous a fait asseoir en s'efforçant de dissiper, par d'aimables banalités, le malaise que provoquait à l'évidence mon arrivée. Elle expliqua simplement que Mlle Hortense Madeley-Brown était une relation de tante Caroline, jusqu'à ce que la duchesse intervienne avec acrimonie. Elle ne m'avait pas pardonné d'avoir présenté Camille à son frère et devait, depuis lors, nourrir à mon égard un nombre croissant de griefs car elle me déclara, en guise de bienvenue :

— Je ne m'attendais certes pas à te voir ici, Grace. Si Blanche avait eu le tact de m'informer de ses projets, elle nous aurait évité cette fâcheuse rencontre. Mon fils Georges doit nous rejoindre d'une minute à l'autre et j'estime inconvenant de le forcer à te saluer.

— Plaît-il, ma tante ? ai-je dit en sursautant.

Je m'étais d'abord imaginé qu'elle se référait à notre folle nuit de luxure dont, par quelque miracle, elle aurait eu vent. Elle n'était cependant choquée que par ma collaboration à *L'Étoile,* comme elle se hâta de me le faire savoir en déplorant de devoir respirer, si peu que ce soit, le même air que moi.

Tante Julia leva imperceptiblement les yeux au ciel — « cette pauvre Caroline ne changera jamais », pouvais-je presque l'entendre dire — et s'interposa du mieux qu'elle put :

— N'exagère donc pas tant, Caroline, dit-elle avec un de ses sourires angéliques.

— Je n'exagère pas, Julia, je fais au contraire un effort pour me contenir ! Pardonnez-moi, ma chère Hortense, de déballer ainsi devant vous ces histoires de famille. Mais je considère que vous en faites déjà partie et que nous ne devons pas vous dissimuler nos secrets et nos problèmes. Grace a commis une inqualifiable trahison, elle ne peut pas le nier…

— Je le nie, au contraire, avec véhémence !

Elle me décocha alors un sourire supérieur où je reconnus une expression qui m'exaspérait particulièrement chez Georges :

— Inutile de protester, ma petite ! N'est-ce pas trahir sa famille que s'allier à un homme qui accumule les calomnies contre mon fils, ton propre cousin ? Un individu qui excite la haine de la populace au point de mettre la vie de mon fils en danger, comme c'est arrivé l'autre jour ? Si ce n'est pas là trahir, alors les mots n'ont plus aucun sens et le monde n'est plus ce qu'il était !

Je ne voulais pas perdre mon sang-froid, tant pour ne pas embarrasser davantage tante Julia que pour rester maîtresse de moi jusqu'à l'arrivée de Georges. Je me suis donc forcée à répondre sans élever la voix :

— La situation est plus complexe que vous ne la décrivez, ma tante. Je suis sincèrement navrée de l'accident survenu au cheval de Georges. Mais Liam Adair n'est ni mon « allié » ni mon « complice ». Il est mon employeur, un point c'est tout. Je ne me considère nullement responsable de ses opinions et, d'ailleurs, il est lui aussi un membre de ma famille.

Ainsi que je l'espérais, cette dernière remarque détourna aussitôt son attention vers des subtilités généalogiques :

— Grand dieu ! s'écria-t-elle. Il n'a jamais fait partie de la famille, voyons !

Tante Julia avait compris le but de ma manœuvre et se lança à la rescousse :

— Mais si, Caroline...

— Absolument pas, Julia ! La grand-mère de Grace a épousé le père de ce garçon en secondes noces. Cela ne crée pas de liens de parenté ! Quant à elle, elle est la fille de ta sœur, qui était ma cousine germaine, et elle a épousé le fils de mon propre frère — bien que je préfère ne pas m'étendre sur ce sujet...

— Et pourquoi pas ? intervint alors Blanche avec un sourire perfide. J'ai trouvé Gervais transformé à son avantage et je suis sûre que Grace partage mon opinion.

— Quoi ? Voudrais-tu insinuer que Grace et Gervais se sont revus ? C'est insensé ! Avoue la vérité, Grace.

Elle promena un regard soupçonneux sur les visages souriants qui l'entouraient et me dévisagea avec une sorte d'horreur tandis que j'inclinais la tête en signe d'acquiescement. Je ne savais si elle était plus scandalisée par mon audace ou inquiète quant aux conséquences éventuelles d'une réconciliation sur la part d'héritage de son fils. Son attention était, en tout cas, suffisamment distraite de Liam Adair pour nous permettre de boire tranquillement notre thé et me donner l'occasion d'observer à loisir Mlle Hortense Madeley-Brown.

C'était le genre de fille dont on s'exclame : « C'est une beauté ! » dans les salons londoniens. Grande, large d'épaules et la taille fine, elle possédait une poitrine superbe pour ses dix-sept ou dix-huit ans, un joli visage dénué d'expression, de la hauteur dans le maintien et des boucles blondes sagement disciplinées sous un coûteux chapeau enrubanné. En selle, dans une tenue de cheval étroitement ajustée pour mettre ses formes en valeur, elle devait avoir grande allure. Je l'imaginais sans peine trônant au haut bout d'une table, dont son opulent décolleté ne serait pas le moindre ornement. Quant à ses longs membres déliés, je ne parvenais pas à en chasser l'image mêlée à celle de Georges dans les draps de satin dont j'avais appris qu'il couvrait dorénavant son lit. C'était exactement le type de femme que je m'attendais qu'il prît après la mort de Venetia, celle dont sa mère rêvait pour lui depuis toujours, l'épouse idéale, riche, conforme aux conventions, pas trop intelligente surtout, prête à obéir et complaire à son époux, anxieuse de lui donner de solides héritiers — bref, l'archétype de la femelle stupide et soumise dont la seule existence encourage, chez un homme tel que Georges, les plus mauvais instincts et asphyxie tout le reste. Une de ces créatures insipides à la cervelle d'oiseau dans un corps de Vénus, que j'observais buvant son thé avec le sourire béat de celle qui se sait belle et ne regarde pas plus loin. Comment, me disais-je avec rage, comment Georges accepte-t-il de s'avilir avec une pareille nullité ?

Mieux valait n'y plus penser. J'ai bu mon thé trop chaud en me brûlant la langue. Tout cela était absurde. J'avais donné congé à Georges de ma propre initiative; dans le but de rendre ma décision irrévocable, je l'avais blessé en lui fournissant des raisons de me couvrir d'un mépris que mes rapports avec Liam Adair ne pouvaient qu'aggraver. Depuis ce jour-là, je savais qu'il me faudrait l'affronter tôt ou tard. Le moment était venu. Et si cette confrontation devait être rendue plus pénible par la présence de sa mère et d'une fiancée tombée du ciel, je n'avais d'autre ressource que de serrer les dents et faire face de mon mieux. Il était trop tard pour me soucier de mes sentiments à son égard ou nourrir des regrets stériles.

Aussi, quand Blanche annonça négligemment : « Tiens ! Voilà justement Georges », avec un rapide clin d'œil à mon adresse qui dénotait une intuition à laquelle je ne m'attendais guère de sa part, je me suis redressée sur ma chaise en me préparant à calquer mon attitude sur celle qu'il adopterait envers moi.

S'il m'avait réellement désirée avec l'ardeur qu'il affichait six mois auparavant et si je l'avais aussi cruellement blessé que je le souhaitais, la rencontre devait lui paraître aussi pénible qu'à moi. Rien, toutefois, ne le trahit dans son comportement.

— Bonjour, ma tante, dit-il en se penchant vers tante Julia pour lui donner un baiser à l'affection impeccablement dosée. Je vous ai fait attendre, j'en ai peur, et je vous prie de m'en excuser.

— Pas du tout, mon cher Georges, tu arrives juste à temps.

Il embrassa sa mère de manière toute filiale, accorda à Blanche un signe de tête et un sourire amicalement complice, comme le méritait celle qui faisait le bonheur de ses deux frères. Arrivé devant Hortense, il la gratifia d'un salut plus appuyé et de quelques mots où il réussit à exprimer le respect et l'intimité. Puis, en un geste à la spontanéité parfaitement calculée, il lui prit la main et y posa un baiser près du poignet, tout en se penchant de manière à laisser errer son regard dans les troublantes profondeurs du décolleté.

— Je suis ravie de vous revoir enfin, déclara-t-elle.

C'était là la phrase la plus longue que je lui aie entendu proférer depuis plus d'une demi-heure.

Jusque-là, il ne m'avait rien dit. Tante Julia se hâta de lui tendre une tasse de thé, espérant masquer cette omission gênante. Mais ce ne fut qu'après s'être servi de lait, de sucre, avoir longuement tourné sa cuillère et l'avoir reposée dans la soucoupe qu'il parut s'aviser de ma présence et fit en ma direction un signe de tête fort sec qu'il ponctua d'un « Bonjour, Grace » à la limite de la plus élémentaire courtoisie.

— Bonsoir, Georges, ai-je répondu sur le même ton.

— Quelle chaleur ! s'écria tante Julia avec un sourire radieux. Nous n'avons jamais eu si chaud de tout l'été, je crois.

— Je n'irais pas jusque-là, corrigea Blanche. Il faisait étouffant dimanche dernier et celui d'avant m'a semblé presque plus torride. Qu'en pensez-vous, Hortense ?

— Étouffant, oui, c'est le mot juste, répondit cette dernière d'un air pénétré.

Ainsi se trouva réglée cette angoissante controverse météorologique.

Peu après, Georges prit possession de sa jeune amazone à la crinière d'or et l'emmena admirer la roseraie — celle-là même où Venetia, jadis, buvait les paroles de Charles Heron. A peine les tourtereaux eurent-ils disparu derrière un massif que tante Caroline se pencha vers moi :

— Puisque tu es là, Grace, profitons-en pour vider l'abcès, me dit-elle du ton d'un Procureur du Roi entamant l'interrogatoire de l'accusé. Je ne voulais pas aborder la question devant Hortense, puisqu'elle la concerne au premier chef, mais tu es mieux placée que quiconque, je crois, pour nous éclairer sur les intentions de mon frère. Prévoit-il de rester à Scarborough, ce qui aurait au moins le mérite de minimiser le scandale, ou a-t-il perdu la raison au point d'envisager de réintégrer Maison Haute et de s'y afficher avec cette créature ?

Puis, avec un geste où la fureur le disputait au désarroi, elle se tourna vers tante Julia et la prit à témoin :

— Enfin, tu me comprends, Julia ? Après tout ce qu'il a fait, tout ce qu'il a subi, les responsabilités qu'il assume avec un courage admirable, mon malheureux enfant n'a pas même un chez-soi où fonder son foyer. Maison Haute appartient à Nicolas et je ne me consolerai jamais de lui avoir cédé ma part à la mort de notre pauvre père ! Ce ne sont pas ces quelques milliers de livres, une misère, qui compenseront le fait de voir cette... cette fille de rien se prélasser dans une maison que mon fils mérite de plein droit ! Les Madeley-Brown sont une excellente famille, je n'aurais pas pu trouver meilleur parti pour Georges, je le dis bien haut. Aussi ai-je le cœur brisé à la pensée qu'il n'a pas même un toit où abriter sa femme...

Elle reprit haleine, comme le lutteur met un genou en terre afin de rassembler ses forces et mieux se préparer à terrasser son adversaire, puis se tourna de nouveau vers moi :

— Quant à toi, Grace, je ne saurais te dire à quel point je suis scandalisée d'apprendre tes contacts avec Gervais. Il s'est aussi rendu à Scarborough, paraît-il, pour faire sa cour à cette créature. Au moins ses voyages lui auront ouvert les yeux sur la manière de défendre ses intérêts ! Mon fils Noël m'a dit l'autre jour qu'il vient d'acheter plus de cent hectares aux Winterton, des terres mitoyennes de Listonby. D'où tient-il cet argent sinon de Nicolas ? Non, décidément, le monde n'est plus ce qu'il était. Tout autour de moi, je vois les valeurs bafouées, les traditions ridiculisées... Quelle époque !

Pour tante Caroline, le diable devait en effet montrer à chaque instant le bout de ses cornes dans ce présent où elle ne reconnaissait plus rien du passé. Son désarroi manifeste, son impuissance grandissante à maîtriser les événements finirent par me toucher et je fis plus volontiers preuve de patience et de compréhension à son égard qu'au temps de sa tyrannique splendeur. Car son vieux duc déclinait rapidement depuis un an ou deux et, une fois disparu, son titre, ses terres et sa fortune échapperaient à sa veuve. Tante Caroline allait se retrouver sous peu dans l'inconfortable position dont elle s'était si brillamment sortie à la mort de son premier mari. A peine la bière du vieux duc serait-elle emportée du château qu'un jeune héritier viendrait prendre sa place, qu'une nouvelle duchesse occuperait le haut bout de la table en ne laissant à l'ancienne d'autre choix que de s'éclipser dans une obscure retraite — après lui avoir remis les bijoux de famille et les clefs des armoires, symboles de sa puissance.

Elle avait consacré sa vie à relever les ruines de Listonby afin d'en faire un cadre digne de son mari, un patrimoine à la hauteur des ambitions qu'elle formait pour ses fils. Les deux aînés, tout compte fait, avaient déçu ses espérances. Dominique, pour qui elle avait tant intrigué afin de l'élever au rang de ministre, préférait chasser le tigre, jouer au polo et — elle ne pouvait l'ignorer — goûter aux délices exotiques de femmes à la peau sombre. Noël, qui aurait déjà dû être général — elle l'aurait été à sa place, je n'en doutais pas — se satisfaisait d'une vie casanière entre ses pâturages et sa basse-cour. Il refusait de renouer la tradition des chasses à courre, des bals, des réceptions et menait le train de vie d'un petit hobereau de province. Seul, Georges lui restait, dont l'ambition ne se relâchait pas et sur qui elle pouvait encore placer ses espoirs de grandeur. Elle était donc prête à le défendre bec et ongles contre tous les « intrus »; contre Camille qui, outre les libéralités que serait tenté de lui faire Nicolas en puisant dans la fortune familiale, risquait de compliquer la succession en ayant un fils, même bâtard; contre Gervais, capable de regagner la faveur de son père au détriment de l'ancien mari de sa défunte sœur et qui, circonstance aggravante, menaçait de se réconcilier avec moi et de me redonner mes prérogatives de maîtresse de maison à Maison Haute, sinon davantage.

Je comprenais donc ses alarmes. Aussi, à l'exemple de tante Julia, me suis-je efforcée de les apaiser par des murmures indistincts, des approbations qui n'engageaient à rien, des sourires aimables et des hochements de tête — tandis que Blanche, que les tirades de sa belle-mère ennuyaient à périr, s'endormait gracieusement, mais profondément, sur son siège.

— Réveille-toi donc, petite sotte ! lui dit soudain tante Caroline en lui tisonnant les côtes avec le manche de son ombrelle. Georges et Hortense reviennent et elle s'étonnerait à bon droit de te trouver dans cet état... Ah ! ma chère Hortense ! Avez-vous pris plaisir à cette petite promenade ?

L'interpellée l'assura qu'elle s'en montrait ravie et tante Caroline la gratifia d'un sourire approbateur. La vue de cette belle-fille idéale lui redonnait visiblement sa bonne humeur. Doté d'une pareille épouse, son Georges n'aurait plus de soucis à se faire. Ce n'est pas d'une telle pouliche sans cervelle qu'il pourrait craindre esclandre ou contradiction.

— Il est grand temps que nous partions, ma chère Julia, dit-elle en enfilant ses gants avec résolution. Georges doit nous emmener visiter ses nouvelles cités ouvrières, l'usine de Low Cross et quelques récentes acquisitions...

Blanche l'interrompit en posant la question qui me brûlait la langue :

— De nouvelles acquisitions ? Lesquelles ?

Pour une fois, je crois, tante Caroline n'avait pas fait preuve de machiavélisme en lâchant cette nouvelle mais cédait simplement à la propension au bavardage qui affecte les dames d'un certain âge. Décontenancée, elle se tourna vers Georges en quêtant d'un regard son assistance :

— Eh bien... Georges investit sagement ses capitaux. Où donc as-tu acheté de nouveaux terrains ? Je ne me rappelle plus.

Georges répondit évasivement. Mais Blanche, consciente de ce qu'il tramait quelque machination, me lança un rapide coup d'œil avant de réitérer sa question :

— Qu'avez-vous donc acheté, Georges ?

— Bah ! Quelques terrains ici et là, autour de Low Cross et de Gower Street. Le marché est extrêmement favorable en ce moment, à vrai dire. Je ne sais pas ce qui passe par la tête des gens, on croirait qu'ils redoutent une invasion barbare ou une épidémie de peste, mais ils vendent n'importe quoi à n'importe quel prix. J'aurais bien tort de ne pas en profiter. Compte tenu des dernières difficultés que j'ai rencontrées dans le quartier, il m'a paru judicieux de réserver l'avenir en ménageant des possibilités d'expansion autour de Low Cross et jusqu'à Gower Street...

J'en avais entendu assez. Aussi, en m'efforçant de garder un calme que j'espérais convaincant, j'ai enfilé mes gants à mon tour et demandé à Georges, en le regardant droit dans les yeux :

— Et peut-on savoir ce qui s'est vendu dans Gower Street à des conditions tellement avantageuses, Georges ?

Je n'eus pas besoin d'entendre sa réponse. L'éclair de satisfaction dans son regard et son sourire malveillant suffirent à me confirmer qu'il s'agissait des locaux de *L'Étoile de Cullingford*.

24

— Ainsi, c'est Georges notre nouveau propriétaire ? me dit Liam lorsque je lui rapportai la nouvelle. Eh bien, préparons-nous à subir une sérieuse augmentation de loyer.

Elle survint en effet, plus lourde encore que nous ne le redoutions — et ce n'était sans doute qu'un début.

— Tandis que je m'efforcerai de donner du fil à retordre à cet animal, commenta Liam, il serait peut-être judicieux de chercher une nouvelle adresse, avant que ce bon Georges me mette à la rue avec mes pauvres vieilles presses. Pouvez-vous jeter un coup d'œil autour de vous, Grace ?

Mais reloger *L'Étoile* promettait d'être ardu, comme Liam — et Georges — le prévoyaient. Les bonnes adresses de Sheepgate ou de Kirkgate, ainsi que les nouveaux bâtiments à usage commercial qui se construisaient un peu partout, se révélaient largement au-dessus de nos moyens, quand leurs propriétaires ne refusaient pas carrément de s'encombrer de locataires de notre espèce. Mon exploration des quartiers plus modestes ne donna pas de meilleurs résultats; je n'y trouvais que des locaux trop petits, sordides, ou trop vétustes pour supporter le poids des presses. Malgré tous mes efforts, je dus déclarer forfait.

— Ayez donc la bonté d'aller rassurer nos annonceurs, me dit Liam quand je lui fis part de mon échec. Je ne serais pas surpris qu'ils aient déjà entendu des rumeurs inquiétantes à notre sujet.

Je me suis parée de mon plus élégant chapeau et d'assez de bijoux pour inspirer confiance et j'ai entrepris la tournée des commerçants et des artisans dont nous vantions les services moyennant finances. Devant les uns, je jouais le personnage de Mlle Agbrigg, héritière de Fieldhead et je flirtais discrètement avec les autres; ici, j'appelais un chat un chat, ailleurs je pesais davantage mes mots. A tous, je prodiguais l'assurance que, en dépit des propos alarmistes répandus par les malveillants, *L'Étoile* ne cesserait jamais de briller sur Cullingford. Sans doute ne me suis-je pas montrée assez convaincante, car bon nombre de contrats ne furent pas renouvelés et il nous fallut bientôt envisager de réduire nos parutions à un numéro hebdomadaire.

— Il ne me reste qu'à faire un saut à Cannes et user de mon charme auprès de cette chère bonne-maman Elinor, en déduisit Liam. A condition, bien entendu, que vous puissiez vous passer de moi huit ou quinze jours, ma chère Grace, et m'avancer le prix du voyage.

— Je puis même vous en faire faire l'économie, Liam, et prendre le loyer à ma charge.

— Vous le pourriez, j'en suis certain, et je ne manquerai pas de vous le demander quand je serai à bout de ressources. D'ici là, je préfère m'en sortir par mes propres moyens.

— A votre aise. Vous conviendrait-il de suspendre le paiement de mon salaire, pour le moment du moins ?

— Je reconnais bien là votre générosité, Grace, dit-il avec un sourire qui dissimulait mal sa fatigue et son inquiétude. Avouez cependant qu'il s'agit de si peu de chose que j'aurais mauvaise grâce à vous en priver — d'autant que je connais l'importance symbolique que vous y attachez. Et d'ailleurs, tant que la caisse n'est pas entièrement à sec, pourquoi ne pas en profiter ? Venez donc à Leeds, je vous invite. Nous irons au théâtre et nous souperons ensuite.

Installés dans une luxueuse loge d'avant-scène, nous avons vu quelque sombre mélodrame dont je ne me rappelle rien. Le bras de Liam s'attardait sur le dossier de mon siège, moins en signe d'intérêt pour moi que par la force de l'habitude. Ses yeux s'égaraient volontiers vers mon décolleté pendant notre coûteux souper fin, car les usages veulent qu'on se conduise de la sorte en compagnie d'une femme dans un restaurant chic. Il poussa même les égards jusqu'à me demander de lui consacrer le reste de la nuit et manifesta sa déception quand je lui répondis que la raison s'y opposait.

— Bah ! Tout le monde vous croit déjà ma maîtresse.

— C'est vrai, Liam. Mais vous en avez bien assez sans m'ajouter à votre tableau de chasse. Ce dont vous avez grand besoin en ce moment, je crois, c'est d'un ami sûr.

— La sagesse, une fois de plus, parle par votre bouche. Buvons à la sagesse et à l'amitié !

Nous avons généreusement célébré ces deux vertus et sommes rentrés à Cullingford par le dernier train, à une heure scandaleusement tardive où aucune femme honnête n'ose se montrer hors de chez elle.

— Bien entendu, vous refusez de me laisser entrer, dit-il lorsque nous sommes arrivés à ma porte.

— Il ne saurait naturellement en être question.

Je n'ai cependant pas protesté quand il déposa un léger baiser au coin de mes lèvres. Et je riais encore en refermant ma porte à la pensée de mes voisines bien intentionnées qui nous épiaient sans doute et ne manqueraient pas de tirer d'une telle scène des conclusions trop prévisibles.

Je gardai de cette plaisante soirée le souvenir d'une oasis de fraîcheur dans un été chaque jour plus oppressant. L'air était de plus en plus irrespirable et, dans cette atmosphère propice à tous les excès, les raids contre l'usine de Low Cross se multipliaient en prenant la tournure d'une sorte de jeu. Quand un gamin réussissait à voler quelques briques, à briser une vitre, à exhiber fièrement une morsure de chien ou un œil au beurre noir infligé par un garde, il se voyait promu héros de son quartier et redoublait d'efforts pour surpasser ses concurrents, chaque jour plus nombreux et plus déterminés.

— Leurs cicatrices semblent leur tenir lieu de médailles, fit observer Liam — qui en aurait sans doute fait autant à leur âge.

Mais ces attaques continuelles contre le chantier n'étaient pas du goût des entrepreneurs, qui voulaient profiter du beau temps pour terminer leurs travaux. Si les murs n'étaient pas montés et la toiture posée à la fin d'octobre, M. Chard sortirait de ses gonds et les autres en seraient de leur poche. Or, les jeunes trublions des taudis avaient décrété que la toiture ne serait pas posée à la fin d'octobre, tandis que les ouvriers du chantier, qui voyaient déjà s'envoler leurs primes, se montraient non moins fermement résolus à faire respecter le programme. Il s'ensuivit un échange de défis et de menaces qui dégénérèrent en violents affrontements. L'un de ces combats se déroula sous nos fenêtres, d'où je vis une forte troupe de maçons et de terrassiers, pour la plupart de robustes Irlandais, s'opposer à un nombre égal de nos autochtones, moins musclés mais plus vifs et plus rusés. L'issue de là rencontre resta incertaine et son déroulement fort peu ragoûtant.

« Consternant ! » s'indigna *Le Courrier* en conclusion de son compte rendu. « Regrettable », commenta *L'Étoile,* sans préciser pour qui ce l'était davantage. Aussi n'ai-je pas éprouvé trop de surprise lorsque je vis, quelques jours plus tard, un personnage pénétrer dans nos bureaux — ou plutôt investir la place. S'il était bourgeoisement vêtu, rien dans son apparence ne dénotait le « gentleman ». Sa corpulence, ses muscles saillants, la fureur qui lui empourprait les joues, son cou de taureau et ses poings serrés suffisaient à lui donner un aspect redoutable.

— Tom Mulvaney, se borna-t-il à déclarer.

Il supposait, à juste titre, que l'énoncé de son nom nous éclairerait sur l'objet de sa visite; car nul n'ignorait que l'entreprise « Charlesworth & Mulvaney, Ltd. » avait emporté de haute lutte le marché convoité de la construction de l'usine de Low Cross et de la cité modèle de Black Abbey Meadows. Ayant ainsi abattu son jeu, le sieur Mulvaney prit position sur le pas de la porte et fit rapidement des yeux le tour de la pièce afin d'inventorier les forces adverses. Il ne vit que le vieux M. Martin, qui cumulait les fonctions de correcteur et de secrétaire de rédaction, occupé à trier les dépêches du matin, David le jeune grouillot, Liam et moi. Les typographes, aussi décrépits que leurs presses, se tenaient au rez-de-chaussée.

Liam resta fort sagement retranché derrière son bureau :

— Qu'y a-t-il pour votre service, monsieur Mulvaney ?

— Renvoyez vos petits voyous chez eux, Adair.

— Je ne vois pas de quels petits voyous vous voulez parler.

L'entrepreneur traversa la pièce en deux enjambées et assena sur le bureau de Liam un coup de poing qui eut pour effet de renverser l'encrier et la carafe d'eau, dont les contenus se mêlèrent et se répandirent sur les papiers étalés sur leur trajectoire.

— *Monsieur* Mulvaney ! dit Liam d'un ton de reproche.

Il toisait l'autre de bas en haut en faisant claquer sa langue avec réprobation et son attitude provocatrice me fit lever d'un bond. Si Mulvaney possédait deux sous de savoir-vivre, la présence d'une femme le retiendrait peut-être sur la voie de la violence. J'ignorais l'âge exact de Liam mais il devait approcher de quarante ans, quand Mulvaney n'en avait visiblement pas plus de vingt-neuf ou trente. Je ne croyais pas Liam en état de se mesurer à lui et je préférais ne pas devoir assister à un combat inégal.

— J'ai dit : rappelez vos petits voyous, Adair !

— Je n'ai pas de voyous sous mes ordres, Mulvaney !

— C'est mon dernier avertissement, Adair !

— Des menaces ? Dans ce cas, expliquez-vous, mon bon-homme, j'aimerais savoir exactement de quoi il s'agit. Et surveillez votre langage devant une dame, je vous prie.

— Une dame ? ricana Mulvaney. Je n'en vois pas.

Il me décocha un coup d'œil aussi meurtrier que ceux dont il gratifiait Liam. Mais j'avais attiré son attention et je décidai aussitôt d'en profiter en me postant à côté du bureau, de sorte qu'il devrait me repousser s'il voulait s'attaquer à Liam.

— Vous en avez pourtant une sous les yeux, ai-je riposté avec toute la froideur dont j'étais capable.

Liam ne pouvait cependant pas accepter de rester abrité derrière une femme. Aussi, en dépit de ses quarante ans et de ses forces manifestement inférieures, il se leva en prenant une posture fanfaronne qui m'exaspéra. Pendant quelques instants, je faillis céder à la terreur. J'étais seule à les empêcher de se ruer l'un sur l'autre, comme je l'avais fait une fois entre Georges et Gervais. Mais ce soir-là j'avais perdu la tête. Il ne fallait pas que cela recommence.

— Écoutez-moi, monsieur Mulvaney, lui ai-je dit calmement. Je vous prends malgré tout pour un homme sensé. Si vous pensez avoir lieu de vous plaindre...

— Lieu de me plaindre ? Vous en avez de bonnes ! A peine mes vitriers ont-ils terminé de poser une fenêtre à Black Abbey que les vauriens commandés par cet individu viennent la réduire en miettes ! Et qui paie les dégâts, à votre avis ? Oh ! ce n'est jamais Chard, qui pourtant en aurait les moyens, non ! C'est moi, ma petite dame, *moi* ! Si ça doit continuer plus longtemps, je vous assure que je saurai faire ce qu'il faut.

Il avait cent fois raison et je le lui dis et redis avec une telle conviction que sa fureur finit par se calmer. Au bout de quelques minutes, il semblait plus disposé à faire un procès en dommages et intérêts qu'à provoquer une effusion de sang.

— Vous vous croyez très forte avec vos belles phrases, hein, madame Barforth ? Je vous connais, vous savez, j'en ai entendu sur votre compte. Mais les femmes intelligentes ne m'impressionnent pas. Et je vous préviens, Adair, je ne me laisserai plus embobiner comme aujourd'hui. Au moindre incident, je passe aux actes et vous le regretterez.

— Inutile d'attendre si longtemps, Mulvaney. Si vous voulez que nous sortions, je suis votre homme.

Cette rodomontade tomba à plat. Sûr de sa force et de sa jeunesse, Mulvaney fit un geste de mépris et tourna les talons en vainqueur magnanime qui condescend à laisser la vie sauve à son adversaire débile — tant qu'il jugera bon d'agir de la sorte.

Jusqu'alors muet d'horreur, M. Martin poussa un long soupir et se replongea dans ses dépêches :

— Dieu tout-puissant ! Quel sauvage, cet homme !

— Vous n'avez plus guère le choix, Liam, ai-je dit en sentant mes genoux flageoler.

— J'en ai bien peur, en effet, tandis que ce gorille en costume du dimanche est parfaitement capable de me réduire en bouillie s'il lui en prend fantaisie. Aussi est-il désormais de votre devoir de me protéger jour *et* nuit, ma chère Grace. Je ne vois pas d'autre moyen si vous tenez à me conserver.

Sous l'insouciance du ton perçait une réelle inquiétude. Aurait-il peur ? me suis-je demandé. Sans doute. Mais le courage n'est rien sans la peur — et Liam était courageux, j'en avais maintes fois eu la preuve.

L'été se termina brutalement à la fin du mois d'août, des pluies torrentielles apportant un automne précoce. Dans les rues inondées et transformées en fleuves de boue, riches et pauvres luttaient de leur mieux contre les éléments. Nous reçûmes au début de septembre la notification d'une nouvelle augmentation de loyer. Elle nous rappelait à la réalité, à l'inéluctable évidence que les mots et les idées ne peuvent rien contre le véritable pouvoir, celui que détient le crédit le plus élevé dans les livres de la banque Rawnsley.

— Me permettrez-vous cette fois, Liam, de contribuer... ?

— Non ! m'interrompit-il sèchement. Non, Grace, je ne m'endetterai pas auprès de vous. Je m'en croyais capable, j'avais sincèrement l'intention de le faire quand je vous le disais. J'aimais vous considérer comme une sorte d'assurance, mon dernier recours contre l'adversité. Mais aujourd'hui, non... Je ne peux plus — et pour une bonne raison : c'est que je suis trop attaché à vous, j'ai trop d'affection à votre égard pour que nous nous abaissions tous deux à parler d'argent. N'y revenez pas, je vous prie.

Je voyais de temps en temps Camille, trop rarement pour mon goût. Elle était au septième ciel et filait un si parfait amour avec son Nicolas que j'en restais parfois bouche bée. Était-elle aveuglée par la passion ? Quand je lui ai directement posé la question, elle a joyeusement répondu par l'affirmative — pour finir par m'avouer qu'il lui fallait souvent faire effort afin de ne pas se laisser déprimer par l'hostilité que lui manifestait ouvertement tante Caroline.

Celle-ci avait dû se résoudre à voir son frère et négocier avec lui ce qu'il adviendrait de Maison Haute. L'entrevue fut, paraît-il, digne des tractations entre deux empires désireux de faire la paix. Sans que rien fût fermement décidé, les parties en présence envisageaient un compromis aux termes duquel Georges, grâce à l'appoint de la dot apportée par la toujours belle, toujours bête et plus que jamais complaisante Hortense Madeley-Brown, ferait le moment venu l'acquisition de la maison, du parc et de tout le mobilier pour la moitié de leur valeur. Il conserverait ainsi la part de Venetia et M. Barforth s'empresserait, selon ce que m'en dit Camille, de remettre à Gervais l'autre moitié, c'est-à-dire le montant de sa part.

— Riche idée ! commenta Gervais lorsque je lui rendis visite à Galton pour admirer ses vaches frisonnes. Je vais ainsi pouvoir agrandir mon domaine. Avec le reste, nous achèterons un cadeau à notre chère Camille, quelque chose d'ostentatoire qui persuade tante Caroline que nous conspirons contre elle.

— La persuader que *nous* conspirons, Gervais ? Pourquoi me mêler à cette affaire ?

— Soit, disons simplement que tu m'accompagneras et que tu m'aideras à choisir quelque chose qui lui plaise. Je suis toujours ravi de trouver un prétexte à passer quelques heures en ta compagnie.

— Je suis navrée, Gervais, mais je n'ai vraiment pas le temps de courir les boutiques. Du lundi au samedi, je dois être à mon bureau tous les matins à huit heures et je n'en sors pour ainsi dire jamais avant sept heures du soir.

— Qui diable t'y force, Grace ?

— Moi-même.

Telle était en effet la règle que je m'imposais, au point que j'arrivais le plus souvent si tôt que je n'avais, pour toute compagnie, qu'une ou deux souris affamées en quête d'une hypothétique pitance. Je me passionnais pour une nouvelle loi, récemment votée par le Parlement, qui accordait aux femmes mariées le droit de conserver et d'administrer à leur gré, sans l'intervention d'un mari ou d'un tuteur, leur fortune personnelle et leurs gains. J'avais donc entrepris d'écrire une série d'articles où j'expliquais et commentais les conséquences pratiques de cette législation quasi révolutionnaire.

Certes, le texte n'était pas encore officiellement promulgué et ne suffirait pas à éliminer de la Terre la race des coureurs de dot. Mais il annonçait une ère nouvelle dans les rapports entre hommes et femmes : le mari d'une riche héritière ne pourrait, désormais, plus disposer à sa guise d'une dot qui ne lui appartiendrait plus en propre. S'il voulait garder le trésor, il lui faudrait faire preuve d'égards envers celle qui en restait seule détentrice légale. A partir de ce simple fait, rien n'interdisait plus d'imaginer une transformation radicale dans les rapports conjugaux. Les époux pourraient désormais entretenir des relations d'égalité, comme il convient entre deux êtres humains dignes de ce nom.

Je me laissais si bien emporter par mes visions idylliques que Liam, de nouveau accablé par une augmentation de loyer et plus inquiet que jamais de ne pas trouver où reloger le journal, me fit comprendre sans détour que je ferais mieux de consacrer mon temps à des activités plus rentables. Ainsi, je pourrais par exemple rendre compte du mariage de la fille d'un de nos principaux annonceurs, homme influent, mais connu de ses concitoyens pour son indifférence, sinon son hostilité, à la cause du féminisme.

J'ai consacré à ces festivités le plus clair d'un samedi de décembre. J'ai décrit, en termes choisis, la beauté de la jeune mariée, l'élégance de sa mère, le noble maintien de son digne père. Puis, enfin rentrée chez moi, j'ai griffonné un billet à l'adresse de Camille; elle m'avait invitée pour Noël et je me décommandais. Je savais que Gervais s'y rendrait et je ne tenais guère, pour le moment du moins, à trop me rapprocher de lui et entretenir ses illusions à mon sujet.

Il faisait si froid le lendemain dimanche que je ne suis pas sortie de chez moi. Le vent souffla si fort pendant la nuit qu'il me réveilla à l'aube du lundi. N'ayant rien de mieux à faire à cette heure matinale, je me suis rendue aux bureaux de *L'Étoile*. Je me préparais à les trouver vides et inhospitaliers, car Liam n'était jamais au mieux de sa forme le lundi matin et arrivait plus tard que d'habitude. Aussi ai-je été étonnée de voir son cheval attaché devant la porte, autour de laquelle se pressaient des badauds. Ce spectacle inattendu ne m'inquiéta pas, cependant, outre mesure. Liam pouvait fort bien avoir passé sa nuit au bureau, pas nécessairement seul ni pour y travailler. Quant à la présence des badauds, Gower Street ne manquait jamais d'oisifs, toujours prêts à s'assembler sous le plus futile prétexte.

C'est en m'approchant que j'ai éprouvé un choc :

— Grand dieu ! ai-je dit à mon cocher. Aurait-on une fois de plus brisé nos vitres ?

— C'est bien possible, madame, répondit-il froidement.

Il m'aida à descendre et se hâta d'éloigner sa précieuse personne et ses chevaux de l'infâme populace. Seule sur le pavé, j'ai contemplé bouche bée les fenêtres arrachées et l'indescriptible chaos que l'on distinguait à l'intérieur du bâtiment.

Trop stupéfaite pour ressentir quoi que ce soit, j'ai traversé le groupe des curieux et franchi l'ouverture d'où la porte avait disparu, à l'exception de quelques planches qui pendaient encore des gonds. Dans les pièces du rez-de-chaussée, où étaient installées les presses, il ne subsistait rien de reconnaissable. Le sol était jonché de morceaux de bois et de ferrailles tordues, de flaques d'encre et de lambeaux de papier. Debout au milieu des ruines, Liam paraissait hébété, livide. Il avait les yeux rougis par l'insomnie, le menton bleu par une barbe de deux jours. En me voyant, il réussit néanmoins à esquisser un sourire :

— Je vous accorde une journée de congé, Grace. Rentrez chez vous, vous y serez mieux que dans ce froid.

Tandis que je me frayais un chemin dans cet amas de débris, je sentis ma robe s'accrocher à un obstacle et s'y déchirer. Ma chaussure fut lacérée par un morceau de fer qui, hier encore, faisait partie du décor de notre vie quotidienne. Incapable d'articuler un mot, je ne pouvais offrir à Liam d'autre réconfort que ma présence et ma sympathie muette. Il était irrémédiablement ruiné et le savait. Sans capital, sans assurances, sans recours d'aucune sorte, il supporterait seul les conséquences de ce vandalisme.

Finalement, je suis parvenue à proférer quelques sons :

— Tom Mulvaney ?

— Probablement. Il n'a pas pu tenir ses délais et, d'après ce que j'ai entendu dire, ce cher cousin Georges a fait sauter ses primes sans vouloir entendre raison. La seule question que je me pose est de savoir s'il a agi ou non avec l'accord, voire les instructions, de Georges Chard. Nous ne connaîtrons sans doute jamais le fin mot de l'histoire.

Faute de mieux, je lui ai pris la main et l'ai serrée dans les miennes. Je n'avais pas le courage de lui dire que Georges n'y était vraisemblablement pour rien, non par scrupule, encore moins par bonté d'âme, mais parce qu'il n'avait nullement besoin de moyens aussi grossiers pour terrasser un adversaire. Il lui suffisait, dans le luxe feutré de son bureau, de signer à intervalles réguliers des notifications d'augmentation de loyer pour réduire Liam à sa merci et cette procédure correspondait mieux à sa nature. Si Liam trouvait un soulagement temporaire à rendre Georges directement responsable de ses malheurs, j'aurais eu mauvaise grâce de l'en détromper.

— Quand cela s'est-il produit ?

— Cette nuit. Un gamin est venu me prévenir vers deux heures du matin, mais tout était déjà fini et...

— Deux heures ? Il est près de huit heures ! Vous êtes ici depuis ce moment-là ?

— Euh... oui !... J'ai passé mon temps à regarder sans penser à rien d'autre. Le spectacle est le même là-haut. Comme il n'y avait pas de machines à réduire en miettes et que les meubles ne valaient pas grand-chose, ils ont arraché la moitié des planchers et démoli les cloisons. La maison entière est en ruine.

J'ai gravi l'escalier couvert de gravats et d'éclats de bois. Les agresseurs s'étaient apparemment attaqués aux murs à la hache, on en voyait encore les traces dans le plâtre. A l'étage, la dévastation était indescriptible. Les meubles, réduits pour la plupart à l'état de brindilles, jonchaient le parquet où s'ouvraient des trous béants. La cloison entre les deux pièces avait presque entièrement disparu. Les vandales avaient complété leur œuvre en jetant à pleins seaux sur le tout de la peinture verte — celle-là même dont étaient enduits les murs des ateliers de Low Cross — qui enrobait d'une masse gélatineuse les papiers froissés et déchirés, les fragments de verre brisé et les briques à demi pulvérisées où il aurait été vain de chercher quelque chose à sauver.

Il avait sûrement fallu plus d'une heure à une demi-douzaine d'hommes robustes pour mener à bien leur œuvre de destruction. Ils avaient également dû faire un bruit considérable dans le silence de la nuit. Or personne n'était intervenu. Personne, Dieu merci, n'avait jugé bon de prévenir Liam avant que tout soit fini. Une fois le premier choc passé, je n'ai pu me résoudre à rester sans rien faire. Aussi, tout en sachant qu'il était aussi futile de vouloir inventorier les débris récupérables que de vider la mer du Nord avec une cuillère à thé, je me suis lancée dans cette tâche. Elle n'eut pour effet que de transformer mon premier accablement en rage.

Vers midi, nous avons envoyé le grouillot chercher du pain et du fromage et avons poursuivi nos efforts inutiles. En dessous de nous, les voisins recrutés par Liam balayaient tant bien que mal les vestiges des presses et les chargeaient dans des brouettes qu'ils allaient déverser à la décharge publique la plus proche.

— Buvons au repos éternel de *L'Étoile* ! déclara Liam en exhibant la flasque de cognac qui ne le quittait jamais.

Agenouillée sur le parquet branlant, aveuglée par les larmes et tremblant d'une colère plus forte de minute en minute, je n'ai pas répondu à son toast dérisoire. J'avais eu besoin de ce journal, je l'aimais, j'en avais fait ma raison de vivre et je ne rêvais plus que de venger sa mort d'une façon éclatante.

Je me suis relevée enfin pour regarder, par une ouverture dans le mur qui avait été autrefois la fenêtre, le cortège funèbre des pousseurs de brouettes.

— Qu'allez-vous faire, Liam ?

— Le moment est mal choisi pour une telle question, Grace. Attendez au moins jusqu'à demain, je le saurai peut-être...

Un raclement de gorge l'interrompit et nous fit tourner la tête. Sur le seuil, ou ce qu'il en restait, se tenait un petit homme tiré à quatre épingles que je reconnus aussitôt; c'était l'employé de Nethercoats que Georges nous avait déjà envoyé en guise de messager.

— Monsieur Liam Adair ? Monsieur Georges Chard me charge de vous transmettre ses compliments...

— Je ne lui en demande pas tant !

—... et de vous remettre cette missive.

Il tendit une longue enveloppe puis, devant la mine décidément inamicale de Liam, esquissa une retraite prudente :

— Dois-je attendre la réponse, monsieur ?

— Fichez le camp d'ici !

Liam souligna son injonction d'un mot parfaitement obscène et d'un geste tout aussi explicite qui eurent pour effet immédiat de provoquer la fuite du quidam, que nous entendîmes trébucher dans l'escalier dont il débala les dernières marches avec fracas.

J'ai laissé à Liam le temps de prendre connaissance de la lettre. Ma robe était couverte de peinture et de souillures diverses qui la faisaient se coller à mes jambes et entravaient mes mouvements.

— Alors, que veut-il ? ai-je enfin demandé.

Il replia la feuille de papier, la glissa dans l'enveloppe avec des gestes d'automate.

— Tout se sait vite, dans notre bonne ville. En termes fort courtois, M. Georges Chard m'informe avoir appris mon infortune. Il me prie de bien vouloir lui faire savoir quand il me conviendrait de recevoir un expert chargé d'estimer les dégâts de l'immeuble dont il est propriétaire — et dont je suis légalement responsable en tant que locataire.

— C'est immonde ! A combien cela va-t-il se monter ?

— Je l'ignore, mais ce sera sûrement au-delà de mes moyens, qui sont inexistants comme vous le savez. Il m'assignera donc en faillite, ce qui m'interdira d'exercer toute activité commerciale. Connaissant Georges comme nous le connaissons, il ne se privera pas de cette chance de me réduire une fois pour toutes au silence. En doutez-vous, Grace ?

Il ferma un instant les yeux, et parut vieilli de dix ans. Mais il se ressaisit très vite et un sourire lui redonna son apparence juvénile :

— Bah ! Le monde est assez vaste pour qu'on puisse échapper aux brimades d'un Georges Chard. Venez donc avec moi, Grace. Je ne serai pas le premier ni le dernier à fuir ses créanciers aux colonies et à en revenir cousu d'or.

— Il reste bonne-maman Elinor...

— Je n'ai plus le moindre investissement à lui proposer et je ne me sens pas mûr pour la mendicité, malgré tous mes défauts. Et si je refuse son argent, vous me connaissez assez, j'espère, pour ne pas m'insulter en m'offrant encore le vôtre. Allons, nous ne pouvons rien faire de mieux aujourd'hui. Rentrez chez vous, vous avez l'air morte de fatigue.

— Venez avec moi.

— Pas maintenant. Je passerai peut-être vous dire bonsoir après le dîner. Pour le moment, il ne me reste qu'une chose à faire... Non, ne prenez pas cet air effrayé ! Je n'ai pas davantage l'intention de me brûler la cervelle que d'assassiner Georges Chard. Ce qu'il me faut, c'est tout simplement m'enivrer tout seul dans un coin tranquille. Que vous l'approuviez ou non, ça ne me fera pas de mal, même si cela ne résout rien.

Je l'ai suivi des yeux pendant qu'il descendait l'escalier et s'arrêtait au rez-de-chaussée pour parler aux quelques volontaires encore en train de balayer. Je suis partie à mon tour quelques instants plus tard et, une fois chez moi, mon premier soin fut de me débarrasser de mes vêtements raides de crasse et de peinture. Après avoir donné à ma femme de chambre effarée l'ordre de tout jeter au feu, j'ai pris un long bain chaud, je me suis soigneusement recoiffée et j'ai demandé la voiture. La colère me brûlait les joues et m'enserrait la poitrine. Grâce au délai que je m'étais imposé, j'espérais me dominer suffisamment. Lorsque je montai en voiture je m'aperçus qu'il n'en était rien et, tout compte fait, je ne le regrettais pas. Il faudrait, tôt ou tard, que je me laisse aller sous peine d'être littéralement asphyxiée.

J'avais d'abord eu l'intention d'aller voir Georges le lendemain matin, mais je m'étais finalement décidée à l'affronter sur-le-champ. Sans le soupçonner d'avoir directement inspiré l'agression perpétrée contre Liam, je voulais découvrir jusqu'à quel point il s'en était rendu complice, si par sa lettre il ne faisait que profiter de la situation ou couronnait quelque plan plus machiavélique. Je cherchais aussi à tirer d'autres bénéfices de cette entrevue : sauver *L'Étoile* dans la mesure du possible, venger Liam, tenter de lui épargner la faillite et la contrainte par corps sans le forcer à s'endetter. Je devais également reconnaître, en toute honnêteté, que ces mobiles, pour louables qu'ils fussent n'étaient pas les seuls. Au plus profond de moi-même, un sentiment trouble me poussait à accomplir cette démarche.

J'avais été attirée par Georges Chard plus que par aucun homme, au point qu'il m'était difficile, sinon impossible, d'en désirer un autre. Aussi, le sachant engagé envers Hortense Madeley-Brown et me vouant moi-même à l'indépendance — engagements que nous n'étions vraisemblablement ni l'un ni l'autre disposés à enfreindre à la légère —, ma tranquillité d'esprit exigeait que j'en vienne à le haïr. Il fallait éliminer toute chance, même ténue, de raviver en moi le plus fugace remords. Je voulais, le matin de ses noces, ne ressentir qu'un détachement ironique, tel que je puisse rendre compte de la cérémonie dans *L'Étoile* dans les termes que j'aurais employés pour n'importe qui et me dire, en guise de commentaire : « Une idiote décorative et un arriviste aux dents longues, voilà un couple bien assorti. » Mais pour en arriver là, il fallait le mépriser ou le haïr. Je devais le blesser assez cruellement pour qu'il soit forcé de me rendre coup pour coup.

Je savais, à cette heure de l'après-midi, le trouver à son bureau de Nethercoats, où je me fis conduire. Je ne fus pas surprise qu'on m'y fasse faire antichambre, en compagnie d'inconnus qui me jetaient des regards curieux. Entouré d'une cour d'employés empressés, Georges traversa la pièce à deux ou trois reprises sans m'accorder un regard. Une demi-heure s'écoula, une autre encore. Un M. Freeman et un M. Porter furent introduits avec égards et raccompagnés à la porte. Enfin, le même petit employé arrogant rencontré plus tôt dans les bureaux ravagés de *L'Étoile*, et qui faisait fonction d'huissier, passa la tête par la porte et annonça à la cantonade : « Au suivant ! » Comme j'étais seule, j'ai pénétré dans le bureau de Georges sans me faire annoncer et j'ai bruyamment claqué la porte derrière moi. Loin de s'apaiser durant ma longue attente, ma colère n'avait fait que s'attiser.

La dernière fois que j'étais venue en ce lieu — cela remontait à près de cinq ans, déjà — je lui demandais de reprendre une épouse enceinte des œuvres d'un autre. Notre entrevue avait été pénible. Celle d'aujourd'hui promettait de l'être davantage encore, pour nous deux — et j'étais résolue à ce qu'il en soit ainsi.

— Que voulez-vous ? me demanda-t-il sèchement, du ton de l'homme trop affairé pour écouter les inepties d'une femme.

— M'offrirez-vous un siège, ou avez-vous oublié les règles les plus élémentaires de la politesse ?

Plus que le dédain affecté, je devinais en lui une colère égale à la mienne.

— Pardonnez-moi, je ne prévoyais pas une visite assez longue pour le justifier.

— Si vous préférez me congédier sans m'entendre, permettez-moi d'y voir un aveu de défaite, ou le signe d'une conscience troublée.

— Pour qu'il en soit comme vous le supposez, il faudrait que je sache de quoi vous parlez. Éclairez-moi, je vous prie.

Je me suis assise en prenant le temps d'arranger les plis de ma robe, j'ai soigneusement ôté mes gants et les ai posés, ainsi que mon manchon et mon réticule, au beau milieu de son bureau, avec une désinvolture calculée pour l'exaspérer. Dans le combat où je m'engageais, je ne pouvais pas négliger le plus léger avantage.

— Il me semble, Georges, que votre lettre nous est parvenue avec une étonnante promptitude.

— Vraiment ? Et qu'y trouvez-vous de suspect ?

— Je me pose des questions. Éclairez-moi, je vous prie.

Il s'est penché vers moi, sûr de lui, ironique :

— Il me semble, ma chère, que votre longue expérience de la presse à scandales a fini par affecter votre jugement. Me croyez-vous sincèrement capable de soudoyer une bande de terrassiers ivres pour mettre à sac un immeuble qui m'appartient et démolir quelques machines hors d'usage ? Cela ferait une belle manchette à la une de *L'Étoile,* je l'avoue. Malheureusement, *L'Étoile* a cessé de briller, si je ne me trompe.

— N'essayez pas de détourner la question, Georges. Ces hommes sont directement ou indirectement vos employés. Si vous êtes incapable d'imposer la discipline à votre personnel, vous en êtes cependant responsable et n'avez par conséquent aucun recours légal contre Liam Adair, ou quiconque, pour obtenir réparation des déprédations commises par ces individus.

Il eut un sourire incrédule, presque amusé, et je vis une sorte de respect traverser le regard qu'il me jeta. Mais cela ne dura pas longtemps; il se rappelait sans doute, comme moi, l'objet de ma dernière visite et ce souvenir balaya toute velléité de compréhension à mon égard :

— La loi, malheureusement, va à l'encontre de votre point de vue. Conseillez donc à Liam Adair de relire les clauses de son bail. Les dégâts sont considérables, paraît-il ?

— En effet. Mulvaney a fait un excellent travail, meilleur peut-être que sur ses chantiers de construction. On ne s'y serait pas pris autrement si l'on avait cherché à se débarrasser de Liam Adair.

— Avec quel zèle vous volez au secours de… comment faut-il le qualifier ? Votre ami ?

— Oui, mon ami. Si je le défends de la sorte, c'est par loyauté. Se montrer fidèle à ses amitiés est la moindre des choses, ce me semble.

— Votre beau dévouement est insuffisant pour le tirer de ce mauvais pas. Je n'ai pas donné l'ordre de casser ses presses et il le sait fort bien. J'aurais préféré me débarrasser de lui par d'autres moyens, mais ceux-ci sont tout aussi valables du moment que l'objectif est atteint.

— Je ne jurerais pas, comme vous, du succès de cette opération…

— Soit, il parviendra peut-être à soutirer encore une fois de l'argent à quelque femme crédule. Mais la leçon aura servi, je l'espère, et il y regardera désormais à deux fois avant de jouer les redresseurs de torts aux dépens d'autrui. En attendant qu'il en retrouve les moyens, ce dont je doute, permettez-moi de vous présenter mes condoléances pour la perte de votre emploi. Je ne m'inquiète cependant pas outre mesure, vous imaginerez certainement d'autres passe-temps.

— Vous rêviez depuis longtemps de couler *L'Étoile*, n'est-ce pas, Georges ?

— Naturellement.

— Je ne vois rien de naturel là-dedans.

— Vous n'étiez pas la cible des calomnies d'Adair.

— *L'Étoile* ne s'en prenait pas exclusivement aux exactions de Georges Chard et avait bien d'autres chats à fouetter, apprenez-le, quand bien même votre vanité devrait en souffrir.

— Vous avez raison, on n'y parlait que de putains et de jeunes voyous pour les plaindre et les admirer, on y faisait étalage de toutes les turpitudes, on y ridiculisait la morale et les honnêtes gens. Les lecteurs devaient d'autant plus s'en délecter que ces obscénités sortaient de la plume d'une femme.

— Comment osez-vous me parler de la sorte ?

— J'ose vous parler de la manière qui me plaît. Si vous choisissez de vivre comme un homme, acceptez-en les inconvénients avec les avantages. Un « gentleman » s'astreint à tenir sa langue devant une dame. Mais l'on attend d'un homme qu'il ait au moins le courage de s'entendre dire ses vérités

— Fort bien. Votre argument me semble valable et je l'accepte.

Nous en étions arrivés au point où je voulais en venir. Il me blessait, me provoquait et m'offrait ainsi l'occasion de lui porter sans remords les coups les plus déloyaux. C'était fort bien ainsi.

— Selon vous, ai-je repris calmement, je mène l'existence d'un homme parce que je gagne ma vie ?

— Vous ne *gagnez* pas votre vie, c'est votre père qui vous entretient — et j'estime que c'est normal. Les trois sous de votre salaire ne suffisent pas à payer les gages de vos domestiques, vous le savez mieux que moi.

— Alors, vous savez sans doute aussi que mon père ne fait que me verser les revenus de ma fortune personnelle. Il ne me donne rien à quoi je n'ai pas droit. Quoi qu'il en soit, vous me semblez particulièrement mal placé pour m'en parler, car vous ne devez votre fortune qu'à ce qui vous a été légué par une femme. Il existe un mot pour désigner les hommes qui se font entretenir par les femmes. Le connaissez-vous, Georges ?

J'avais porté mon premier coup au-dessous de la ceinture et j'aurais dû en éprouver du soulagement ou de la satisfaction, mais j'étais toujours aussi oppressée. Les sentiments que j'avais éprouvés pour lui n'étaient pas encore tout à fait morts et il me fallait frapper plus fort encore si je voulais les anéantir.

— Espèce de garce, me dit-il presque aimablement.

Il éprouvait en effet du plaisir à m'insulter, et c'était ce que je souhaitais pour parvenir à mes fins. En réalité, nous avions les mêmes besoins, les mêmes objectifs; nous jouions au même jeu en suivant les mêmes règles. Au prix d'un léger effort, nous parviendrions sans doute à rendre cet entretien trop pénible pour souhaiter nous le rappeler et nous aurions, par conséquent, les meilleures raisons de ne plus penser l'un à l'autre.

— La vulgarité de vos fréquentations déteint sur vous, Georges. Que devient donc votre excellente éducation ? Passe encore pour les injures dont vous m'abreuvez, je les accepte « en homme ». Mais, si vous prétendez toujours vous conduire en « gentleman », vous auriez au moins pu vous dispenser de frapper un adversaire déjà à terre.

— Un « gentleman » n'aime pas se faire poignarder dans le dos, permettez-moi de vous le rappeler. Et quand il a devant lui un voyou, il le traite en voyou. C'est Adair qui a commencé, je ne fais que me défendre.

— Il avait sans doute de bonnes raisons.

— Certes, il était amoureux de ma femme.

— Elle était digne d'être aimée.

— Je ne dis pas non. Il n'empêche qu'aux yeux de cet énergumène, sans parler des vôtres, j'étais une brute indigne d'elle.

— Vous ne l'avez ni comprise ni estimée à sa juste valeur.

— Et moi, faisait-elle l'effort de me comprendre ? Je ne suis pourtant pas difficile à satisfaire.

— C'est exact. Vous vous contentez de partager l'opinion commune, selon laquelle les femmes doivent rester « à leur place », ne rien dire, ne rien faire, ne pas exprimer d'opinions personnelles. En deux mots, se conduire en brebis bêlantes, tout juste bonnes à faire des enfants et mener la maison comme des domestiques, sans gages bien entendu. Voilà pourquoi vous trouvez si séduisante une parfaite imbécile du genre d'Hortense Madeley-Brown, qui n'aura jamais l'audace...

— C'en est assez !

Il se leva d'un bond, se pencha par-dessus son bureau pour m'agripper le poignet avec une rage aussi aveugle, aussi puérile que la mienne. Il me tira de toutes ses forces, je me meurtris les jambes contre le meuble. Nous nous sommes dévisagés, les yeux dans les yeux. Je le voyais frémir de colère.

— Je me tairai quand il me plaira.

— Vous vous tairez quand je vous le dirai !

— Rien ne vous permet de me donner des ordres, Georges

— Dieu merci, et je n'en revendique pas le droit.

— Je suis ravie de vous l'entendre dire.

— Et laissez-moi ajouter ceci : oui, je veux une épouse exactement telle que Hortense Madeley-Brown. Elle est belle, douce, plus jeune que vous. Elle satisfait tous mes désirs et me donnera des enfants, *elle*, car elle n'est pas affligée de stérilité, comme vous l'êtes.

— Attendez plutôt neuf mois après votre mariage pour me parler de *ma* stérilité, Georges. Il se pourrait que vous n'ayez rien à m'envier sur ce point, voyez-vous, car je ne connais encore aucun enfant dont vous puissiez revendiquer la paternité.

Nous nous portions des coups de plus en plus bas. Nous cherchions l'un et l'autre à nous faire souffrir, à rouvrir de vieilles blessures mal cicatrisées. Mais je ne regrettais rien et il n'était plus temps de reculer.

Il m'agrippa l'autre poignet, me tira plus brutalement :

— Un jour, Grace, me dit-il d'une voix sifflante, un jour je m'arrangerai pour vous voir désespérée, seule au monde, sans le sou et...

— Et enceinte, peut-être ? Prête à m'avilir, comme Venetia ?

Il me lâcha brusquement, comme si mon contact le contaminait :

— Sortez ! Sortez d'ici, immédiatement.

C'était moins une menace qu'une supplication. Il ne pouvait littéralement plus supporter de se trouver en face de moi. Les derniers liens qui nous rattachaient étaient enfin rompus.

Ce combat — mais en était-ce bien un ? — n'avait fait ni vainqueur, ni vaincu. J'avais procédé à une amputation, j'avais réussi à détruire une partie de moi-même afin de sauver le reste. « Sortez ! » me répétait-il, et il avait raison. Il fallait m'éloigner au plus vite si je voulais guérir.

25

Trop énervée pour penser à ce que je faisais, j'ai pris la mauvaise direction en sortant. Surpris de ma présence à la porte des ateliers et compatissant à ma mine effarée, un employé m'a remise sur le droit chemin et raccompagnée jusqu'à ma voiture.

— À la maison, madame ? demanda le cocher.

Je ne me sentais pas encore prête à affronter la solitude. J'ai hésité, lui ai dit de m'emmener à Elderleigh puis, une fois que nous avons été hors de la ville, je l'ai fait arrêter au bord de la route. Un petit bois, à quelques mètres de là, semblait m'inviter. Dans le crépuscule rosissant, les arbres se découpaient en noir contre le ciel. Le sol givré craquait sous mes pas. Je respirais avec soulagement l'air frais qui me purifiait. Pour la première fois, je crois, je comprenais ce qu'était la violence. Souvent, sur les trottoirs de Gower Street, j'avais vu s'affronter des bandes de gamins qui s'empoignaient avec fureur, se rouaient de coups, roulaient sur le pavé et se relevaient en sang pour se ruer de nouveau sur l'adversaire. Maintenant seulement, je me rendais compte que la fureur insensibilise et que l'on néglige ses propres souffrances tant que l'on peut en infliger à l'ennemi. Mais une fois cette fureur évanouie la douleur se réveille.

Je subissais le même phénomène. En face de Georges, je n'avais rien éprouvé, mais maintenant j'avais mal. Je savais, pourtant, qu'il fallait me résigner, serrer les dents et m'efforcer de n'y plus penser, de le rayer à jamais de ma mémoire.

Ayant pris cette décision, j'eus conscience du froid et de l'humidité. Un frisson me rappela qu'une femme seule ne peut s'offrir le luxe de tomber malade. J'ai donc regagné la voiture en donnant au cocher l'ordre, tant attendu, de me ramener à la maison. Redevenue lucide, j'ai réfléchi pendant tout le trajet à l'avenir de *L'Étoile* — et à Liam Adair.

Il vint me voir, ce soir-là, rasé de frais, vêtu de neuf et somme toute présentable, malgré la forte odeur de whisky qui parfumait son haleine.

— Avez-vous dîné, Liam ?

— Peut-être. Je crois avoir avalé quelque chose.

Son régime avait manifestement comporté plus de liquide que

de solide. Aussi lui ai-je fait apporter un en-cas froid, arrosé de thé. Il ne se fit pas prier :

— Le dernier repas du condamné ? dit-il en souriant.

— Qui vous condamne ? Je ne vous crois pas sur le point d'abdiquer.

— Franchement, je me le demande.

— À votre place, je ne me laisserais pas abattre aussi facilement. Et puis, vous avez passé l'âge d'aller tondre les moutons en Australie.

Il fit une moue désinvolte, dévora les viandes froides et le morceau de tarte, redemanda du thé et le but jusqu'à la dernière goutte. En dépit de la fatigue qui lui marquait les traits, il semblait résolu à justifier sa réputation de bon vivant, que l'adversité laisse indifférent.

Quand il eut fini son repas, il se carra dans son fauteuil avec un soupir de satisfaction.

— Qu'avez-vous fait cet après-midi, Grace ?

— Inutile de vous le dire, vous le savez probablement déjà. Et vous, vous êtes-vous convenablement enivré ?

— Suffisamment. Écoutez, Grace... En ce qui concerne les dégâts de l'immeuble, je trouverai de quoi les régler s'il le faut. La famille ne me laissera pas croupir en prison pour si peu. Mais le reste... Eh bien, je crois ne plus avoir autant de cœur à l'ouvrage, pour parler franc.

— Je n'en crois pas un mot, Liam. Vous reculez, voilà tout, exactement comme Georges me le disait. Vous avez peur...

— Voyons, Grace !

— Laissez-moi finir, Liam. C'est vous qui avez déclaré la guerre à Georges et nous savons tous deux pourquoi. Vous auriez sans doute préféré y mettre fin depuis longtemps si vous aviez su comment le faire sans perdre la face. Mais vous ne l'avez pas su. Maintenant, il faut en subir les conséquences. Georges a gagné parce qu'il a plus d'argent que vous. Ce n'est pas lui qui a lâché Mulvaney et ses gorilles sur vos presses et vous le savez très bien. Il aurait trouvé infiniment plus amusant de vous réduire peu à peu à la famine. Or, vous savez aussi, Liam, qu'on ne peut se battre contre le pouvoir de l'argent qu'avec de l'argent.

— Je me suis conduit comme un parfait imbécile, je suis le premier à le reconnaître.

— Et moi, la seconde. Mais je vous le pardonne. Ce que je refuse absolument, en revanche, c'est que *L'Étoile* soit perdue à cause de vos erreurs. La survie du journal compte davantage que vos disputes enfantines avec Georges Chard, à mes yeux et à ceux de bien d'autres gens. Il ne vous reste donc qu'une chose à faire · vous remettre sur pied et relancer *L'Étoile*.

La tête baissée, il réfléchit longuement puis secoua lentement la tête :

— Je sais où vous voulez en venir, Grace, mais je refuse votre solution. Pour rien au monde je n'accepterais de vous emprunter de l'argent.

— Aussi n'en est-il pas question, Liam. Je vous offre d'en investir.

— Avec moi pour seule garantie ? Ce serait de la folie.

— Non, Liam, pas avec vous seul. Avec vous *et* moi, en association.

Il fronça les sourcils, désarçonné par ma proposition. Mais je repris la parole avant qu'il réponde. En affaires, j'avais appris qu'il fallait parfois brusquer les choses.

— J'y ai soigneusement réfléchi avant de vous en parler, Liam, et voici les termes sur lesquels j'envisage de négocier. Sans être la plus fortunée de vos relations, je possède un certain capital et des revenus non négligeables. En deux mots, j'ai largement de quoi assurer le redémarrage de *L'Étoile* sur des bases saines. À moins, bien entendu, que l'idée de vous associer à égalité avec une femme ne vous scandalise.

— Elle me déplaît d'autant plus que je ne peux rien apporter à cette association.

— Ne cherchez donc pas de mauvaises excuses, Liam ! Vous savez très bien que le journal ne peut pas exister sans vous. *L'Étoile* n'était plus rien quand vous l'avez reprise. Si vous vous étiez contenté d'y engloutir de l'argent, vous en auriez fait une pâle copie du *Courrier*, rien d'autre. C'est votre style, votre signature qui lui ont redonné vie. Oh, tout n'était pas parfait, j'en conviens ! Mais la perfection n'est pas de ce monde. Vous résignez-vous vraiment à perdre sans retour le fruit de tant d'efforts ?

— Non, bien entendu.

— Alors, laissez-moi à mon tour préciser mes objectifs. D'abord, je veux gagner ma vie — réellement de quoi vivre, pas un salaire symbolique. Je n'y parviendrai pas sans prendre de risques ou en restant votre employée. Unissons donc mon argent et votre expérience et tirons-en profit tous les deux. Mais je vous préviens, Liam : j'entends ne pas jouer l'associée muette. Si j'accepte ma part de travail et de responsabilités, je veux aussi partager les décisions. Qui dit risque dit autorité. Me suis-je bien fait comprendre ? Qu'en pensez-vous ?

— J'en pense que vous êtes une femme extraordinaire, Grace.

— Je le savais déjà. Alors, sommes-nous d'accord ?

Il tendit la main et la posa sur mon bras. Il était visiblement ému, décontenancé et, pour une fois, les mots lui manquaient.

— Marché conclu ? ai-je répété.

— Marché conclu, dit-il enfin.

Sa main restait posée sur mon bras et il gardait la tête baissée, de sorte que je ne pus déchiffrer son expression lorsqu'il reprit à voix basse :

— Il y aurait une autre solution, Grace. Nous pourrions nous marier.

J'ai dégagé mon bras, me suis levée et, sans être pleinement consciente de mes mouvements, j'ai traversé la pièce jusqu'à la fenêtre. Les rideaux n'étaient pas tirés et le reflet des lampes m'empêchait de distinguer autre chose qu'un buisson tout proche, légèrement agité par le vent du soir. J'entendais vaguement les pas de ma femme de chambre au-dessus de ma tête, le crépitement des bûches dans la cheminée, le tic-tac de la pendule et je me demandais sincèrement pourquoi, en effet, je n'avais pas pensé plus tôt à cette solution-là.

— C'est vrai, Liam, nous pourrions nous marier, ai-je murmuré au bout d'un long silence.

— S'agit-il d'une réponse, Grace, ou cherchez-vous simplement à calmer un fou dans l'espoir qu'il finira par s'en aller ?

Comme je gardais le silence, il s'est levé à son tour et s'est approché. Il a posé légèrement les mains sur mes épaules, avec une étonnante timidité, et s'est mis à parler trop vite, comme s'il cherchait à la fois à me convaincre et à dissimuler sa nervosité.

— Écoutez, Grace, il ne s'agit pas d'un caprice passager, j'y pense depuis longtemps, très longtemps. Je ne vous demande pas de m'aimer, je ne souhaite que votre amitié. Non, je ferais sans doute mieux de vous dire que j'ai besoin de vous. Jamais je n'ai été aussi sincère. Me croyez-vous ?

— Je vous crois volontiers, Liam.

— Alors, Grace ?

— Oui, Liam, je vous épouserai...

— Oh, Grace !

Mais quand il voulut me prendre dans ses bras, je me suis dégagée avec fermeté :

— Je vous épouserai, Liam, mais pas maintenant...

— Quand il vous plaira.

— Alors, laissez-moi finir et écoutez-moi attentivement. Je vous épouserai quand sera promulguée la loi qui permettra aux femmes mariées de disposer librement de leur fortune et de leurs gains, quand j'aurai le droit d'être moi-même, tout en étant mariée, pas avant. Ne croyez pas que je manque de confiance en vous, Liam. Je ne vous soupçonne pas de convoiter Fieldhead ou de vouloir vous approprier ma part du journal, non. Si j'insiste, c'est parce que je crois que le mariage, lui aussi, doit constituer une association à parts égales. Je ne veux pas me retrouver votre inférieure aux yeux de la loi, nous ne serions plus associés. Je désire tout partager avec mon mari, mais de mon plein gré. Me comprenez-vous ?

— Oui.

— Et vous attendrez ?

— Oui.

Cette fois, je me suis abandonnée sans réticence dans ses bras, j'ai frémi de plaisir à ses caresses, au frôlement de ses mains sur mon dos, à ses lèvres dans mon cou et c'est avec un soupir de joyeuse impatience que j'ai tendu mes lèvres pour être embrassée.

— Je rêve à cet instant depuis si longtemps, Grace, me chuchota-t-il à l'oreille. Il s'écoulera peut-être des années avant que cette fameuse loi soit promulguée. L'attente est bien cruelle... M'interdirez-vous votre lit jusque-là ?

— Non, Liam. Je ne vois aucune raison de nous torturer de la sorte.

Nous avons monté l'escalier la main dans la main, car je me sentais le devoir de lui donner ce gage de ma bonne foi. Il avait beau afficher sa bravoure et sa désinvolture, je le savais malheureux, accablé, plein de remords devant ses erreurs et de désespoir devant sa défaite. Il avait cherché l'oubli dans l'ivresse et n'y avait gagné que la migraine. En un tel moment, il avait seulement besoin d'une femme pour le bercer, le rassurer, lui répéter qu'il ferait jour demain et que tout s'arrangerait.

Ma compassion, cependant, se révéla inutile. Son expérience avec les femmes donnait à Liam l'aisance qui charme, l'attention qui séduit et, de mon côté, j'avais depuis longtemps appris à me laisser porter par les exigences de ma sensualité. À ce point de nos relations, j'aurais été stupide de jouer la vierge effarouchée et de feindre la timidité. Il n'était pas le premier homme à qui j'avais accordé mes faveurs et il le savait. Aussi l'ai-je accueilli dans mon lit non en maîtresse soumise mais en partenaire dans le plaisir, prête à donner autant qu'à recevoir. Nous nous sommes si vite et si bien accordés que l'amour, entre nous, me paraissait simple, naturel, joyeux sans exaltation excessive. Loin de me sentir submergée de passion, comme avec Georges, je n'éprouvais qu'une plaisante sensation de détente et de bien-être.

Longtemps après, il me dit presque mot pour mot ce que m'avait naguère dit Georges :

— Il vaut sans doute mieux que je m'en aille avant que ta femme de chambre me voie.

Cette fois, cependant, ma réponse fut radicalement opposée :

— À quoi bon ? Reste si tu en as envie.

Interloqué, il se releva sur un coude et me regarda avec étonnement :

— Cela t'indiffère qu'on le sache ?

— Je me moque éperdument du qu'en-dira-t-on

Et je lui sus un gré infini de se montrer assez sage, comblé peut-être par ce moment de bonheur, pour ne pas me demander pourquoi.

Il va sans dire que ma femme de chambre, une fois en possession des preuves de ma turpitude, s'empressa de clabauder, si bien que Cullingford eut la satisfaction d'apprendre que ses soupçons étaient fondés et que Grace Barforth ajoutait à ses nombreux démérites celui d'être réellement la maîtresse de Liam Adair.

— Je me doutais que la chasteté te pesait, me déclara Camille sans ambages, mais tu aurais mieux fait de prendre Gervais.

— Je t'assure que j'ai l'intention d'épouser Liam.

— Parles-tu sérieusement ?

— Oui, d'autant plus que Gervais ne m'a rien demandé.

— Je l'espère bien ! Il est trop subtil pour cela. Il espérait — il espère encore — que tout se passerait naturellement, insensiblement, sans avoir besoin d'en parler. Si seulement tu ne t'étais pas décommandée pour le réveillon ! Ta présence aurait tant fait plaisir à Nicolas...

— Et tante Caroline en aurait eu une attaque.

Elle ouvrit de grands yeux et me dévisagea avec innocence :

— Comment peux-tu me soupçonner de pareilles machinations ?

J'ai donc passé Noël seule avec Liam. Installés au coin du feu, nous avons longuement organisé la renaissance de *L'Étoile*, supputé ses chances de réussite. À minuit, délaissant nos dossiers, nous avons sablé le champagne. Puis, au Nouvel An, nous sommes partis pour Londres, afin de choisir le matériel et les presses dont nous aurions besoin et aussi, cela va sans dire, pour profiter des divertissements auxquels la saison des fêtes et le caractère de Liam nous poussaient à sacrifier. Nous sommes allés au théâtre, au music-hall; nous avons soupé dans de petits restaurants à l'atmosphère pleine de gaieté, dont Blanche ne soupçonnait pas l'existence. Il me semblait tout naturel de partager avec Liam la même chambre d'hôtel, de lui demander son aide pour boutonner mes robes, de retrouver tous les soirs le plaisir dans ses bras et de rester pelotonnée ensuite contre lui, à discuter longuement non de nos sentiments réciproques ou de notre avenir conjugal, mais de notre futur emploi du temps, de nos espoirs et de nos ambitions pour notre journal bien-aimé.

Une fois bien établi le fait que nous étions en mesure de payer notre loyer, nous n'avons plus rencontré aucune difficulté pour trouver des locaux. J'ai porté mon choix sur un solide petit immeuble de trois étages dans le haut de Sheepgate et je n'ai pas jugé utile de détromper le propriétaire, qui s'imaginait à tort que nous jouissions du soutien financier des filatures de Fieldhead. Sous l'œil réprobateur des hommes de loi de mon père, nous avons officialisé mon association avec Liam et bouché nos oreilles aux sombres prédictions des juristes, qui affirmaient à M. Agbrigg que les lubies de sa fille le précipiteraient tôt ou tard dans la ruine. Pendant que Liam surveillait l'installation des presses, je m'occupais de l'aménagement des bureaux avec le même soin que je mettais naguère à organiser l'office et les cuisines de Maison Haute. Ensemble, nous avons sélectionné et recruté le personnel, pris d'innombrables décisions — non sans d'âpres discussions. Bientôt, cependant, nos rôles respectifs se définirent d'eux-mêmes. Liam, le seul véritable journaliste, l'innovateur, le plus doué de nous deux pour mener une enquête, dirigerait la rédaction. J'étais mieux faite pour gérer, canaliser sa créativité souvent brouillonne, coordonner ses activités et celles de nos collaborateurs. L'emploi de femme d'affaires m'allait comme un gant. Moins sensible que Liam, j'étais capable de refuser ou d'imposer une décision, de congédier un employé inefficace, de dépister les mauvaises excuses. Mais si L'Étoile fonctionnait, c'était avant tout grâce à la personnalité de son rédacteur en chef. Aussi, lorsque nous eûmes pleinement apprécié ce que chacun de nous deux apportait à l'entreprise, avons-nous travaillé en bonne harmonie.

Je suis parvenue assez rapidement à regagner la confiance de nos anciens annonceurs et à en dénicher de nouveaux. Soucieuse d'accroître notre tirage, j'ai cherché à diversifier notre contenu rédactionnel et attirer ainsi de nouvelles couches de lecteurs. Tous les matins, j'assignais à nos jeunes reporters la tâche de couvrir les événements culturels et sociaux de notre petite ville, depuis les meetings de la Société de tempérance jusqu'aux séances de l'Institut de philosophie ou aux concerts de l'harmonie municipale. J'invitais les lecteurs à nous écrire et je publiais leurs lettres, sans omettre la signature, quels que soient les sujets abordés. Car je savais qu'une controverse, qu'il s'agisse de l'annexion du Transvaal ou de la meilleure recette du pudding aux raisins secs, fait vendre des numéros et contribue à asseoir œl renommée d'un journal. Un long échange de lettres entre des lectrices indignées ou ironiques m'amena à créer une rubrique régulière de recettes de cuisine, simples et peu coûteuses, qui connut aussitôt un très vif succès. J'en vins à rédiger une sorte de feuilleton relatant la vie d'une famille imaginaire, confrontée aux problèmes quotidiens de l'hygiène, des maladies infantiles, des rapports avec la loi et cent autres sujets. Dans le but de nous attacher un plus grand nombre de lectrices, j'ai rendu compte des dernières créations de la mode, adaptées aux ressources locales et au savoir-faire de nos mères de famille, avec des illustrations venues de Londres et de Paris. Puis, à l'usage des jeunes ménages désargentés mais désireux de faire bonne figure dans la société, j'ai publié des suggestions de repas de fête plus élaborés, sans oublier — parce que le rêve est aussi indispensable que la réalité, sinon davantage — la description de festins dignes du chef français de Georges Chard, ou même certains menus servis à la table royale à l'occasion de banquets officiels. Le courrier enthousiaste des lectrices m'apporta la preuve que je n'avais pas fait fausse route.

Bien entendu, ces rubriques de la vie pratique ne nous empêchaient pas de suivre avec attention les efforts du nouveau gouvernement libéral de Gladstone. Nous rapportions également les événements du monde entier, notamment du Transvaal où les Boers, enragés de s'être vu sommairement incorporés à l'Empire britannique, venaient de nous infliger une cuisante défaite à Majuba Hill. L'Égypte se soulevait à son tour et un certain colonel Arabi Pacha répandait chez ses compatriotes l'idée, hautement subversive, selon laquelle l'Égypte devait appartenir aux Égyptiens. L'Irlande, une fois de plus, fomentait des troubles, qui débouchaient sur la tragédie, avec le double assassinat de Lord Cavendish, secrétaire d'État aux Affaires irlandaises, et de Frederick Burke, son adjoint.

En mars de la même année, la reine Victoria fut victime d'une nouvelle tentative d'assassinat, la septième depuis son couronnement. Sa Majesté bénéficiait cependant des faveurs de la chance, contrairement au tsar de toutes les Russies qui, l'année précédente, avait été pulvérisé par une bombe et contraint, par cette méthode radicale, de laisser son trône à son fils Alexandre III, le propre beau-frère de notre Prince de Galles.

À Cullingford, pendant ce temps, les affaires suivaient leur cours. Ceux qui se montraient décidés à faire des bénéfices y réussissaient généralement, tandis que les autres se voyaient traités d'incapables au lieu d'être plaints. Le Club cycliste de Cullingford et la Société de photographie virent le jour, à la plus vive satisfaction de leurs fondateurs dont *L'Étoile* ne manqua pas d'imprimer les noms pour l'édification de la postérité. La nouvelle usine de Low Cross fut enfin terminée au début de l'été. C'était un superbe bâtiment de six étages, long de près de 200 mètres, qui couvrait une superficie de cinq hectares là où se dressaient naguère les logements de Simon Street et des rues avoisinantes. Les ateliers devaient abriter 4 000 ouvriers et produire quelque 30 000 mètres d'étoffes diverses chaque jour. Les festivités de son inauguration devaient comprendre un banquet, auquel seraient conviés les 2 000 principaux employés des entreprises Barforth, le lieutenant-général du comté, le maire et le conseil municipal au grand complet, la magistrature, les députés de la circonscription, le duc et la duchesse de South-Erin, le conseil d'administration de « Nicolas Barforth & Co. Ltd. », et les invités qu'il plairait à ces puissants personnages de prier pour la circonstance.

Comme si cela ne suffisait pas — j'estimais, pour ma part, que c'était déjà mille fois trop —, Lady Virginie Barforth en personne exprima le désir de voir commémorer le souvenir de Sir Joël, son regretté mari, par de plus amples réjouissances. Les directeurs et cadres des entreprises Barforth devaient être transportés à Scarborough où, en compagnie de leurs épouses, ils pourraient profiter d'une journée à la mer et d'une nuit dans les splendeurs du Grand Hôtel.

— La chère femme voudrait ainsi sceller une réconciliation entre ses fils, m'expliqua Camille venue me rendre visite à l'improviste pendant que M. Barforth conférait avec Georges. Blaise et Julia viendront et Nicolas s'en déclare enchanté. Je suis d'ailleurs ravie d'avoir Julia auprès de moi, car s'il me fallait affronter seule les Chard, les South-Erin, et les Madeley-Brown par-dessus le marché, je n'en sortirais pas vivante. Préfères-tu loger chez nous ou chez tes grands-parents Agbrigg ?

— Ni l'un ni l'autre, Camille, je n'ai pas la moindre intention d'y aller.

— Tu ne pourras pourtant pas te dérober, ma chérie. N'oublie pas que Nicolas est toujours président du conseil d'administration et Gervais administrateur, et ils tiennent autant l'un que l'autre à ta présence.

— Peut-être, mais...

— Il n'y a pas de mais. Lady Virginie a formellement exprimé le désir d'avoir *toute* sa famille réunie autour d'elle. Elle vieillit, la pauvre, et tu ne peux lui refuser cela ! Tout le monde viendra, y compris moi-même et ta grand-mère Elinor qui fera le voyage de Cannes...

— Sans oublier Georges, naturellement.

— Bien sûr, c'est lui qui est chargé de l'organisation. Il s'y prend d'ailleurs de manière grandiose, comme on peut s'y attendre de la part d'un Chard, ainsi que le dit Nicolas. Il y aura un train spécial, un banquet et un bal le samedi soir, que sais-je encore ? Tu ne m'abandonneras pas aux griffes de la duchesse Caroline, elle m'assassinerait dès que les autres auraient le dos tourné... Mais si, je n'exagère pas ! Nicolas l'a prévenue qu'à la moindre impolitesse à mon égard il décommanderait tout et expulserait Georges de Maison Haute. Est-ce que tu mesures ce que je risque ? Je compte sur toi, Grace, il faut que tu viennes.

— *L'Étoile* se doit d'avoir un envoyé spécial pour couvrir un tel événement, me déclara Liam le lendemain. Or, je ne me vois pas très bien dans ce rôle.

— Que mettras-tu ? me demanda Blanche. J'ai bien l'intention d'être éblouissante. La Madeley-Brown va se pavaner avec le diamant de Georges, mais je ne suis pas inquiète. À nous deux, si nous nous en donnons la peine, nous n'aurons pas de mal à l'éclipser.

— Naturellement, tu ne descendras pas ailleurs que chez nous, m'enjoignit par écrit ma grand-mère Agbrigg. Ta chambre est déjà prête.

« J'aurai grand plaisir à te voir », griffonna Gervais au dos de mon invitation officielle.

— Je ne vois aucune raison pour que tu n'y ailles pas, commenta Liam.

Je dus l'admettre. Aussi, ce soir-là, ai-je inspecté ma garde-robe et sorti mes toilettes londoniennes, parmi lesquelles je me suis décidée pour une robe en taffetas bleu pâle, convenant à une chaude journée de juillet. Pour accessoires, j'ai choisi une ombrelle de velours bleu bordée de dentelles, un chapeau assorti orné de roses de soie et d'une voilette. J'ai sélectionné en vue du bal une robe de tulle crème sur un fond de soie or que je n'avais encore jamais portée. Après avoir inventorié le contenu de ma boîte à bijoux, que je n'ouvrais pour ainsi dire plus, j'y ai retrouvé les diamants offerts par Gervais et le bracelet de chaînettes d'or incrusté d'améthystes dont Georges, jadis, m'avait fait cadeau pour me remercier d'une soirée particulièrement réussie organisée à Maison Haute.

Ces bijoux-là venaient d'un autre monde, un monde révolu d'où je ne me résolvais pas à les exhumer. Puisque tant de gens insistaient, j'irais à Scarborough. Mais j'y apparaîtrais comme il *me* convenait, c'est-à-dire en invitée de mon ancien mari et, surtout, dans le personnage de Grace Barforth, copropriétaire et directrice de *L'Étoile de Cullingford*.

26

Le banquet de Low Cross eut lieu le second vendredi de juillet, la journée la plus chaude du mois. Toutes les usines Barforth, y compris celle de Sir Blaise, avaient fermé leurs portes pour l'occasion. Tôt le matin, nous nous sommes embarqués à bord du train spécial à destination de Scarborough. Notre départ fut salué par les flonflons de l'orphéon municipal et les bons vœux de Monsieur le Maire, entouré de son conseil.

Le voyage, que je fis en compagnie de Gervais, de Noël et de Blanche, se déroula plaisamment et sans fatigue. Dans le double dessein de tuer le temps et d'assouvir les appétits les plus voraces, Georges avait veillé à ce que chaque compartiment soit amplement pourvu de poulets froids et autres en-cas, ainsi que de rafraîchissements où dominait le champagne. À la gare de la station balnéaire nous attendait un comité d'accueil comprenant un autre orphéon, mes grands-parents Agbrigg et Camille, venue sur l'ordre exprès de M. Nicolas Barforth.

Elle n'avait pas assisté à l'inauguration de Low Cross de peur, disait-elle, de provoquer une apoplexie chez la duchesse Caroline. Mais à peine eut-elle vu son auguste amant descendre du wagon qu'elle oublia le comportement d'impératrice si soigneusement mis au point devant son miroir et se précipita dans ses bras, tout à la joie de le voir de retour. Ce débordement d'affection eut pour conséquence immédiate une grimace indignée de tante Caroline. Elle se força pourtant à sourire afin de ne pas déplaire à ce frère tout-puissant; puis, par quelque prodige de volonté qui suscita l'admiration de son entourage, elle parvint à articuler intelligiblement une phrase de politesse. Une fois de plus, l'infortunée devait céder à son instinct maternel et sacrifier sa fierté, ses convictions, voire ses valeurs morales, à l'intérêt de sa progéniture.

Nous avons ensuite été conduits au Grand Hôtel en une procession solennelle. Sir Blaise et M. Nicolas Barforth occupaient la première voiture avec leur mère et leur sœur Caroline — le pauvre duc de South-Erin paraissait si décrépit que l'on doutait qu'il s'exposât à une nouvelle expédition dans nos rudes contrées du Nord. Camille et tante Julia venaient ensuite en compagnie de ma toujours élégante grand-mère Elinor, la plus jeune sœur du grand Sir Joël Barforth, qui connaissait assez la vie pour savoir qu'une maîtresse peut posséder autant de pouvoir qu'une épouse légitime. Dans la voiture suivante se trouvaient l'autre sœur de Sir Joël, ma grand-mère Agbrigg, à côté de mon grand-père, jadis simple ouvrier de Sir Joël avant de diriger ses usines et de devenir le premier maire de Cullingford. Mon père était dans une autre calèche, en compagnie de celle que j'avais appris à considérer comme ma meilleure amie, sa femme Tessa. Le véhicule suivant était censé transporter Georges, les dames Madeley-Brown et Gervais; mais, quand ce dernier découvrit la personne imposante de Mme Madeley-Brown débordant largement sur la moitié de sa place et visiblement résolue à n'en pas bouger d'un pouce, il préféra ne pas engager de combat inégal et chercha refuge avec Blanche, Noël et moi, ainsi qu'une délicieuse petite Claire Chard, frisottée et enrubannée comme une poupée, qui se prélassait sur les genoux de sa tante. Ainsi nous sommes-nous mis en branle sous les regards mi-envieux, mi-extasiés de ces dames de la direction des usines, endimanchées et mal à l'aise, qui détaillaient nos toilettes en attendant d'embarquer avec leurs maris dans une longue théorie de fiacres.

Le déjeuner fut servi sur plusieurs petites tables où nous pouvions prendre place à notre guise. Tante Caroline se montra offusquée de ce que Gervais eût l'audace de s'afficher à côté de son ex-femme — qui aurait au moins pu avoir la décence de ne pas venir — et de s'asseoir notablement plus près de son père que Georges, grâce à qui les usines tournaient et les dividendes s'accroissaient.

— Mon fils est trop modeste et se tient toujours à l'écart, proféra-t-elle à haute et intelligible voix devant Mme Madeley-Brown qui opina gravement. Certains, heureusement, savent reconnaître ses mérites.

Le « trop modeste » directeur général nous gratifia cependant, au dessert, d'une éblouissante démonstration de virtuosité. Voyant que ni M. Barforth ni Gervais ne faisaient mine de se lever, c'est lui qui fit la tournée des tables et dispensa à chacun, selon son rang, les propos qu'il fallait. Guidé par un instinct infaillible, il laissa ces messieurs et leurs femmes enchantés de lui et d'eux-mêmes avant de venir déployer son charme au bénéfice de la famille.

Il consacra un long moment à présenter ses respects à mon grand-père Agbrigg, échangea quelques paroles aimables avec mon père, embrassa affectueusement Lady Virginie, sa grand-mère et, ne voulant pas décevoir sa voisine Elinor, dont il connaissait le goût toujours vif pour les beaux grands jeunes gens bruns, lui accorda le même traitement. En parfait homme du monde, il baisa la main de Camille mais souligna son hommage d'un regard signifiant à quel point il comprenait la passion de son président pour une femme aussi irrésistible. Il susurra quelques mots à l'oreille de tante Julia, dont il tira un sourire, s'attarda à bavarder avec Sir Blaise et M. Nicolas Barforth, sans manifester de morgue ni d'humilité. Parvenu à notre table, il lança une affectueuse bourrade à son frère Noël, s'enquit des progrès de l'élevage bovin de Gervais — en simulant si bien l'intérêt que j'étais près de le croire —, ébouriffa la petite Claire qui, après tout, était censée être sa fille et que je vis avec étonnement réagir d'une manière à la fois confiante et familière. Il s'assit quelques instants avec nous, but un verre de cognac, plaisanta avec Noël et Gervais. Mais il s'arrangea, tout ce temps, pour ne pas m'adresser une seule fois la parole.

À la demande de Lady Virginie, toute la famille se fit photographier sur la terrasse après le déjeuner. Prévoyant le malaise que la situation allait provoquer — car tante Caroline ne fut pas la seule à exprimer sa surprise en voyant la main de Gervais posée sur mon bras — je me serais volontiers éclipsée, comme l'avait discrètement fait Camille, si ma grand-mère Agbrigg ne m'avait retenue d'un geste et d'un ordre sans réplique :

— Reste ici, ma fille, et viens t'asseoir près de moi !

Elle en profita aussitôt pour m'enjoindre de mettre sans équivoque un terme aux rumeurs concernant ma liaison avec Liam :

— Tu serais bien avisée de séjourner quelque temps en France chez ma sœur Elinor. Elle serait ravie de te recevoir. J'en ai également touché un mot à ton père — c'est la première fois que nous nous sommes parlé depuis des années, tu peux être fière d'en être la cause ! — et il m'a répondu qu'il te laissait libre de tes décisions. Où ce malheureux garçon a-t-il donc la tête ? conclut-elle en coulant un regard fort peu amène en direction de sa scandaleuse belle-fille.

Dieu merci, elle ne put poursuivre sa mercuriale car une autre grande dame, tout aussi tyrannique, la hélait pour qu'elle vînt se joindre au premier groupe, celui de l'ancienne génération. Le photographe devait fixer à jamais l'image de Lady Virginie, veuve de Sir Joël, entourée des deux sœurs de ce grand homme et de ses trois enfants. La séance de pose se poursuivit au prix de maintes escarmouches, d'imbroglios comiques, et d'hésitations sur le regroupement et la disposition des différentes personnes présentes. Blanche scandalisa tante Caroline en voulant inclure la jeune Claire Chard, assise sur les genoux de sa tante, puis moi-même, en dépit de mon indignité, au côté de Gervais. Pour sa part, Hortense Madeley-Brown affichait un sourire dénué d'expression et suivait avec docilité les instructions contradictoires que lui donnaient le photographe et son impérieuse future belle-mère. Tous les membres de la famille furent ainsi immortalisés.

Une fois la corvée terminée, Blanche, Noël, Gervais et moi réussîmes heureusement à prendre le large et aller nous promener le long de la falaise. Gervais continuait à me tenir par le bras; Blanche et Noël, que ne quittait pas la petite Claire, se comportaient ouvertement en couple, celui qu'ils auraient pu et voulu être. Nous nous sommes assises un moment sur un banc, à l'ombre d'un arbre, Blanche et moi, pendant que Noël et Gervais emmenaient l'enfant courir sur la plage et lui en faisaient découvrir les merveilles.

— Je ne la rendrai jamais à Georges, me dit Blanche lorsqu'ils se furent éloignés.

— Je ne te savais pas si attachée aux enfants !

Sans quitter des yeux la petite silhouette aux boucles brunes qui évoquait si peu celle de Venetia, elle me répondit avec une gravité inattendue :

— Moi non plus, c'est vrai. Mais, Dieu me pardonne, je ne peux plus m'empêcher de croire qu'elle est notre enfant, à Noël et à moi. Les garçons appartiennent corps et âme à Dominique et sont devenus pour moi des étrangers. Mathieu ne rêve déjà que d'aller rejoindre son père aux Indes pendant les vacances ! Tandis que Claire tient auprès de moi le rôle de l'enfant que j'aurais voulu avoir de Noël... Qui m'interdira de la garder ? La clique des Madeley-Brown la traiterait en intruse, et cette jument n'a qu'une hâte, c'est de procréer pour son propre compte. Voudrais-tu que j'abandonne ce pauvre ange à une pareille marâtre ?

Nous avons rencontré Georges et sa « jument » sur le chemin du retour. Avec un rire qui sonna à mes oreilles comme un hennissement, elle se borna à demander à la fillette si elle s'était bien amusée sur la plage — réflexion probablement destinée à attirer l'attention de Georges sur le bas de sa robe mouillée et ses chaussures pleines de sable, qu'elle frottait avec désinvolture contre la redingote de son oncle Noël sur les épaules de qui elle était juchée. Ainsi sommé d'exercer son autorité paternelle, Georges mit son frère en garde contre les dommages infligés à son habit :

— Bah ! intervint Gervais en affectant un accent du terroir, nous autres paysans en voyons de plus rudes, n'est-ce pas, Noël ?

— D'ailleurs, Noël a autre chose à se mettre, Dieu merci ! déclara Blanche à son tour d'un ton acerbe. Mais il est grand temps pour cette petite d'aller faire sa sieste. Allons, venez vous autres !

Georges, une fois de plus, ne m'avait adressé ni un mot ni un regard.

Ce soir-là, pour le souper et le bal, je me suis décidée à porter la plus osée de mes deux robes, dont le décolleté vertigineux ne manquerait pas de faire défaillir tante Caroline. Blanche la jugea fort seyante et, se disant choquée de mon manque de bijoux, m'invita à puiser dans ses réserves. Gervais se déclara ébloui lorsqu'il me prit tout naturellement le bras au moment de passer à table. Il avait décidé, semblait-il, de me redonner — pour la soirée du moins — le statut d'épouse légitime, situation qui, à ma grande surprise, paraissait ne plus scandaliser que tante Caroline. Dès le début du banquet, il m'entoura de prévenances comme s'il cherchait à me rappeler combien ce serait pour moi facile, voire rassurant, de revenir à lui. Sans effort apparent, sans me soumettre à des tentations grossières, il me réintégrait au sein d'une famille, la mienne, qui n'avait jamais pris l'initiative de me répudier.

À la fin du repas, aussi raffiné qu'interminable, et après d'innombrables toasts, Georges et Gervais prononcèrent chacun à leur tour de petits discours fort bien tournés. M. Nicolas Barforth leur répondit par une allocution pleine de dignité et Sir Blaise, dont la réputation de séducteur restait vivace dans les mémoires, leva son verre à la santé des dames, à qui il adressa des compliments qui firent rosir bien des joues. Tout s'était déroulé à la perfection, et selon la plus extrême civilité. Les discours terminés, les dames furent priées d'ouvrir les petits coffrets posés auprès de leurs assiettes et l'on entendit fuser les exclamations de plaisir. Chacune, selon le rang de son époux dans la hiérarchie de l'entreprise, découvrait un médaillon d'or, un collier ou quelque autre coûteuse babiole. Les dames de la famille avaient droit, pour leur part, à des bijoux plus imposants, de lourdes chaînes d'or portant en pendentif la pierre précieuse correspondant au signe de leur naissance. Ainsi, Hortense Madeley-Brown trouva-t-elle un diamant, Blanche une perle, dont elle était particulièrement friande, et moi un rubis.

Gervais m'aida à agrafer le fermoir et disposa le bijou à la hauteur convenable dans mon décolleté, qu'il caressa négligemment du dos de la main.

— Oh ! Merci, oncle Nicolas ! s'écria Blanche qui jaugeait d'un œil expert la finesse, la taille et le prix de sa perle.

— Remercie plutôt Georges, répondit-il. C'est lui qui a eu cette idée et s'est donné le mal de rechercher vos dates de naissance.

— Alors, merci mille fois, Georges ! dit-elle en se levant.

D'un pas rendu légèrement incertain par l'abus du champagne elle lui passa les bras autour du cou et planta un baiser sonore sur ses joues.

Tout le monde était debout car le bal allait commencer et une procession se forma pour aller présenter à Georges les remerciements que méritait sa délicate attention. Camille, une superbe améthyste au cou, l'embrassa à son tour. Elle fut suivie de tante Julia, de Lady Virginie, de ma grand-mère Elinor. Hortense Madeley-Brown se réservait, sans nul doute, pour exprimer plus chaleureusement sa gratitude dans l'intimité. Il ne restait que moi. Que ferais-je s'il affectait de m'ignorer ? J'aurais toujours la ressource de prétendre qu'il visait moins ma personne que la représentante de *L'Étoile*.

Au moment où je m'avançais vers lui, il commença à se détourner. Mais je ne pouvais plus reculer et je tendis la main pour la lui poser sur le bras. Je la retirai aussitôt, comme si le contact de l'étoffe m'avait brûlée, mais cela avait suffi. Forcé de s'apercevoir de ma présence sous peine d'incorrection grave, il me toisa d'un regard inexpressif, un sourcil levé. Je me sentais la gorge sèche, la langue paralysée :

— Merci, Georges, suis-je parvenue à articuler.

Il me fit un bref signe de tête, écarta les lèvres en guise de sourire, plus pour obéir à ses réflexes de bonne éducation qu'à sa véritable envie du moment, celle de me chasser de sa vue et même de ses pensées. Alors, en un éclair de lucidité qui me bouleversa, j'ai compris que, s'il observait un tel mutisme, ce n'était pas dans le but de me punir ou de m'humilier mais réellement parce qu'il se sentait incapable d'ouvrir la bouche.

Lorsque je me fus ressaisie, j'ai pénétré dans la salle de bal où les Barforth dansaient déjà, chacun avec la dame de ses pensées, Nicolas avec Camille, Noël avec Blanche, oncle Blaise avec tante Julia. Hortense Madeley-Brown, enveloppée d'un métrage succinct de soie or, valsait dans les bras de Georges, qui la ramena bientôt près de sa mère afin d'aller inviter les épouses de ses directeurs, ingénieurs et chefs de service. Gervais me fit tournoyer danse après danse et je retrouvais, avec lui, le réconfort de la familiarité, l'apaisement dont j'avais si grand besoin dans le désarroi où je me sentais plongée.

— Si nous nous rencontrions ce soir pour la première fois, Grace, je m'efforcerais sans doute de te séduire et de te faire apprécier l'homme nouveau que je suis devenu.

— Et tu aurais de grandes chances de succès, Gervais.

— Merci, Grace, tu es aussi aimable que dans mes souvenirs. Alors, dois-je entreprendre de t'intéresser au sort d'un paysan pas trop rustaud, pourvu d'une propriété pas trop méprisable et d'un jeune fils promis à un bel avenir ? Ce n'est pas une personne à l'esprit aussi large que la copropriétaire de *L'Étoile* qui objectera l'illégitimité de mon héritier, j'en suis sûr.

— Je ne te l'ai jamais reproché, Gervais, et je ne commencerai certes pas maintenant. Mais ce n'est pas notre première rencontre. À quoi bon revenir sur le passé ou se nourrir d'illusions ?

— Nourrissons-nous donc de choses plus agréables et viens boire un peu de cet excellent champagne. Il s'agit d'une occupation somme toute fort raisonnable pour un vieux ménage tel que nous et qui a l'avantage de n'être plus marié.

Nous en avons absorbé nettement plus que la raison ne l'aurait conseillé. Puis, lorsque nous sommes revenus dans la salle de bal, j'ai remarqué, sagement assise à côté de tante Caroline, l'appétissante Hortense Madeley-Brown, trop satisfaite d'elle-même pour se rendre compte que son fiancé la délaissait.

— Que penses-tu de cette agréable personne, Gervais ?

— La Madeley-Brown ? Eh bien, j'avoue que je ne refuserais pas de partager son lit une ou deux nuits. Je paierais assez volontiers tribut à cette vivante effigie de Vénus — du moins, en guise d'amuse-gueule.

— Quel langage pour un pauvre paysan !

— Je le suis aujourd'hui, mais j'ai jadis été un jeune homme fort dissolu. L'aurais-tu oublié ?

— Oh ! Certes non...

— Il se trouve que je ne le suis plus, Grace. J'espère ne pas me montrer trop ennuyeux ni terre à terre, mais j'ai gagné, comment dire ? une certaine solidité, peut-être. Me reconnais-tu cette qualité, au moins ?

— Peut-être, Gervais... Et toi, quelle idée te fais-tu de moi ?

Il me prit la main et, sans se soucier des regards curieux, effleura mes lèvres d'un baiser :

— Toi ? Tu es plus charmante que jamais et j'éprouve à ton égard une sincère affection. N'est-ce pas suffisant pour fonder quelque chose de durable ?

Ce l'était, en effet. Toute la journée, je m'étais vu entourée de personnages qui avaient peuplé ma vie depuis l'enfance, m'avaient formée, modelée, plus ou moins influencée et qui n'avaient jamais perdu l'espoir de me voir revenir dans leur giron. L'amitié chaleureuse, l'affection, l'amour même se reflétaient sur plus d'une douzaine de visages — et la haine sur un seul. Mais cette affection m'apparaissait comme les vaporeuses écharpes de brume que l'on distingue, au loin, par un soir d'automne. La haine, seule, était réelle, presque tangible.

Je suis partie peu après minuit avec mes grands-parents Agbrigg. Fort galamment, Gervais nous accompagna jusqu'à leur porte.

— Je n'y comprends goutte, je n'ai pas honte de l'avouer, me déclara ma grand-mère lorsqu'il se fut éloigné. Que veut-il au juste, se remarier avec toi ? Je préfère ne pas imaginer qu'il ait autre chose en tête.

— Mais non, rassurez-vous. Je crois, en effet, qu'il espère me convaincre de l'épouser.

— Bien entendu, je ne m'en mêlerai pas, je n'en ai pas le droit comme me l'a rappelé ton père. Je dois dire, cependant, que cette solution semblerait souhaitable à bien des égards.

— Sans doute. Mais il n'aura pas le cœur brisé si je refuse, je puis vous le garantir.

— Une telle froideur, un tel manque de sensibilité de sa part ? C'est confondant !

— Non, grand-mère, il ne s'agit que de simple bon sens. Gervais a de l'affection pour moi, peut-être de l'amour, mais je ne lui suis plus indispensable, comprenez-vous ? Je suis émerveillée de sa transformation. Et maintenant, grand-mère, je vous annonce que je rentre à Cullingford demain matin, par le premier train.

— Ah ! Y aurait-il donc là-bas quelqu'un pour qui tu serais *indispensable* ? dit-elle avec un ricanement.

— Non. Je m'y sens mieux, voilà tout. J'y suis chez moi.

— Hannah ! intervint mon grand-père alors qu'elle s'apprêtait à riposter. Laisse donc la petite tranquille, elle est en âge de savoir ce qu'elle fait.

J'étais cependant bien loin de partager sa confiance. Je ne quittais pas Scarborough pour quelque raison respectable, non. Je prenais la fuite — devant Georges.

27

Mon grand-père m'accompagna à la gare le lendemain matin et m'installa dans un compartiment sans me poser de questions. Je le chargeai de remettre un mot d'excuse à Camille et un billet adressé à Blanche, dans lesquels j'invoquais de vagues « impératifs professionnels » afin de justifier mon départ précipité. Personne, elles deux moins que tout autre, n'y croirait; mais j'en étais au point où l'opinion d'autrui m'indifférait.

— Ce premier train est le plus incommode, me fit observer mon grand-père avec regret. Il faut changer à Leeds et l'attente est longue...

Nous étions descendus ensemble du wagon et je m'efforçais de le rassurer sur ma capacité d'entreprendre seule un si long voyage quand Georges Chard apparut sur le quai, une serviette de maroquin et un journal sous le bras. Il passa devant nous sans ralentir, nous salua d'un coup de chapeau et s'engouffra dans un wagon à l'autre bout du convoi.

— Que diable cela signifie-t-il ? s'indigna mon grand-père.

Quels que fussent les griefs nourris par Georges envers le journal, il était en effet à tout le moins discourtois et surprenant de le voir refuser ainsi la protection de sa compagnie à une femme de sa propre famille qui s'apprêtait à se lancer seule dans le périlleux trajet de Scarborough à Cullingford. Les sourcils froncés, mon grand-père ramena son regard de la lointaine portière qui se refermait à mon visage impassible :

— M'expliqueras-tu, ma petite ?... commença-t-il.

Dieu merci, le chef de gare sifflait en agitant son drapeau, et je dus regagner mon compartiment. Les portières claquèrent, le train s'ébranla et je pus me contenter d'agiter la main par la vitre baissée sans devoir satisfaire sa légitime curiosité. Mais la présence de Georges m'avait troublée, je ne pouvais pas le nier. Aussi me suis-je assise dans mon coin en dissimulant mon tremblement et j'ai fermé les yeux en feignant le sommeil afin d'échapper aux regards inquisiteurs des deux vieilles dames avec qui je partageais le compartiment.

Pendant les trente ou quarante premiers kilomètres, je me perdis en conjectures sur les raisons de sa présence. Les réjouissances étaient terminées et les convives repartiraient, cet après-midi même, par un autre train spécial — abondamment pourvu, sans nul doute, d'en-cas et de rafraîchissements. Les membres de la famille ne devaient cependant pas être du voyage. Tante Julia et oncle Blaise prévoyaient de passer la semaine à Scarborough avec Lady Virginie, trop heureuse de profiter de la miraculeuse réconciliation de ses fils. Blanche et Noël voulaient, eux aussi, s'attarder quelques jours et faire goûter à Claire les plaisirs des bains de mer. Gervais n'était pas pressé de retrouver ses vaches, fort capables de paître l'herbe tendre en son absence. J'ignorais les projets de tante Caroline, mais j'aurais été surprise qu'elle ne cherchât pas à mettre cette nouvelle atmosphère de bonne volonté à profit, afin de persuader son frère de concrétiser ses projets de céder Maison Haute à Georges. Hortense Madeley-Brown resterait naturellement là où il plairait à la duchesse de le lui enjoindre. Ainsi suis-je parvenue à comprendre que Georges, compte tenu de ses rendez-vous et de ses obligations, ait préféré voyager seul, avec ses dossiers et son journal, plutôt que de subir les effusions importunes des épouses de ses employés dans le train spécial de l'après-midi.

Il ne pouvait pas savoir que je m'y trouverais — je l'ignorais moi-même la veille au soir et n'en avais soufflé mot à personne. Il avait probablement ressenti à ma vue un choc comparable au mien; mais qu'est-ce que cela changeait, à tout prendre ? Quand bien même j'aurais su qu'il comptait partir, je ne serais pas restée à Scarborough. L'excuse invoquée devant mes grands-parents était légitime : j'avais besoin de me retrouver chez moi, dans mon univers. Et la présence de Georges à l'autre bout du train ne pouvait pas, ne devait pas me gêner. Elle me causait cependant un tel malaise qu'en posant enfin le pied sur le quai de la gare de Leeds je me sentais véritablement malade.

La foule était assez dense pour que nous puissions nous éviter. Je suis restée dans mon compartiment jusqu'à ce que je le voie passer devant la fenêtre, puis j'ai gagné la salle d'attente assez lentement pour qu'il prenne du champ et que nous ne courions pas le risque de nous trouver nez à nez. Une demi-heure s'écoula, l'une des plus pénibles de ma vie. A la fin, ne tenant plus en place, je suis sortie sur le quai en direction de l'omnibus de Cullingford. Je souhaitais ardemment que Georges soit resté à Leeds, ou ait pris la correspondance pour Londres, car je pouvais l'éviter ici mais ce serait à peu près impossible dans notre petite gare, où tous les employés nous connaissaient. Il était là, pourtant, à l'autre bout du quai. Je le voyais faire nerveusement les cent pas en fumant un cigare; et ma surprise, la crainte qu'il ne me reconnût me figèrent sur place. Je sentis soudain un objet dur me heurter les jambes et j'entendis alors des cris, des bruits de roues, je vis des caisses et des malles tanguer à quelques centimètres de moi et je me rendis compte avec horreur que je tombais.

Je n'appris que plus tard, grâce au récit des témoins, les circonstances de l'incident. Sur le moment, j'avais perdu conscience et je me suis réveillée dans un concert d'exclamations, au milieu d'un cercle d'inconnus penchés sur moi. Tout le monde discutait de savoir si le porteur qui m'avait renversée avec son chariot à bagages était ivre ou si j'étais sourde, abrutie ou, pourquoi pas, moi-même prise de boisson, à rester ainsi plantée sans bouger sur la trajectoire du véhicule. Ce tintamarre assourdissant m'enivrait, en effet, au point que je ressentis du soulagement quand je vis Georges fendre le groupe des badauds. Il m'aida à me relever puis, constatant que je ne tenais pas debout, me porta je ne sais où. Je l'entendis ensuite lancer des ordres à la cantonade pour que l'on soigne ma cheville, qui enflait, paraît-il, à vue d'œil.

Une femme baigna mon pied endolori dans de l'eau froide et m'entoura de bandages. Georges me tendit du cognac, que j'avalai jusqu'à la dernière goutte — ce qui ne m'aida en rien à retrouver ma lucidité. Je me rendis compte que Georges avait retardé le départ du train à cause de moi ce qui déclencha en moi une inexplicable envie de rire. Une fois de plus, je me laissai emporter docilement jusqu'à un compartiment où il m'étendit sur une banquette, le dos calé par des coussins qu'il s'était procurés je ne sais comment.

J'étais encore étourdie — ma tête avait porté contre la pierre du quai — et ma cheville me faisait souffrir, mais le verre d'alcool absorbé à jeun était sans doute responsable de mon état euphorique et de cette persistante envie de rire que rien ne justifiait. Je n'éprouvais aucune honte de la situation quelque peu ridicule où je me trouvais, mais les convenances exigeaient quand même quelque excuse :

— Je suis vraiment désolée...

— De quoi ? Tout le monde peut avoir un accident.

— Mon dieu, mon sac !...

— Il est là, sur la banquette.

— Et... Seigneur, mon chapeau ! dis-je en tâtant ma tête nue.

— Il faudra en faire votre deuil, le chariot est passé dessus. La compagnie vous en offrira un autre.

— Vraiment, tout cela est tellement... Je ne sais que dire.

— Ne dites rien. Réjouissez-vous plutôt d'avoir reçu de l'aide.

Je me suis tue, je me suis laissé bercer par le mouvement du train, parce que c'était plus facile de s'abandonner ainsi et de ne pas faire d'effort. J'ai dû ensuite m'assoupir car lorsque je repris conscience, nous approchions de Cullingford.

— Quelqu'un vous attend-il à la gare ? me demanda Georges

— Non, l'on ne comptait sur moi que demain.

— Dans ce cas, je vous raccompagne.

Cette fois encore, j'ai abdiqué mon libre arbitre et, lorsqu'on me porta comme une enfant, je ne songeai même pas à demander la destination de la voiture, ou à protester quand je compris que nous nous dirigions vers Maison Haute.

La porte nous fut ouverte par le maître d'hôtel dont tout Cullingford vantait l'extrême élégance. Il accueillit son maître sans manifester la moindre surprise, comme s'il avait l'habitude de le voir rentrer de voyage en portant dans ses bras une femme nu-tête, nu-pieds et manifestement éméchée.

— Des sandwiches au grand salon, Sherston, avec une bouteille de chablis bien frappée. Madame souhaite avant tout remettre de l'ordre dans sa toilette.

— Certainement, monsieur.

Deux femmes de chambre m'escortèrent dans une chambre, me versèrent de l'eau chaude, me tendirent des serviettes et des brosses, réparèrent habilement mon ourlet déchiré et me raccompagnèrent, encore à demi étourdie, jusqu'au fauteuil que leur seigneur et maître désignait d'un geste. Après la chaleur et la poussière du voyage, la fraîcheur du salon aux rideaux tirés me fit l'effet d'une oasis de bien-être. Des gerbes de fleurs, disposées sur les tables, embaumaient l'air. En regardant autour de moi, je m'aperçus de plusieurs changements dans la disposition des meubles, de la présence de quelques nouveaux et coûteux bibelots. Au-dessus de la cheminée, là où je me rappelais un miroir, trônait le portrait d'une dame imposante en robe Régence, dont les boucles brunes et la dignité hautaine m'apprirent qu'il s'agissait d'une Chard.

L'on nous servit les sandwiches, de délectables préparations garnies de saumon fumé et autres gourmandises; le vin était léger, fruité, délicieusement frais et j'en ai bu le contenu de plusieurs flûtes, ce qui ne fit rien pour dissiper la brume de mes pensées. Le café lui-même, brûlant et parfumé, n'eut aucun pouvoir contre mon euphorie persistante.

— Lors de notre dernière conversation, Grace, vous m'accusiez de vouloir vous tenir un jour à ma merci. Nous y voici, je crois.

— En effet.

Mais pas pour longtemps, ai-je ajouté en mon for intérieur. Si je ne luttais pas, je n'avais pas capitulé. Je me suis tout à coup rappelé les craintes de mon grand-père, sa réprobation devant mon entêtement à voyager seule et je me retrouvais enlevée par un homme, séquestrée en quelque sorte. Cette image me fit pouffer malgré moi.

— Qu'y a-t-il de si drôle ?

Ma réponse lui tira un sourire involontaire :

— Ce n'est malheureusement pas si simple, dit-il.

— Pourquoi : malheureusement ?

— Voyez-vous, Grace, si je vous séquestrais, si je vous séduisais avec plus de persévérance, vous finiriez par y prendre goût et cesser de me fuir. J'ai dit « malheureusement » parce que je ne puis pas me conduire de la sorte.

— Je ne crois même pas que vous le désiriez.

— Détrompez-vous, je le désire plus que jamais. A un moment, je me suis vu bien près de réussir, ne le niez pas. Mon erreur, ou plutôt mon malheur, c'est d'avoir voulu que vous veniez à moi de votre plein gré. Voilà où j'ai échoué...

— Oh, Georges !...

Jamais, depuis que je le connaissais, je ne l'avais vu si accablé. Jamais, non plus, je n'avais éprouvé une envie plus forte de tendre la main, d'ouvrir mon âme. Jamais, enfin, je n'avais senti plus complètement s'évanouir la conscience de mes propres désirs, ma futile vanité, mon bon sens terre à terre, voire ma propre personnalité, balayés par le besoin impérieux de donner tout ce que l'autre voudrait prendre. Un sursaut de tout mon être — s'agissait-il de lucidité ou d'instinct de conservation ? — me permit seul de refréner cette périlleuse impulsion.

— Je croyais avoir réussi à me faire haïr de vous, Georges.

— Vous y étiez parvenue. J'ai joué le jeu parce que je comprenais vos raisons. Oui, je vous ai haïe — par moments.

— Hier encore, vous n'avez pu vous résoudre à m'adresser la parole...

— C'est exact.

— Voilà pourquoi j'ai pris le train ce matin. Je vous fuyais.

— Vous n'avez cessé de me fuir, avouez-le, depuis...

— Depuis que j'ai eu dix-huit ans, depuis que vous êtes venu un jour à Fieldhead évaluer ma dot, faire la cour à ma belle-mère, supputer vos chances au lieu de m'entraîner vers le fond du jardin, de m'embrasser, de me dire... Grand dieu, pourquoi me laisser aller à tous ces bavardages ?

— De vous dire quoi, Grace ? Que je vous aimais ? Je ne vous aimais pas encore, à ce moment-là. L'amour est venu plus tard, il serait venu de toute manière. Mais avant que j'ajoute un mot je dois tenter de sauvegarder ma dignité, ou ce qu'il en reste : m'avez-vous aimé, Grace ? Il faut que je sache.

— Oui, Georges, je vous ai aimé. En doutiez-vous ?

— Cela ne suffit pas. Vous pourriez monter avec moi dans ma

chambre et vous soumettre en esclave à tous mes caprices que ce ne serait pas une preuve.

— Laquelle vous faut-il, alors ?

— Vous avez saisi toutes les occasions de me blesser et de m'humilier, quand vous ne les avez pas provoquées. Le reconnaissez-vous ?

— Oui. Je le regrette mais je l'admets.

— Eh bien, réparez le mal que vous m'avez fait, Grace. Je ne vous dis pas comment, je l'ignore. Mais vous êtes intelligente, vous saurez découvrir le moyen.

— Cela servira-t-il à quelque chose ?

— Au point où j'en suis, la question n'est pas là, Grace. Vous avez fait preuve de génie quand il s'agissait de me faire mal. Exercez le même talent à me guérir, c'est tout ce que je vous demande. J'en ai besoin, Grace, comprenez-vous ? Besoin.

La veille au soir, avec un ricanement sceptique, ma grand-mère m'avait demandé si j'étais indispensable pour quelqu'un à Cullingford et je ne m'attendais certes pas à ce que ce soit Georges qui avoue avoir besoin de moi. Je ne sais ce qui me retint de lui dire les mots qui tournoyaient dans ma tête : « Oui, j'aime, je veux que tu aies besoin de moi, je veux que tes besoins me comblent, me dépassent, étouffent les miens. Demande, exige de moi plus que je ne peux donner et observe comment je m'y prendrai pour te satisfaire, admire la façon dont j'inventerai des moyens, dont je découvrirai des manières toujours nouvelles de t'obéir. » Je sentais monter en moi, par bouffées de plus en plus impérieuses, cette émotion intense, cette passion que Venetia éprouvait pour Robin Ashby et dont je ne me croyais pas capable. Oui, je l'aimais — ce m'était une évidence. La seule différence, aujourd'hui, c'est que, pour la première fois depuis trop longtemps, j'avais envie, j'avais besoin de le lui dire.

— Au début, j'avais peur, je crois. Une peur physique du désir, parce que je ne comprenais pas ce dont il s'agissait. Comment l'aurais-je pu ? Les jeunes filles de dix-huit ans ne sont pas même censées en connaître l'existence. Mais vous, Georges, vous aviez l'âge et l'expérience, vous auriez pu m'aider à surmonter cette appréhension inutile. Pourquoi ne l'avoir pas fait ?

Il eut un sourire triste, comme devant un souvenir évanoui :

— Je n'étais pas beaucoup plus âgé que vous, Grace, et je n'avais pas tellement l'expérience des femmes. J'obéissais surtout à mon éducation en me conduisant envers vous comme il est bienséant d'agir avec une jeune fille, vierge de surcroît. Plus tard, oui, j'aurais su qu'il fallait vous empoigner aux cheveux et vous traîner de force là où je voulais — où vous vouliez, sans le savoir, que je vous entraîne. Mais avouez la vérité, Grace, vous n'éprouviez pas que de la crainte, mais de la méfiance à mon égard.

— C'est vrai. Je savais que vous aviez besoin d'une femme riche, je craignais depuis longtemps qu'on ne m'épouse que pour ma fortune. Vous n'avez rien fait, à l'époque, pour atténuer mes craintes. Votre mariage avec Venetia les a d'ailleurs confirmées.

— Vous étiez déjà mariée à Gervais. Ne me reprochez pas de vous avoir abandonnée.

— Peu importe, Georges, vous ne m'aimiez quand même pas.

Je vis reparaître sur ses lèvres le même sourire triste, sur son visage une expression de lassitude, de regret :

— J'en conviens. Si j'avais été amoureux de vous, je n'aurais pas si facilement cédé aux principes de mon éducation. Vous étiez néanmoins la cause de mon hésitation à épouser Venetia. Sans vraiment savoir encore pourquoi, je répugnais à vivre sous le même toit que vous, je sentais confusément que cette maison me deviendrait insupportable. Je vivais, à ce moment-là, des jours difficiles, Grace. Rappelez-vous : je devais apprendre un métier, vaincre les préjugés et l'hostilité qui pleuvaient sur moi de tous les côtés. Les miens me méprisaient de déroger, les ingénieurs et les ouvriers m'en voulaient d'avoir les mains blanches et m'auraient joyeusement plongé un poignard dans le dos. Vous étiez la seule à comprendre mes difficultés et apprécier mes efforts. Nicolas Barforth en exigeait toujours davantage, et il ne s'est jamais rendu compte à quel point j'étouffais dans ces ateliers puants où il me fallait passer douze heures par jour. Je n'avais pas envie de devenir industriel, je ne voulais qu'être riche. Si j'avais connu meilleur moyen de faire fortune, sur terre ou sur mer, je n'aurais pas hésité un instant. Cela aussi, vous le compreniez, je crois.

— Oui, Georges, et c'est pourquoi je vous admirais.

— Est-ce là le seul sentiment que je vous inspirais ?

— D'autres, peut-être... Mais je refusais de les admettre. Vous étiez marié, Georges, j'aimais votre femme comme une sœur.

— Je sais. Moi aussi... ne me regardez pas ainsi, c'est vrai. J'éprouvais pour Venetia l'affection mi-indulgente, mi-impatiente que l'on voue à une sœur et ce n'était malheureusement pas ce dont elle avait besoin. Lorsqu'elle est partie avec Robin Ashby, je n'ai rien fait pour la retenir, vous le savez. Certes, j'avoue avoir tiré profit de la situation, mais je n'obéissais pas à ce seul mobile. Si elle croyait trouver le bonheur ainsi, je ne m'estimais pas en droit de le lui gâcher. Elle était imprudente jusqu'à la folie et j'espérais pourtant, du fond du cœur, la voir réussir.

— Ce que vous m'apprenez me soulage et me rend heureuse.

— Oui, mais ce que je m'apprête à dire vous plaira moins
Reportons-nous à cette époque. Venetia était partie avec ma
bénédiction, dont elle ignorait tout. Je savais ce qu'il en était de
Gervais et de Diana Flood. Nicolas Barforth a dû se douter de
quelque chose, car il m'a surveillé de si près, pendant ces
quelques mois, que je ne pouvais pas même faire mine de vous
approcher. Pourtant, Grace, c'était vous que je désirais, vous
que j'avais fermement l'intention de garder pour moi seul. Nous
allions continuer à vivre ensemble, comme nous le faisions
depuis des années, mais une fois les lampes éteintes et les invités
partis nous aurions monté l'escalier la main dans la main, nous
aurions partagé le même lit. J'allais vous emmener avec moi en
voyage, vous tyranniser tout en comptant sur vous, vous passer
vos caprices tout en faisant en sorte que vous me passiez les
miens. Ma décision était prise, Grace, notre avenir tout tracé
quand un beau jour je vous ai vue devant moi, qui me demandiez
calmement de reprendre ma femme. Une fois de plus, je m'étais
trompé dans mes calculs et mes rêves volaient en éclats.

— Quand bien même j'aurais été votre maîtresse, je vous
l'aurais demandé, Georges.

— Je sais. Mais passons sur la suite, je préfère ne pas évoquer
sa mort. Ainsi que vous l'aviez deviné, votre décision de divorcer
m'a stupéfait — oui, et rendu furieux au point de vouloir m'y
opposer par tous les moyens. A Londres ce soir-là, vous ne vous
êtes pas trompée sur mes intentions. Il était inutile, à mon sens,
de provoquer un scandale. Le seul mot de divorce me révulsait.
Je me faisais fort de vous dissuader, de vous ramener ici avec
moi. Personne n'objecte quoi que ce soit à la liaison de Blanche
et de Noël, pourquoi nous aurait-on fait des reproches ? Je vous
serais resté fidèle, Grace — on se montre plus scrupuleux, en
pareil cas, qu'envers son épouse légitime. Une épouse légitime
pardonne les incartades, elle n'a pas d'autre choix, quand une
maîtresse reste libre de ses décisions et peut congédier celui qui
cesse de lui plaire. J'aurais pourtant pu vous rendre heureuse,
Grace. Le reconnaissez-vous ?

— Oui, Georges, vous l'*auriez* pu, à un moment donné. La
vie que vous me promettiez m'aurait comblée. Cependant,
quand c'est devenu possible, il était déjà trop tard. Je n'étais plus
la même, j'avais évolué — en bien ou en mal, je me le demande
— mais je n'étais plus en mesure de l'apprécier comme il
convenait.

Il vint s'asseoir sur le bras de mon fauteuil et m'enlaça, d'un
geste à la fois tendre et possessif, auquel je m'abandonnai avec
joie.

— Écoutez-moi bien, Grace, car je ne le répéterai sans doute
jamais. Je n'ai à vous proposer que ceci, cette maison, ce luxe, la

vie facile que nous pourrions mener ensemble. Ils représentent le fruit de mes efforts et de ma persévérance, mais mes ambitions vont plus loin. Par mon travail, je puis vous donner plus que des belles choses et des plaisirs : je vous offre la sécurité, la richesse. Je ne connais rien d'autre au monde, je l'avoue, mais j'ai toujours cru que les femmes y aspiraient, elles aussi. En voulez-vous, Grace ?

Je l'ai serré dans mes bras, comme une noyée s'accroche à une bouée. Nous tenions notre dernière chance et nous savions tous deux que le destin, une fois de plus, se moquait de nous. Il nous avait forcés à suivre des chemins parallèles, où nous avancions chacun à notre allure, d'où nous nous apercevions parfois en espérant pouvoir nous rejoindre, sans jamais parvenir à nous rapprocher. En serait-il de même, cette fois-ci ?

— Que me demandez-vous en retour, Georges ?

— Rien, Grace. Rien que vous-même.

— C'est-à-dire tout ce que je possède. Feriez-vous un tel sacrifice ? Non. Me permettriez-vous, par exemple, de poursuivre mon activité à *L'Étoile* ?

— Bien sûr que non.

Il le dit tristement, sans indignation, sans jalousie. Il se bornait à énoncer une évidence.

— Et mes amis, mes relations, les accueilleriez-vous ici, ou devrais-je leur condamner notre porte ?

— Je ne vous interdirais pas de les voir, Grace. Cependant, j'aimerais que vous cessiez de les fréquenter, je l'avoue.

— Oh, Georges...

— Je sais, je sais, dit-il en posant un baiser sur mes cheveux. J'avais tout prévu, tout calculé, puisque telle est ma nature. Mais j'en suis aussi captif que vous de la vôtre, Grace. Si vous m'aimiez sincèrement, vous changeriez d'amis, de vie, rien que pour me plaire, voilà comme je vois les choses. Est-ce trop demander ? Je ne le pense pas. J'ai le droit, moi aussi, de tenir à l'image que je me fais d'une épouse. Pour ma part, je suis prêt à devenir votre mari, au sens où je l'entends, à consentir les sacrifices que j'estime nécessaires, comme de ne plus revoir ma mère. En fait, elle ne me pardonnera jamais de vous épouser.

J'aurais voulu rester blottie contre sa poitrine et, s'il m'avait retenue, j'aurais cédé avec joie. Mais il m'avait offert la liberté de décider, une liberté que je ne pouvais refuser. J'avais trop durement lutté pour la conquérir, je l'avais trop chèrement payée pour la fouler aux pieds, maintenant qu'elle me paraissait un insupportable fardeau.

— Je vous aime, Georges.

— Merci. Mais à quoi cela m'avance-t-il de le savoir ?

— A rien, ou presque, si vous ne voulez pas de moi telle que je suis.

— Je m'attendais à cette phrase. Continuez.

— A quoi bon ?

— Oui, à quoi bon, puisque vous n'êtes pas, vous non plus, disposée à me prendre tel que je suis... Dites quand même ce que vous avez sur le cœur, Grace. Nous nous devons au moins de nous montrer sincères l'un envers l'autre.

— Soit. Vous m'avez une fois reproché de faire semblant de gagner ma vie, de rejeter les responsabilités d'une femme sans me montrer capable d'assumer celles d'un homme.

— Je m'en souviens.

— Maintenant, Georges, je l'ai appris et j'en suis capable. J'accepte les risques, je fais ce qu'il faut, quand il faut, même si cela ne me convient pas. Je ne m'accorde aucun passe-droit. J'envoie se soigner un employé qui tousse ou a mal à la tête, mais je ne quitte jamais mon poste, si je suis moi-même malade, avant d'avoir terminé mon travail. Voilà le genre de traits de caractère que vous devriez respecter en moi, plutôt que mes talents de maîtresse de maison. Dans la vie telle que je la vois, les mondanités ne représentent pas l'essentiel mais l'accessoire. Seriez-vous capable, vous, de vous contenter d'imaginer des menus, de mettre à jour des listes d'invitations, de tenir à longueur de soirée des propos insignifiants ? Non, n'est-ce pas ? Eh bien, moi non plus ! Je veux garder ma confiance en moi, en mes qualités professionnelles. Je veux les apprécier à leur juste valeur, et non les mépriser en les considérant comme un passe-temps futile. Rappelez-vous vos débuts aux usines, Georges. Il vous fallait vaincre les préjugés de tous ceux qui dédaignaient vos mains blanches et vous regardaient de haut parce que vous n'étiez pas comme eux. Alors, essayez d'imaginer ce que j'ai dû subir, moi, une femme, pour me faire tout simplement écouter ! Je dois y consacrer dix fois, cent fois plus d'efforts qu'un homme. Je dois vingt fois par jour administrer la preuve que je ne m'amuse pas mais que je travaille ! Je suis ambitieuse, je l'avoue sans honte, je veux réussir. Alors, si je souhaite qu'on me prenne au sérieux, si je souhaite faire oublier que les femmes ne sont pas toutes des écervelées et sont capables de tenir leurs engagements, je dois respecter les miens à la lettre. Moi aussi, voyez-vous, j'emploie des collaborateurs, des hommes chargés de famille. J'en suis responsable, je n'ai donc pas le droit de fléchir. Abandonneriez-vous vos responsabilités envers vos employés pour un caprice ?

— Bien sûr que non, mais...

— Ce sens des responsabilités, Georges, je le respecte en vous. Accordez-moi au moins la même considération.

Une fois lancée, je ne pouvais plus m'arrêter :

— Je vous aime, Georges, je le répète bien volontiers. Si vous m'aviez épousée quand j'avais dix-huit ans, je serais restée votre épouse aimante et fidèle, je n'aurais jamais eu l'envie ni l'idée de regarder au-delà de vous. Cette vie que vous *auriez* pu m'offrir, j'en ai rêvé — des années durant. Si nous étions devenus amants avant mon départ de Maison Haute, j'aurais joyeusement accepté de faire abstraction de ma vie, de mes aspirations. Je serais sans doute encore ici, sans regrets ni arrière-pensées. Ce bonheur, il m'arrive souvent de l'évoquer avec mélancolie. Mais il est devenu impossible parce que je ne suis plus capable de l'apprécier comme avant, Georges, malgré l'envie qui m'en revient, malgré les élans d'une partie de moi-même. Aujourd'hui, voyez-vous, je suis prête à partager votre vie : mais sur le même niveau, pas à l'arrière-plan. Je désire vous faire partager la mienne, mais pas au prix de mon propre effacement. La dernière fois que je suis allée vous voir à votre bureau, je vous ai dit des choses épouvantables, dont je frémis encore. Elles contenaient cependant bon nombre de vérités. Je crois plus que jamais qu'hommes et femmes doivent vivre et agir en égaux, s'ils s'en montrent dignes. Or, je me considère votre égale, Georges. Je me crois, mieux, je me *sais* capable de vous égaler et de vous compléter, de vivre à vos côtés de manière indépendante et en parfaite harmonie, d'avoir confiance en vous et de mériter votre confiance. Nous pourrions, nous *devrions* vivre ensemble comme deux personnes qui s'aiment, sans que l'un se considère inférieur ou supérieur à l'autre. Est-ce absurde, est-ce impossible ?

A mesure que je parlais, je voyais ses traits se creuser, sous l'effet d'une tristesse mêlée d'impuissance :

— Non, Grace, ce n'est ni absurde ni impossible... Et pourtant, je ne m'en crois pas capable — je souffre de l'avouer.

Il me tourna le dos et alla s'accouder à la cheminée. Privée du contact de son corps, j'ai frissonné. Avant que j'aie pu le rappeler près de moi, le maître d'hôtel ouvrit la porte pour annoncer que la voiture était avancée.

Georges se retourna. Un fossé se creusait déjà entre nous.

— J'avais demandé de préparer la voiture au bout d'une heure, me dit-il. Je ne me faisais pas d'illusions, voyez-vous. Je m'étais dit qu'une heure suffirait à confirmer notre désaccord... Vous ne m'en voudrez pas, j'espère, d'avoir fait prévenir chez vous. Tout doit maintenant être prêt à vous accueillir.

— Georges...

— Non, ne dites plus rien, Grace. Un dernier mot, toutefois, que vous devrez me pardonner : j'aurais de la peine de vous voir épouser Liam Adair. Cela n'a rien à voir avec la manière dont il m'a traité, je tiens à le préciser.

— J'ai déjà décidé hier soir de ne pas l'épouser. Je ne peux pas lui imposer le fardeau du mariage après tout ce qu'il a fait pour moi.

Georges se détourna sur un bref signe de tête. Alors, je m'aperçus que je pleurais. Ma gorge nouée refusait de laisser passer une dernière question : comment supporterait-il, lui, d'épouser Hortense Madeley-Brown ? Il a cependant dû deviner mes pensées car, avec un geste d'impatience, il déclara :

— Je suis allé trop loin avec Hortense pour reculer de manière honorable. Vous la jugez idiote et vaniteuse. En fait, elle est encore très jeune, très timide. Elle ne manque pas de cœur. Et puis... elle me conviendra fort bien, je crois... Veuillez m'excuser, j'ai des ordres à donner.

Il sortit et ne revint pas. Deux domestiques impassibles m'aidèrent à monter en voiture et m'accompagnèrent jusque chez moi. Ils me soutinrent pour monter le perron, me souhaitèrent un prompt rétablissement et me laissèrent enfin seule.

— Madame souffre-t-elle beaucoup ? demanda ma femme de chambre.

J'ai fait signe que oui. Mais ma cheville, déjà oubliée, n'était pas responsable de ma douleur. Et je savais que, de ce mal-là, je ne guérirais sans doute jamais tout à fait.

28

A partir de ce jour-là, je me suis adonnée à une véritable orgie de travail. Je ne pensais à rien d'autre, je ne parlais de rien d'autre. De jour, de nuit, sans trêve et sans répit, je travaillais.

Le duc de South-Erin mourut dans le courant de l'été, ce qui eut pour conséquence de retarder le mariage de Georges. Lorsque le deuil prit fin, les fiançailles semblaient avoir disparu à leur tour — soit que Mme Madeley-Brown eût découvert un futur plus alléchant, soit que sa patience se fût lassée. Blanche m'apprit peu après que la première hypothèse était la bonne : « la Madeley-Brown », comme elle s'obstinait à la dénommer, avait « mis le grappin » sur un baron fortuné et bien en Cour.

— Pauvre Georges ! conclut-elle en soupirant. Le voilà plaqué comme une vulgaire jeune fille à marier !

J'accueillis la nouvelle sans pouvoir formuler de commentaire.

Georges partit ensuite en voyage à l'étranger, sans doute, ainsi que l'insinua Blanche, afin de vérifier si ses relations d'affaires disposaient encore de jeunes héritières à la dot prometteuse.

— Il ferait bien de se décider sans perdre trop de temps, sinon tante Caroline va s'installer à Maison Haute. Savais-tu que la nouvelle duchesse l'a mise à la porte de South-Erin ?

Ce sujet-là non plus ne m'inspira aucune réflexion.

Je travaillais. J'avais mille choses à faire, ma chère *Étoile* à diriger, mes projets à mettre en œuvre, mes décisions à prendre, mon autorité à affermir. De plus en plus, Liam me laissait le champ libre. Il préférait depuis toujours les difficultés de la lutte à la routine de la victoire et prenait insensiblement ses distances.

— Serait-ce devenu trop facile pour votre goût, Liam ?

— Vous avez peut-être raison, comme d'habitude... Oui, je l'avoue, j'ai toujours eu envie de faire l'ascension d'une montagne, bien haute et bien escarpée, pour le seul plaisir de me prouver que j'en étais capable. Mais je me demande encore ce que je ferais en arrivant au sommet. Sans doute irais-je voir de plus près la montagne suivante — de loin, la vue est toujours plus belle.

S'il regrettait Gower Street et la période héroïque de *L'Étoile,* je ne pouvais songer à le lui reprocher. Et si je le voyais de plus en plus rarement au bureau le lundi matin, s'il disparaissait plusieurs jours d'affilée pour de mystérieux « voyages d'étude », il me convenait finalement à merveille de me trouver surchargée de travail au point de ne plus avoir une minute libre pour penser à autre chose. C'est ainsi que notre liaison, plus fondée sur l'amitié et l'estime que l'amour ou la sensualité, en arriva peu à peu à se dissoudre sans nous laisser d'amertume. Nous en gardions, au contraire, des souvenirs pleins de gaieté et de rires et ces souvenirs m'étaient chers. Depuis que nous nous connaissions, c'est-à-dire depuis toujours, Liam était pour moi un ami sûr. Lorsqu'il avait traversé un moment pénible, aujourd'hui oublié, je l'avais aidé à le surmonter. Depuis, il avait réussi à exorciser ses démons intérieurs; je luttais toujours contre les miens et je perdais pied dans les conflits qui ne cessaient de me déchirer.

— Tu maigris à vue d'œil, ma pauvre chérie, me disait Tessa Delaney avec inquiétude.

Je ne m'en étais pas aperçue et, à vrai dire, je n'avais pas le temps de m'en soucier.

— Nous ne te voyons plus ! me reprochait affectueusement tante Julia. Ne peux-tu pas te libérer un dimanche ?

Il n'en était pas question. Pour moi, le dimanche était un jour de travail comme les autres, le seul, en fait, où je trouvais assez de calme pour mettre au point mon emploi du temps et celui de mes collaborateurs pour la semaine à venir. Comment, dans ces conditions, aller prendre le thé chez tante Julia ?

En novembre, j'ai souffert d'un sévère refroidissement dont j'eus du mal à me rétablir. Aussi, cédant aux instances de mon père et de Camille, j'ai fini par accepter d'aller me reposer une semaine à Scarborough. A peine eus-je pris cette décision que je m'en suis repentie : M. Martin était trop vieux, Liam trop insouciant, les autres trop inexpérimentés et le journal pâtirait de mon absence. Liam m'accompagna pourtant à la gare, m'embrassa en riant, me fit monter de force dans un compartiment et dissipa mes angoisses. Je portais ce jour-là un manteau de loutre, un manchon de fourrure grise assorti à ma toque russe et je me sentais à l'aise dans mon personnage de femme libre, indépendante et ne devant sa mise luxueuse qu'à elle-même et non au bon vouloir d'un mari. Ainsi rassérénée, je me suis préparée à profiter de ces brèves vacances dont, à la vérité, j'avais grand besoin.

A mon arrivée, Camille me fit un accueil débordant d'enthousiasme, Nicolas Barforth me gratifia des grognements bourrus et affectueux dont il était coutumier. Il nous convia, ce soir-là, à un véritable festin au Grand Hôtel et ne parvint pas à dissimuler sa stupeur en découvrant que j'ignorais tout de l'arrivée de Gervais, qui devait nous rejoindre d'une minute à l'autre.

— Aurais-je oublié de te prévenir ? s'écria Camille sans paraître contrite le moins du monde. Décidément, je n'en ferai jamais d'autres ! Mais puisqu'il vient, autant profiter de cette rencontre le plus agréablement possible. Au besoin, Grace, force-toi.

Il était inutile de me forcer. Le dîner fut très gai. Camille frémissait plus que jamais de bonheur, M. Barforth se montrait aimable et allait — ô miracle ! — jusqu'à faire des bons mots, sans cependant cacher sa hâte de se retrouver seul avec elle. Gervais me souriait avec une assurance paisible, comme s'il devinait que j'en avais besoin. Car plus la soirée avançait, plus je regrettais, par la faute de ma nature trop complexe et des orientations données à ma vie, de m'être privée de la chance de goûter au bonheur parfait dont jouissait Camille, et dont le spectacle ravivait ma mélancolie.

— Nicolas, il se fait tard...

Elle venait de prononcer, sur le même ton caressant, les mêmes mots dont ma belle-mère usait avec mon père et qui avaient marqué mon enfance d'un constant sentiment de malaise. Maintenant, je comprenais le plaisir qu'ils promettaient, cette harmonie des sens que j'avais trop peu connue, celle de l'esprit qui m'avait toujours échappé. Alors, je sentis d'un seul coup mon sang-froid m'abandonner. J'eus la sensation d'être aspirée par un gouffre, de m'enfoncer dans un néant infini, très loin de la réalité, où ne subsistait plus de moi qu'un fantôme, incapable de connaître l'humanité chaleureuse de Camille, ses joies, son bonheur. Un froid glacial me traversait de part en part.

Je suis parvenue, je ne sais comment, à dissimuler mon sentiment de panique et à sortir sans trébucher — ni me dissoudre dans l'air de la nuit qui m'enveloppait de fortes senteurs marines.

— Rentrons ! dit Camille avec une impatience visible.

— Rentrons, répéta M. Barforth en écho.

— Grace et moi marcherons un peu, dit Gervais. Il fait un temps divin. Jamais les étoiles n'ont été aussi belles.

A peine la voiture se fut-elle éloignée que je me suis écroulée contre sa poitrine. Je pleurais, non de douleur mais de soulagement, comme si je venais d'être libérée d'un grand poids, je ne savais trop lequel.

— Pourquoi ou, plutôt, sur quoi pleures-tu, Grace ? Sur le passé ?

— Peut-être.

Lorsque mes pleurs furent enfin taris et que j'eus séché mes joues et rajusté mon chapeau, nous sommes partis lentement le long de la falaise en nous tenant la main.

— Te sens-tu en état d'écouter ma confession, Grace ?

— Non, je ne crois pas.

— Tant pis, je parlerai quand même. Écoute, j'ai souvent pensé à cette épouvantable journée, à Galton, quand tu as perdu l'enfant. Si j'avais eu le courage de traverser la chambre, de m'approcher de toi au lieu de rester sur le seuil, de m'agenouiller auprès de toi comme je le voulais sans l'oser, de te prendre dans mes bras et te demander pardon — car je me couvrais de reproches, tu sais... Si j'avais fait cela, tu m'aurais sans doute pardonné, nous n'aurions pas laissé cet abominable silence se glisser entre nous et tu serais encore ma femme...

— Pourquoi, Gervais, faut-il que tu me parles toujours de ce qui aurait pu se passer, et non de la réalité ?

— Parce que j'essaie de faire amende honorable, Grace. Je suis heureux, vois-tu, et je constate que tu ne l'es pas. La vie que je mène me satisfait, mieux, elle me comble, car elle fait appel à toutes les ressources de ma personnalité. Il est merveilleux de se sentir totalement employé, utilisé... Pardonne-moi de le dire, mais j'ai l'impression que tu ne te sers que d'une seule partie de toi-même — la plus intéressante, je veux bien l'admettre. Mais ce n'est pas assez si, pendant ce temps, tu laisses se rouiller une moitié de ton être. Je trouve même cela attristant.

— Si j'ai bien compris, tu me conseilles de prendre un amant.

— A la rigueur, mais je voulais plutôt dire autre chose. J'ai conscience de t'avoir tellement maltraitée que tu as peur, désormais, de risquer de nouvelles désillusions. C'est donc à moi qu'il incombe de guérir les blessures que je t'ai infligées.

— Tu t'encombres d'une bien lourde responsabilité, Gervais.

— J'irais même jusqu'à me charger de toi tout entière, si tu le voulais.

Je me suis arrêtée, le dos au vent salé qui soufflait de la mer. Ma réponse me vint aussi facilement que mes larmes, tout à l'heure :

— En acceptant, Gervais, je te causerais injustement du tort Si tu m'aimais encore, peut-être me supporterais-tu...

— Qui te dit que je ne t'aime plus ?

— Ne jouons pas à faire semblant. Tu m'aimes bien, je le crois, et j'ai envers toi plus d'affection qu'envers quiconque; Mais il te faudrait éprouver une passion dévorante, avoue-le, pour te résoudre à changer d'un iota ton mode de vie actuel, comme moi le mien. Et tu n'es pas doué pour les grandes passions, tu le sais aussi bien que moi.

Il sourit, m'effleura les lèvres d'un baiser ·

— C'est vrai, Dieu merci ! Venetia était la seule de la famille à se complaire dans l'exaltation — on dirait, cependant, que mon cher père veut marcher sur ses traces. En ce qui me concerne, j'ai hérité du bon sens des Clevedon et du goût de ma mère pour les plaisantes amitiés. J'espère y trouver les mêmes satisfactions... Elle semble vivre au septième ciel avec son vieil ami Julian. Cela ne te tenterait pas ?

— Par moments, si. Mais pas au point de m'enterrer à Galton.

Il éclata de rire, m'embrassa de nouveau et, cette fois, nous avons ri ensemble.

— Fort bien, dit-il, j'accepte ton refus. Au risque de me dépouiller de mon auréole romantique, je ne te cacherai pas que je m'y attendais. Il fallait toutefois que je te fasse ma demande, que tu saches que tu avais le choix, que tu pouvais — comment dire ?...

— Tu l'as fort bien dit, Gervais, et je suis heureuse que tu aies parlé.

J'avais suffisamment recouvré mon calme pour retourner vers Camille et supporter le spectacle de son bonheur, sans plus souffrir d'en être exclue. Le lendemain matin, en descendant déjeuner, j'ai constaté que Gervais était parti.

Je suis restée jusqu'à la fin de la semaine, comme je m'y étais engagée, en livrant contre moi-même un combat incessant afin de ne pas expédier plus d'une demi-douzaine de télégrammes à Cullingford. Je me sentais comme une naufragée dans le petit salon douillet de Camille; le temps avait subitement changé et il faisait un froid glacial sous un ciel gris et bas.

— Restons donc auprès du feu, me disait-elle tous les jours.

Mais je n'avais pas choisi de mener une vie confortable à l'abri des intempéries et rien ne parvint à me dissuader de repartir pour Cullingford le dimanche, comme prévu, en dépit d'une violente chute de neige.

De bout en bout, le voyage fut un cauchemar. Le chauffage fonctionnait mal, le train se traînait sur la voie enneigée. Je crus mourir de froid à Leeds, pendant le changement, et l'omnibus de Cullingford partit avec près de deux heures de retard, pour s'arrêter à plusieurs reprises en rase campagne sans que l'on sût pourquoi. Une nouvelle chute de neige survint à la tombée de la nuit et réduisit le paysage à une sorte de désert blanc et inhospitalier, où disparaissait toute notion de temps. Seule dans mon compartiment, je me sentais abandonnée du monde entier et livrée sans secours à la fureur des éléments.

Personne ne viendrait m'accueillir à destination, si nous y parvenions jamais, car nul ne me croirait assez folle pour voyager par un temps pareil. Il n'y aurait évidemment pas de fiacres dans la cour de la gare et je serais forcée d'attendre, dans les courants d'air, qu'un commissionnaire aille prévenir mon cocher — à condition que les rues soient praticables, ce dont j'avais tout lieu de douter. J'ai donc rassemblé mon courage et je me suis préparée à affronter le froid et les chaussées verglacées si je voulais rentrer chez moi à pied, plutôt que de passer la nuit dans la salle d'attente.

Il faisait nuit noire lorsque le train entra enfin en gare de Cullingford. Poussée par un vent violent, la neige tombait en rafales horizontales. Surpris par l'arrivée d'un train que l'on n'attendait plus, le chef de gare voulut bien descendre mes bagages du fourgon et referma en hâte la porte derrière moi, en faisant un geste vague en direction de la cour. Alors, par une sorte de miracle, j'ai distingué dans la pénombre la forme d'une voiture, que soulignait la lueur jaunâtre de deux lanternes. C'est sûrement Liam, me suis-je dit. Nul autre que lui ne risquerait sa santé et ses chevaux dans une pareille tourmente... Le cœur battant de reconnaissance, je me suis lancée aussi vite que je pouvais sur les pavés glissants. J'étais près du véhicule quand une silhouette se pencha à la portière :

— Montez ! dit une voix.

C'était celle de Georges.

— Que faites-vous ici ?...

— Montez, vous dis-je ! J'attends depuis Dieu sait quand, je suis transi jusqu'aux os, mes chevaux sont près de mourir de froid. Montez, que diable !

Où m'emmenait-il ? Je ne le lui ai pas demandé, car il ne semblait pas disposé à parler. Il lui fallait user de toute son attention, déployer toute son habileté pour mener son attelage dans les rues en pente, couvertes d'une épaisse couche de neige. De mon côté, je souffrais de la même inexplicable passivité chaque fois qu'il lui prenait la fantaisie de m'enlever — ou de venir à mon secours. Inerte, les yeux clos, je me laissais donc transporter, en proie à un plaisir secret et un peu honteux — celui de l'esclave qui abdique son libre arbitre. C'était là le seul plaisir que je pouvais savourer sans remords, car je savais que j'y mettrais fin quand je le voudrais.

Bientôt, la voiture s'arrêta et je rouvris les yeux. Nous étions à ma porte et je ne savais s'il fallait que j'en sois étonnée ou déçue. Mes serviteurs m'attendaient; ils nous débarrassèrent de nos manteaux, prirent soin des chevaux. A la lumière, je vis que Georges avait les traits tirés, l'expression étrangement circonspecte. D'un ton où perçait un sentiment que je ne pus identifier, il me dit :

— Quand vous serez changée et rafraîchie, j'aimerais que vous m'accordiez quelques minutes.

Un feu flambait au salon. Je le fis asseoir, une bouteille de cognac à portée de la main, et je montai dans ma chambre. J'en redescendis peu après, fort incommodée, je l'avoue, par les battements de mon cœur et une impatience qu'il eût été vain de dissimuler.

— Il faut vous remercier, Georges...

— C'est inutile.

— Vous êtes trempé, vous avez froid...

Il eut l'air surpris, voire choqué, que l'on puisse soupçonner un Chard de faiblesses réservées au commun des mortels. Il accepta néanmoins le verre de cognac que je lui versai et en but une grande gorgée avant de prendre la parole. Son embarras me parut de plus en plus inexplicable :

— Il faut que je vous parle, Grace...

La gorge sèche, le cœur battant de plus en plus fort, je me suis apprêtée à recevoir quelque nouveau coup. Georges gardait pourtant le silence, jouait avec son verre vide, le posait sur le guéridon, le reprenait. A ma grande stupeur, je le voyais en proie à tous les symptômes de la timidité.

— Je m'attendais à ce que ce soit difficile, dit-il enfin, mais... c'est encore plus délicat... bref...

Mon incrédulité fut la plus forte :

— Georges — non, c'est incroyable ! — je jurerais que vous êtes... intimidé !

— Oui, Grace, je l'avoue, je suis intimidé.

— Qu'avez-vous fait, grand dieu ?

— Je me suis mis dans une situation impossible, dont je ne puis blâmer personne d'autre que moi.

— Serait-ce aussi grave que cela ?

— Oui, je le crains. J'ai tout misé, beaucoup trop du moins, sur une seule carte, ce qui n'est pourtant pas dans mes habitudes. J'en suis au point que je ne sais plus vers qui me tourner...

Me disait-il que j'étais son dernier recours ? Les battements de mon cœur redoublèrent :

— En quoi puis-je vous être utile, Georges ?

— Souhaitez-vous vraiment m'aider ?

— Bien entendu ! Il s'agit d'argent, je suppose ?

— Enfin... oui, il est question d'une certaine somme.

— Tel que je vous connais, vous ne faites jamais les choses à moitié et la « certaine somme » représente vraisemblablement plus que ce dont je dispose. Mais n'ayez crainte, j'obtiendrai la différence en l'empruntant à mon père.

Il marqua un temps d'arrêt, comme frappé à son tour de stupeur. Puis il se leva, remplit son verre et alla s'accouder à la cheminée. Je ne le voyais que de profil, sans pouvoir déchiffrer l'expression de son visage.

— Ai-je bien entendu, Grace ? Venez-vous de m'offrir tout ce que vous possédez, vous apprêtez-vous à emprunter, à compromettre votre crédit ?

C'était à mon tour de me trouver interloquée. Qu'y avait-il de surprenant là-dedans ? Ma proposition me semblait la chose la plus naturelle au monde.

— Je ne mourrai pas de faim pour autant, ai-je répondu, de nouveau sur la défensive. Je vous fais la plus entière confiance pour me rembourser.

— Et si je manquais à mes engagements ?

— Vous auriez sans doute pour cela d'excellentes raisons.

— Est-ce ainsi que doit réagir la femme d'affaires que vous vous vantez d'être, Grace ? On ne se contente pas de « bonnes raisons » en pareil cas.

— C'est exact. Mais s'il s'agissait d'une affaire simple, vous auriez eu recours aux services de la banque Rawnsley.

— En effet. Vous ne m'avez cependant toujours pas demandé en quoi consiste cette mystérieuse « affaire ».

— Elle n'est probablement pas aussi grave que vous l'imaginez et je ne vous crois pas capable d'une malhonnêteté. Maintenant, je vous écoute.

Il se tourna de nouveau vers la cheminée et resta ainsi un long moment avant de me faire face :

— Je remets donc mon sort entre vos mains, Grace. Il est inutile de prolonger ce quiproquo : l'affaire est, en réalité, fort simple. J'ai proposé à Liam Adair de lui racheter sa moitié de *L'Étoile*. Mon offre est extrêmement généreuse et il se montre disposé à l'accepter, à la condition expresse — et je suis entièrement d'accord avec lui sur ce point — que vous l'acceptiez aussi. La décision dépend donc de vous, Grace. J'attends votre verdict.

Je me suis sentie agitée de tant de sentiments contradictoires, d'émotions si violentes que je suis restée sans voix. Les yeux écarquillés, assourdie par les battements de mon cœur, par les grondements d'une véritable tempête intérieure, je ne savais ce qui finirait par l'emporter, d'une joie délirante ou d'un désespoir sans appel. Il me fallait prendre sur moi pour ne pas céder à l'envie de faire quelque folie, de commettre un acte irraisonné qui risquerait d'altérer à jamais le cours de ma vie. Sous peine de perdre définitivement la tête, je devais à tout prix conserver au moins les apparences du calme.

Georges dut se méprendre sur les causes de mon silence, car il s'approcha de moi et posa les mains sur mes épaules :

— Adair accepte de lui-même ma proposition, Grace, dit-il avec brusquerie. Je n'ai rien fait pour l'y contraindre. Je me suis même montré si courtois à son égard que je ne sais lequel de nous deux en a éprouvé le plus d'étonnement. Il veut partir à l'aventure, comme vous le savez peut-être déjà, trouver d'autres taudis, d'autres croisades... Et puis, vous dirigez le journal pratiquement toute seule depuis longtemps.

— C'est vrai, c'est vrai...

— Alors, quittez cette mine hébétée et écoutez-moi, bon sang ! Vous m'avez dit que vous étiez prête à partager votre vie avec moi. Quelle meilleure solution que de m'avoir pour associé ? J'ignore tout de la manière dont on fait marcher un journal et je n'ai pas envie de l'apprendre. Je n'ai pas non plus l'intention de me mêler de ce que vous imprimerez, cela ne regarde que vous. Tout ce que je cherche, Grace, c'est à établir un lien entre nous, un rapport quelconque mais assez visible, assez évident pour faire taire les mauvaises langues, sauvegarder mon amour-propre et ne pas braver inutilement les convenances — oui, je m'en soucie, je l'avoue. Mais vous le savez déjà... Rawnsley, Mandelbaum et les autres s'imagineront que je vous entretiens désormais à la place de votre père et que je vous passe un caprice sans conséquence. C'est peut-être absurde, je vous l'accorde. Mais pourquoi refuser cet innocent compromis ? Seuls, ceux qui comptent vraiment sauront la vérité. Vous m'avez dit, Grace, que deux êtres qui s'aiment peuvent vivre en harmonie tout en préservant leurs personnalités respectives. Eh bien, je vous ai comprise ! Il me manquait simplement la méthode qui permette d'appliquer le principe et de le réaliser. Il me fallait imaginer quelque chose pour nous rapprocher. Voilà ce que j'ai trouvé. Si ce n'est pas l'idéal, c'est au moins un point de départ, non ?... Je vous en prie, Grace, cessez de me dévisager de la sorte ! Dites quelque chose, grand dieu ! N'importe quoi, même si c'est pour m'envoyer au diable, mais ne restez pas muette, c'est exaspérant !

— Oui, Georges.

— Écoutez, je ne retire rien de ce que je vous ai dit, ce jour-là, à Maison Haute. Je préfère encore que vous vous consacriez à moi, c'est vrai, mais je doute que ce soit possible. Quoi qu'il en soit, je n'en démordrai pas, si j'accepte de fermer les yeux pour le moment. Pensez de moi ce qui vous plaira, traitez-moi de jaloux, de tyran, je m'en moque.

— Oui, Georges.

— Je ne réfute rien, non plus, de ce que vous m'avez dit, remarquez-le bien ! Je sais que ce ne sera pas toujours facile, mais je ferai de mon mieux. Voyez quels progrès j'accomplis ! Mais je compte sur vous pour en faire autant, Grace. Et si vous me dites une fois de plus : « Oui, Georges ! » avec cette mine de martyre, je vais me fâcher pour de bon, je vous le garantis ! Alors, marché conclu ?

— Vous êtes diablement convaincant...

— Je sais. Mais sommes-nous d'accord, oui ou non ?

— Convaincant et intelligent...

— J'en ai toujours été le premier persuadé. Votre réponse ?

— Je suis d'accord, Georges. Sur tout. Et vous n'aurez plus besoin de chanter vos propres louanges, je me chargerai de les clamer sur les toits. Marché conclu.

— Pour combien de temps, Grace ? Un instant, laissez-moi ajouter ceci. Cent fois, vous m'avez répété qu'une femme intelligente ne pouvait s'accorder qu'avec un homme supérieur. Eh bien, en guise de conclusion, disons que je suis un homme supérieur et que je reconnais en vous une femme exceptionnelle. Maintenant, tentons l'expérience et voyons si vous êtes vraiment capable de vous accorder avec moi.

— Voyons plutôt comment nous nous accorderons l'un avec l'autre. D'accord ?

Tremblante, étourdie par un bonheur que je n'espérais plus, je l'ai serré dans mes bras et je me suis abandonnée à ma joie. Mes craintes, mes réticences s'étaient évanouies, comme brume au soleil. Pour la première fois de ma vie, j'éprouvais une véritable, une grisante sensation de liberté.

— Alors, Grace, m'acceptez-vous vraiment pour associé ?

— Oui, Georges.

— Me choisirez-vous, un jour, pour amant ?

— Oui, Georges.

— Et me prendrez-vous pour mari, le moment venu ?

— Oui, Georges. Avec joie.

— Aurez-vous confiance en moi ?

— Oui.

— Et... m'obéirez-vous ?

— Quand cela me semblera légitime ou justifié, ce qui se produira plus souvent que vous ne l'imaginez.

Un long, un très long baiser scella nos promesses. Je retrouvais en moi, avec émerveillement, des sentiments, des élans que je croyais oubliés. Déjà, nous ne faisions plus qu'un.

— Dis-moi, Georges, comment savais-tu que je rentrerais ce soir ? Tu m'attendais depuis longtemps à la gare, disais-tu, et tu n'as pourtant pas eu l'air surpris de me voir. Par un temps pareil, il eût été compréhensible que je décide de rester à Scarborough.

Il me souleva dans ses bras, me porta jusqu'au canapé. Nous étions assis côte à côte devant le feu, serrés l'un contre l'autre, et je sentais mon cœur éclater de bonheur et se dégager de la gangue de glace où je l'avais cru enfermé à jamais.

— Comment l'ai-je su, mon amour ? De la manière la plus simple : tu avais des « engagements » demain. Et je savais qu'il pourrait neiger, venter, tonner, tu serais demain matin à ton bureau à huit heures précises, comme je serai moi-même au mien.

— Tu ne m'as sans doute jamais rien dit de plus beau !

— En fait, je t'ai flattée : demain matin, je serai à mon bureau à sept heures, comme d'habitude.

— Tant mieux, ce sera plus commode. Je pourrai t'y déposer en voiture sans me mettre en retard, ai-je répondu en riant.

Il avait su trouver le moyen de nous rapprocher, de nous réunir. Un moyen malaisé, certes. Mais qu'importent les difficultés ? Nous savions tous deux qu'elles n'existent que pour être vaincues. Chaque jour, à chaque pas, nous découvririons quelque obstacle à franchir, quelque problème à résoudre, quelque montagne à gravir — et nous le ferions ensemble. Comme deux êtres qui s'aiment, sans se renier eux-mêmes, sans s'asservir l'un à l'autre. Il avait su tracer le seul chemin où nous puissions nous engager. Ensemble, nous allions apprendre à y faire nos premiers pas.

Les grands romans Belfond

Barbara Taylor Bradford
L'espace d'une vie
Les voix du cœur

Jacqueline Briskin
Paloverde
Les sentiers de l'aube
La croisée des destins

Colleen McCullough
Les oiseaux se cachent pour mourir
Tim
Un autre nom pour l'amour

Sarah Harrison
Les dames de Chilverton

Brenda Jagger
Les chemins de Maison Haute
Le silex et la rose

Rosalind Laker
Mademoiselle Louise

Michael Legat
Les vignes de San Cristobal

Sandra Paretti
La dernière croisière du Cecilia
Maria Canossa
Les tambours de l'hiver

Michael Pearson
La fortune des Kingston

Alexandra Ripley
Charleston

Danielle Steel
Palomino
Souvenirs d'amour

Barbara Wood
Et l'aube vient après la nuit

Cet ouvrage a été composé par EUROCOMposition S.A. Paris
et imprimé par la S.E.P.C. à Saint-Amand-Montrond (Cher)
pour le compte des éditions Belfond

Achevé d'imprimer en septembre 1984

Dépôt légal : septembre 1984.
N° d'Édition : 711. N° d'Impression : 1649.
Imprimé en France